新編 怪奇幻想の文学

3

恐怖

【監修】紀田順一郎・荒俣宏

【編】牧原勝志（『幻想と怪奇』編集室）

Tales of Horror and Supernatural 3

Terror

新紀元社

新編 怪奇幻想の文学 3

恐怖

Tales of Horror and Supernatural
3
Terror

人類の感情で最も古く、かつ強いものは恐怖であり、恐怖のなかでも、もっとも古くかつ強いもの、それは未知なるものへの恐怖である……それが真実であるとすれば、怪奇と恐怖の物語は、文学の様式において確たる高い位置をつねに占めることになるだろう。

——H・P・ラヴクラフト『文学と超自然的恐怖』より

目次

新編 怪奇幻想の文学 3

恐怖

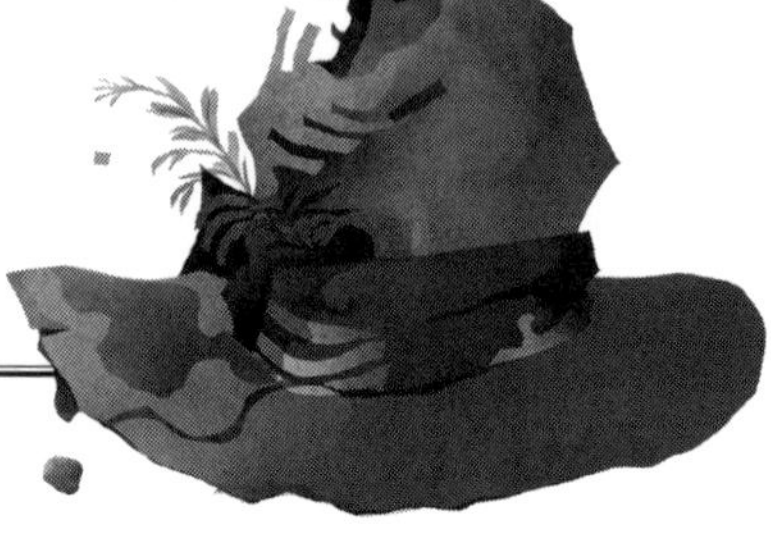

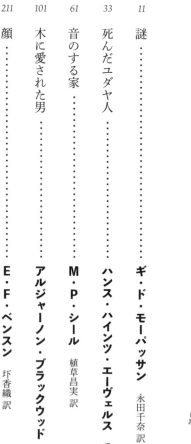

編者序文

牧原勝志

「人類の感情で最も古く、かつ強いものは恐怖であり、恐怖のなかでも、もっとも古くかつ強いもの、それは未知なるものへの恐怖である」

本書の扉裏にも引用したこの一文は、H・P・ラヴクラフトの評論『文学と超自然的恐怖』の冒頭の一文（拙訳）である。

本来、恐怖とは、避けるべきものに対する感情である。だが、それが小説なり映画なりであれば、むしろ求められ、好まれるものとなる。不思議なことではないだろうか。

怪奇、恐怖、ホラー、怪談などとタイトルに冠した「こわい話」の本は枚挙に暇がない。もちろん本書もその一冊だ。先行するアンソロジーとしては、まず本書の母体である《怪奇幻想の文学》の、『戦慄の創造』『恐怖の探究』（新人物往来社　ともに一九七〇）を挙げなくてはならない。また、平井呈一編訳の『こわい話・気味のわるい話』（牧神社　三巻　一九七四―七六）は、まさに題名どおりの英米怪談傑作選で、のちに再編・改題されたときは、やはり文字どおりの『恐怖の愉しみ』（東京創元

社　二巻　一九八五）となった。近年では、日本の短編ホラーの傑作を精選した朝宮運河編『恐怖』（KADOKAWA　二〇二二）がある。そのタイトルは収録作品の一編からではあるが、アンソロジーの核心を的確に捉えていた。

なぜ、人は絵空事の恐怖を愉しむのだろうか。これは簡単なようでいて、真剣に取り組む価値のある問いだ。たとえば、アメリカの哲学者ノエル・キャロルは、『ホラーの哲学』（フィルムアート社　二〇二二）で、四百ページあまりを費やし、怪奇小説とホラー映画の膨大な例示のもとで、一つの解を示している。興味深い論考なので、ここでは解については触れないが、あくまでも例解だ、とだけは言っておこう。正解は、恐怖を愉しむ人それぞれの胸の内に秘められていることだろう。

編者は第二期『幻想と怪奇』発刊時、その問いに「怖ろしい現実を生きていくために必要なものだから」と答えている。ここでは、恐怖小説の名作の数々から十編を選ぶことで、あらためて答えたい。いずれも恐怖を愉しむのに好適な物語だ。

本シリーズは古典・準古典のアンソロジーであり、本書の収録作も十九世紀末から二十世紀中盤までの中短編である。読者の中には、作中で語られることがらに、時代の差異を覚える方もいるかもしれない。だがそれ以上に、私たちが覚える「恐怖」が、個々の作品の時代と変わっていないことに、気づくのではないだろうか。今も私たちは、属性の異なる人々を見て不安を覚え、病気を怖れて必要以上の忌避を顕《あら》わにする。ここに収録した作品には、それらの現実的な――怖ろしいが、けっして愉しくはない――恐怖を素材にしたものもある。だが、恐怖の本質は、そこから一歩踏み込んだところに描かれている。

不動の名作の数々で恐怖の本質に触れ、愉しんでいただきたい。本シリーズは、自由な想像力が創りだす豊かな世界への、恰好の入口となることだろう。

謎

ギ・ド・モーパッサン

永田千奈 訳

Qui Sait?

Guy de Maupassant

I

ああ、まったく！　いやはや恐ろしい。それでも、ようやく、何が起こったかを書く決心がついた。いや、でも書けるだろうか。あんなに奇妙な、説明できない、理解できない尋常ならざることだというのに、書き記しておくだけの力が自分にあるだろうか。

私は確かに見たと今でも思っているし、私の理性は衰弱しておらず、認識に誤りもなく、何ら見落とした部分もないと信じている。さもなければ、私だって、きっと自分の頭がおかしくなったと思い、何らかの幻影に惑わされただけだと思い込んだに違いない。いや、だが、本当のところはわからない。

私はいま、精神病院にいる。いや、自分の意志でここに来たのだ。これも用心のため、安心のためだ。経緯を知っている人間はただ一人、ここの医者だけだ。その経緯をこれから書き記しておく。自分でもなぜかはわからない。楽になりたいからかもしれない。何しろ耐えがたい悪夢のようなものが自分のなかにのさばっているのを感じるのだ。

そう、こんなことがあった。

私は長い間ずっと孤独で夢見がちな人間で、浮世離れした哲学者のようであり、ひとに気を遣い、多くを望まず、他人に辛辣にあたることも、神を恨むこともなかった。他人がいるとなんだか居心地が悪く感じ、常にひとりで生きてきた。どう説明したらいいのだろう。いや、説明できない。人に会い、友人たちと喋《しゃべ》ったり、食事をしたりすることは嫌ではない。だが、他人がずっとそばにいるのは、たとえそれがどんなに親しい者でも、私をうんざりさせ、疲れさせ、不機嫌にさせるのだ。そして、早く出て行ってほしい、もしくはここから去りたい、一人になりたいという思いが大きくなり、心を強く支配する。

ひとりになりたいという気持ちはもはや願望ではなく欲求であり、私にとってはどうして抗しがたい必然なのだ。そして、近くに人がずっと居る場合、他人の話に聞き入るのならまだしも、一方的に長いこと聞かされる場合には、確実にあれが起こる。あれとはなんだって？　ああ、本当のところはわからない。たぶんよくある失神だろうって？　ああ、そうかもしれないね。

私はどうしてもひとりになりたいので、同じ屋根の下で誰かが眠っているだけでも耐えられない。そんなわけでパリには住めない。パリにいる限り、ずっと苦しみ続けることになる。心が死んでしまうのだ。そして、私を取り囲み、うごめきまわるこの巨大な群集のせいで、肉体も神経もまいってしまう。寝ている間でさえ、やつらの存在が消えるわけではない。だから、他人の眠りは、私にとって喋り声以上に苦痛なのだ。毎日、一定の時間、眠りに落ち、理性を失うあの存在が壁の向こうにいる。それを知っている限り、その存在を感じる限り、私に休息は訪れない。

なぜ私はこうなのだろう。本当のところはわからない。理由はけっこう簡単なことかもしれない。自分の外で起こることは何もかも、私をひどく疲れさせるのだ。こういう症例は、他にも多くあるらしい。

この世には二種類の人間がいる。他人を必要とし、他人といることを楽しみ、他人のことを考え、他人と居ると安らぐやつら。彼らは独りでいると、まるで険しい氷河の山に登ったり、砂漠を横断したりするかのように、つらく感じ、すぐに疲れ果て、無気力になる。もう一方は、反対に、他人がいるとうんざりし、退屈し、居心地が悪くなったり、ぐったりしたりするのに、独りになった途端、気持ちが落ち着き、誰にも邪魔されることなく夢想に浸れる瞬間こそ、心からくつろぐことができる人種だ。

つまり、ごく普通の心理現象なのだ。外の世界で生きるのが得意な人もいれば、内の世界で生きるのが得意な人もいる。私はと言えば、外の世界への関心はあっという間に尽きてしまい、すぐに限界に達したかと思うと、心も身体も耐えがたいまでの苦痛を感じてしまう。

その結果、私は過去も現在も、動かない家具や小物に対して大いに執着するようになった。こうした物体は、私にとって人間と同様の重要なものであり、私の家は、慣れ親しみ、ひとの顔のようにすっかり目に馴染んだ、さまざまな置物や家具、古道具に囲まれ、孤独で活動的な日々を過ごせる世界となった。いや、なっていた。私は少しずつ家をあれこれと物でいっぱいにし、装飾を施し、そのなかで安堵し、満たされていた。美しい女性の腕のなかにいると、いつまでもやさしく愛撫されたいという穏やかで甘美な欲求が生まれるが、自邸にいるとき、私はまさにそのような幸せを感じていたのだ。

私は、町のはずれ、美しい庭園の中にこの家を建てさせた。この庭のおかげで道路からは距離があるし、必要があれば町に出て、それなりに社交の場をもつこともできる。私のような者でも、たまには、そうした欲求があるものだ。使用人たちは皆、壁に囲まれた農園の奥にある離れの建物で寝起きしている。大木の葉陰に沈み込むようにすっぽりと埋もれ、外からは見えないこの屋敷のなかで静寂に浸っていると、夜の闇は私を包み、なんとも心が休まり、快適な気分にさせてくれる。その心地よさを少しでも長く味わいたくて、寝床に入るのを何時間も遅らせてしまうほどだ。

その日、町の劇場では『シグール』*が上演されていた。この美しく幻想的な歌劇を見るのはこれが初めてのことで、私も大いに楽しんだ。

私は徒歩で帰途に就いた。足取りは軽く、頭の中は聞いたばかりの歌であふれ、目はなおも美しい眺めにうっとりしていた。周囲は闇、真っ暗だった。かろうじて大通りは見えていたが、あまりの暗さに何度も溝に足をとられそうになったほどだ。劇場から家まではおよそ一キロ。いや、もう少しあったかもしれない。ゆっくり歩いて二十分ほど。午前一時。一時か、一時半ぐらいだった。目の前の空が少し明るくなったかと思うと、三日月が現れた。悲しげな下弦の月だ。同じ三日月でも、上弦の月は夕方四時か五時ぐらいに昇り、明るく、陽気で、磨かれた銀の光だ。だが、夜更け過ぎに昇る下弦の月は赤みを帯び、陰気で不安げだ。これこそサバト*にお似合いの月である。夜をさまよう者なら皆、

『シグール』 エルネスト・レイエ作曲一八八四年初演のオペラ。シグールは北欧伝説に登場する英雄ジークフリートの仏語名。

気がついていることだろう。上弦の月は糸のように細くとも、小さく楽しげな光を放ち、人の心を明るくし、地上にくっきりと影を描き出す。下弦の月は瀕死の光をかろうじて放っているものの、もはや影を描き出す力もない。

遠くにわが庭の木立のシルエットがぼんやりと見えてきた。どうしてだかわからないが、心が騒ぎ、なんだか自分の家の敷地に入るのがためらわれた。歩みを緩める。その日は心地よい気候だった。大きな樹木のつくる緑の小山は、まるで屋敷が埋葬されている墓のように見えた。

柵の戸を開け、建物へと続く楓《かえで》の並木道に入る。木々は天井の高いトンネルのようにアーチを描いて道を覆っていた。道なりに進み、白々と浮かびあがる植え込みの間を抜け、青白い闇のもと、あちらこちらに置かれた花壇が、輪郭のはっきりしない楕円形のしみのようにぼんやりと影をつくる芝生の庭を、ぐるりと回る。

屋敷に近づいたところで、妙な胸騒ぎがした。私は立ち止まった。何も聞こえない。枝葉の間を吹く風もない。「どうしたんだろう」私は思った。もう十年、私はこうやって帰ってきたが、こんな不安を抱いたことはわずかなものでも一度もなかった。怖いと思ったことなどなかった。夜が怖いなんて初めてのことだった。人影、そう、強盗や泥棒の姿を見たというのなら、私は怒りに身をまかせ、相手にとびかかっていったことだろう。何せ、丸腰ではないのだ。リボルバーだってもっている。だが、銃には一切指を触れない。私は自分の中でうごめく不安に耐えてやろうと思ったのだ。

あれは何だったのか。予感？ 説明しがたいものに遭遇する直前、人間の感覚を支配するという、あの摩訶不思議な予感というやつか。そうかもしれない。本当のところはわからない。

進むにつれて、肌にぞくりとする感覚が走った。広い屋敷の壁にたどりつき、閉じた雨よけの前に立つと、なんだか扉を開け、中に入るのがためらわれ、少し待ったほうがいいような気がした。そこで、私はサロンの窓の下にあるベンチに腰かけた。そのまま壁に頭をもたせかけ、少し震えながらも目だけはしっかりあけて葉陰を見つめる。最初のうちは、自分のまわりに何ら奇異なものは感じなかった。ごろごろという音が聞こえたような気がしたが、そんなのいつものことだった。列車が通過する音、教会の鐘、群集の足音などが聞こえたように思うことは珍しくなかった。

だが、やがて、ごろごろという音はさらにはっきりと、間違いようもなく、疑いようもない大きさになっていった。違う。拍動がもたらす、いつもの耳鳴りのような雑音ではなかった。もっと特徴的な、だが、明確に何とは言えない音が、しかも、もはや疑いようもなく明瞭に、家のなかから聞こえてくるのだ。

壁越しでもはっきりと聞こえ、しかも鳴り続けているこの音、いや、むしろ音というより騒乱、何か多くのものが動いている気配。まるで、すべての家具やら何やらを揺さぶり、動かし、ゆっくりと引きずっているような感じだ。

ああ、それでもまだしばらくは自分の耳を疑っていた。雨よけに耳を押しつけ、住処《すみか》の中から聞こえる奇妙な騒ぎに耳をすませると、もはや家のなかで何か異常なこと、理解しがたいことが起きているのは確かであり、疑いようはなかった。怖くはなかった。だが、いや、どう説明したらいいのだろう。驚愕のあまり茫然としていた。武器を必要とするような案件ではないことは、もうはっきりと察しがついたので、銃に手をかけはしなかった。私はじっと動かずにいた。

決心がつかないまま、かなり長いあいだじっとしていた。頭は冷静を保っていたが、とてつもなく不安だった。私は立ったまま、耳をすませ、ひたすら待ち続けた。音は徐々に大きくなり、時には暴力的なまでに激しくなっていく。まるで焦燥や怒り、不可思議な興奮状態を思わせる叫び声のようであった。

やがて、私はふと自分の臆病ぶりが恥ずかしくなり、鍵束を手にすると玄関の鍵を選び出し、錠のなかに差し込んだ。そのまま二回まわし、全身の力を込めて扉を押す。ぐいと押し広げると、扉は壁にぶつかって止まった。

扉が壁にあたる音は銃声のように大きく響いた。するとこの轟音に応えるように、家の上から下まで大騒ぎになった。あまりにも突然で恐ろしく、大きな音だったものだから、私はつい数歩退き、そんなものなど役に立たぬことなど百も承知で、リボルバーをホルスターから引き出した。

私は再び待った。いや、わずかな時間だけだ。今や、わが家の階段、床、絨毯《じゅうたん》の上を行くとんでもない足音がはっきりと聞き取れるようになっていた。足音といっても靴やスリッパをはいた人間の足音ではない。松葉杖の音だ。木製の松葉杖、シンバルのように震える音がする金属製の杖。そうか、この音だったのか。その瞬間、私は気がついた。戸口のところから、私の肘掛け椅子が、あの読書用の肘掛け椅子がよちよちと千鳥足で出てきた。そのまま、庭へと逃げ去ってゆく。サロンの長椅子やソファなどほかの家具も、短い脚でよたよた進むワニのように、肘掛け椅子のあとにつづき、さらにはヤギのように跳ねながらすべての椅子が去り、スツールの類もウサギのようにパタパタと出て行ってしまった。

なんということだ。私は植え込みに身をすべり込ませ、しゃがみ込んだまま、ずっと家具たちの行進を見つめていた。何しろ、その大きさや重さによって足の速い奴も遅い奴もいたが、どれもこれも順序正しく列をなし、出て行ってしまったのだ。私のピアノ、あの立派なグランド・ピアノまでが、その脇腹に音楽の響きを残したまま、興奮した馬のようにギャロップで走り去った。小さなオブジェたちも蟻のように砂の上を滑っていった。月明かりに照らされ、土ボタルのように光りながらブラシ、ガラス器、盃たちが去っていく。布製の調度はずるずると這うように進み、水たまりにはまると蛸のようにべったりと広がる。百年前に作られた貴重な骨董品である私の書斎机が出てゆくのが見えた。これまでにもらった手紙のすべて、私の心の歴史のすべて、大いに苦しんだ過去のすべてがあの引き出しに入っているというのに！　そうだ、写真もなかに入っていたはずだ。

とつぜん、恐怖心が消えた。私は机にとびかかった。泥棒を捕まえるみたいに、逃げる女にすがるみたいに、しがみついた。だが、机は頑として歩みを止めず、私がどんなに頑張っても、怒っても、ついにその歩みを緩めさせることさえできなかった。この恐るべき力に、やけになって対抗するうちに、私は机と四つに組んだまま地面に転がった。それでも、机は進み続け、私は、砂のうえを引きずられていった。すでに後につづく家具が迫り来たかと思うと、私の上を歩いていく。私の足を踏みつけ、殺さんばかりの勢いだ。ついに私が机から手を離すと、さらに別の家具が、落馬した兵士に襲い掛かる騎兵隊のように私を踏みつけていく。

最後には恐怖で気がおかしくなり、私は通路の外側に這いずり出ると、再び木立のなかに身を隠し、取るに足らない小物や、微細な小間物、質素なものからもう忘れていたものまで、所有物のすべてが去っていくのを見送った。

やがて、今やすっかり空き家のようになった屋敷のなか、遠くのほうから、いくつもの扉が閉じる音が聞こえてきた。上から下まで屋敷中の扉が音を立てて締まり、さきほど私が取り乱しながら自分で開き、突破口をつくってしまった玄関扉までが、最後にひとりでに閉じた。

私は逃げた。町の方角へ走り出し、まだ夜遊びしていた人に道で出くわして、ようやく我に返った。ホテルに行き、呼び鈴を鳴らした。ここなら顔がきく。両手で上着を叩いて埃を払い、鍵束を失くしてしまって家に入れないのだと話した。泥棒達から私の果実や野菜を守るため、使用人たちは、壁に囲まれた農園の奥にある離れで寝起きしており、その農園の鍵まで一緒になくてしまったのだと。

部屋に案内され、寝台に入ると、頭までふとんを引き上げた。だが眠れない。胸の鼓動を聞きながら朝を待った。夜が明けるなり、私がここにいることを知らせると、朝七時には部屋付きの召使がホテルの部屋のドアを叩いた。

召使の顔には動揺が見えた。

「ご主人様、昨夜とんでもないことが起こりました」

「どうした」

「家具調度がすべて、ごくごく小さなものまで全部、盗まれてしまったのです」

これを聞いて私は喜んだ。なぜだろう。本当のところはわからない。私は冷静さを失わなかった。何もなかったかのように装い、自分が見たことは誰にも言わずに隠し通し、おぞましい秘密として、私の心のうちに埋葬してしまおうと決めていた。そこで、私はこう答えた。

「そうか、では、私の鍵を盗んだのも同じやつだろうな。はやく警察に届け出なくては。すぐに起きて、警察に行くから、おまえはひとあし先に行っておいてくれ」

捜査は五か月続いた。何も見つからなかった。些細な小物さえも、盗人たちのわずかな痕跡さえも見つからなかったのである。なんということだ。もし、私が知っていることを話していたとしたら、ああ、もし正直に話していたなら、収監されていたのは泥棒ではなく、私のほうだったろう。こんな馬鹿げた幻を見る人間のほうが牢屋に入れられてしまうのだ。

ふう、私は口をつぐんだ。だが、もう家具を買い直そうとは思わなかった。そんなことをしても無駄だ。また同じことの繰り返しになるかもしれぬ。もう家には帰りたくなかった。そして実際に帰らなかった。あの屋敷には二度と足を踏み入れなかったのだ。

私はパリのホテルに移り、あのおぞましい夜以来、ひどく私を不安にさせている神経の病について何人かの医者に診てもらうことにした。

どの医者も皆、旅をしてはどうかと言った。私はその助言に従った。

Ⅱ

まずはイタリアを旅した。陽光は私を元気にしてくれた。六か月かけてジェノバからヴェネチアへ、ヴェネチアからフィレンツェ、フィレンツェからローマ、ローマからナポリへとさまよい歩いた。その後、シチリア島をめぐった。シチリア島はその自然といい、ギリシャ文明やノルマン文化の影響を残した遺跡や遺物といい、魅力あふれる場所だった。次にアフリカ大陸へ渡り、ラクダやガゼル、アラブの遊牧民族が行きかう、あの黄色く静かな大砂漠をのんびりと横断した。砂漠の軽やかで澄み切った空には、昼はもちろん、夜になっても、何かの霊が漂うような気配など一切感じられなかった。

私はマルセイユ*からフランスに戻った。南仏の陽気にもかかわらず、これまで過ごした国よりも暗い空に、私の心は沈んだ。病気はもう治ったと思っていた。だが、欧州大陸に戻った途端、鈍い重苦しさを感じ、この奇妙な不安の病巣がまだ潰《つい》えていないのを思い知らされたような気がしたのだ。

またパリに戻る。一か月もすると私は退屈してしまった。秋だった。私は冬になる前に、まだ行ったことのないノルマンディー地方を旅しようと思いたった。

当然のことながら、まずは、ルーアン*を訪れた。一週間、私は楽しく、うきうきと夢中になって、この中世の街、見事なゴシック建築の驚くべき美術館のような街をめぐった。

そうして、ある日の夕方四時ごろ、ロベック川通りと呼ばれる、黒いインクのように暗い川が流れている、幻想的な道に踏み込んだときのことだった。古めかしい家並みの奇妙な景観にすっかり目を奪われていたところ、とつぜん、古物商が何軒も軒《のき》を連ねているところにでくわしたのだ。

ああ、格好の場所に店を構えたものだ。この薄気味悪い路地、すぐ下には陰気な水が流れ、古ぼけたものを売り買いするみすぼらしい店には実にお似合いだ。瓦と石板で葺かれた屋根には、いまだに昔の風見鶏が載っているではないか。

闇に沈む店の奥に、彫刻の施された食器戸棚、ルーアンやヌヴェール、ムスティエの焼き物が見えた。彩色された彫刻は、オーク材のものもあり、キリスト像、マリア像、聖人や教会の装飾、司祭の着るカズラ*、コープ*、聖水盤まであった。木材に金箔を施した聖櫃《せいひつ》もあったが、神の姿はすでに跡形もなくなっていた。ああ、この背の高い建物、巨大な家のかたちをした奇妙な洞窟は、地下室から屋根裏まであらゆる種類のものであふれていた。こうした古物どもは、もはや絶滅したと思われていたのに、新たな世代が好奇心から購入することによって、もともとの所有者よりも、自分たちの世紀、時代、風俗よりも長く生き続けるのだ。

この古風な街にいると、古物への愛着が再び目をさました。私は、ロベック川の汚臭溢れる流れに腐りかけた板を四枚程度渡しただけの橋を大股で渡り、いくつもの骨董屋をのぞいてまわった。

マルセイユ　フランス最大の港湾都市。プロヴァンス南西部に位置する。(編)
ルーアン　フランス北部、ノルマンディ地方の古都。(編)
カズラ　司教、司祭の祭服。
コープ　同じく司祭が着るマント状の上着。

驚いた。いったい、どうしたことだ。あれこれのものが重なり合いアーチのようになっている片隅に、私が所有していた美しい戸棚のうちのひとつが見えたのだ。そこはまるで古い家具の墓場、地下埋葬所の入り口のようだった。私は手も足も震わせながら、戸棚に近づいて行った。あまりにも手が震え、さわることさえできない。手を伸ばす。まさかと思う。だが、やっぱりそうだった。ルイ十三世様式*の一点もの、一度見れば誰でもすぐにわかるあの戸棚だった。ふと少し離れた場所、この店のいちばん暗い奥のほうに目をやると、私の椅子、目の細かい織物を使ったあの肘掛け椅子が三脚、見えた。さらに、その奥にはアンリ二世様式*のテーブルがふたつ。そうとう希少なものだというので、パリからわざわざ見に来るひとがいたあれだ。

ああ、どうか想像してみてほしい。この時の私がどんなようすだったか。歩を進めたものの、心は恐怖におびえ、身体は強張《こわば》っていた。それでも、歩き続けた。私は臆病者ではない。暗黒の世紀、魔物の住処に突っ込んでいった騎士たちのように、私は進んだ。一歩、また一歩と踏み出すごとに、かつて私の所有していたものたちが見えてきた。私のシャンデリア、私の本、私の絵画、私のじゅうたん、私の武器。すべて、いや、あの手紙が詰まっていたはずの書斎机だけはない。あれだけはどこに見当たらぬ。

私はまず暗い回廊に降り、そこから上階に昇った。誰もいない。おーいと声をかけてみたが、返事はない。私以外、誰もいない。このだだ広く、迷宮のようにねじくれた建物には誰もいない。

夜が来た。ここから立ち去るわけにはいかず、私は暗がりのなか、かつて私のものだった椅子に腰を下ろした。時折、声をあげてみる。「おーい、おーい、誰かいないのか?」

そうして一時間以上した頃だろうか、足音が聞こえてきた。ゆっくりとした軽やかな足音、だが、どこから聞こえるのかは定かではない。逃げたくなった。だが、私は身体に力を込め、あらたに声をあげてみた。ふと見ると、隣の部屋に明かりが灯っている。

「誰だ」と声が訊いてきた。

「客ですよ」と私は答えた。

「この手の店にやってくるには時刻が遅すぎませんかね」と返事があった。

私は言った。

「一時間前からずっと待っていたんです」

「明日、出直してきてくださいよ」

「いや、明日にはルーアンを発つのでね」

私はあえて歩み寄ろうとはしなかった。向こうも近寄ってこない。やつのもっている明かりが周囲を照らし、タピスリーが浮かび上がった。戦場の死体のうえを二人の天使が飛んでいる柄のタピスリー。あれも私が所有していたものだ。私は言った。

「おい、こっちに来てくれないか」

ルイ十三世様式　十七世紀前半の、フランスの建築や工芸の様式。家具では直線的な造形の細部に曲線をあしらうのが特徴。（編）
アンリ二世様式　十六世紀後半、アンリ二世の宮廷を中心に流行した装飾様式。イタリア・ルネサンスを志向しつつフランス独自の簡潔さと優美を共にもつ繊細な表現を特徴とする。（編）

「あなたこそ、こちらへ」

私は立ち上がり、彼に近づいた。

広い部屋の真ん中にちんまりとした男がいた。ひどくちびで、ひどく太っている。見世物小屋にいるでぶ、醜いちびでぶみたいなやつだ。

ふぞろいで、まばらで、黄ばんだ変なひげに、頭は禿げ。つるっ禿げだ。男が私の顔をみようと明かりをもちあげたので、禿げ頭が、古家具であふれる広い部屋のなか、まるで月のように見えた。目がどこにあるかわからぬほど、皺《しわ》だらけでむくんだ顔をしている。

私は自分のものだった椅子を三脚購入し、即座に大金を払い、余計なことは言わず、私のホテルの部屋番号を告げ、翌朝九時までに配達するよう依頼した。

店を出る。やつは慇懃《いんぎん》な態度で私を戸口まで案内し、見送った。

私はそのまま、警察署に向かった。そして、警察署長に自分が家具を盗まれたこと、そして、盗まれた家具をつい先ほど見つけたことを告げた。

署長は、盗難事件を担当した検察官に電報で問い合わせ、情報を得るのに時間がかかるため、しばらく待ってほしいと言った。一時間後、私の思い通りの答えが返ってきた。

署長は言った。

「あの男をすぐに逮捕し、取り調べましょう。急がないと、やつも疑われていることに気づき、盗品を隠してしまうかもしれない。あなたは夕食でもとって、二時間ほど、時間をつぶし、戻ってくるといい。その間に私はやつをひっ捕らえ、あなたの前であらたに尋問するといたしましょう」

「ぜひそうしてください。心より感謝いたします」

私はホテルに帰って、食事をした。思ったよりも食欲はあった。それなりに満足感があったのだ。犯人が捕まったのだから。

二時間後、警察署に戻ると、署長が待っていた。

私を見ると彼は言った。

「ああ、ムッシュー、あいつが見つからないんです。部下を行かせたのですが、捕まえられませんでした」

ああ、私は気を失いそうになった。

「でも、あいつの家はちゃんとあったでしょう？」

「ええ、もちろん。ええ、やつが戻ってくるかもしれないのでちゃんと見張らせて、人を置いています。でも、やつは消えたんです」

「消えた？」

「ええ、消えました。やつはいつも隣に住む女、この女も古道具屋で、ビドワンという男の寡婦なんですが、魔女のような女でね、やつはいつもこの女のとこで夜を過ごすんです。ところが、その女さえ、今夜はやつの姿を見ていないというし、行き先も知らないというんです。明日を待つしかありません」

私は警察署をあとにした。ああ、ルーアンの街がどんなに陰気に、おそろしげに、呪われて見えたことか。

その晩は寝つきが悪く、悪夢を見ては何度も目を覚ました。

不安で気がせいているとは思われなくなかったので、翌日、十時まで待ったうえで私は警察に行った。

古物商は戻っていなかった。店は閉まったままだという。

署長が言った。

「しかるべき措置は取りました。検察にも知らせてあります。さて、一緒にやつの店まで行き、鍵を開けさせましょう。どれが、ご自分のものだった家具なのか教えてください」

箱馬車に乗って現場に向かった。警官たちが錠前屋とともに店の前で待機しており、私達が着くと、さっそく錠前屋に扉を解錠させた。

何もない。入ってみると、私の戸棚も、肘掛け椅子もテーブルもないのだ。かつて私の屋敷にあった家具たちがひとつもない。昨夕、この店に足の踏み場もないほどあふれていた、私の家具、私の小物たちもまったくなくなっている。

警察署長は茫然とし、軽蔑の色を浮かべて私を見た。私は言った。

「なんということだ。古物商の親父と一緒に家具までもなくなってしまうんなんて妙じゃないか」

署長は微笑んだ。

「ええ、そうですね。あなたが昨日、自分のもっていたものを大枚はたいて買い戻そうとしたのがまずかったんです。やつはそれで勘づいたんでしょう」

「いや、でも不思議なのは、私の家具があった場所には、もう別の家具がこれでもかとばかりに置かれていることです」

「まあ、一晩かけてやったのでしょう。共犯もいたに違いない。どこかに近隣の家とつながっている扉があるのでしょう。ご心配なく。この件については今後も気を抜くことなく捜査を進めますので。泥棒は早々に捕まることでしょう。何せ、ねぐらは押さえているわけですしね」

ああ、心臓、私の心臓、可愛そうな心臓がどれほど早打っていたことか。

私はその後、十五日間ルーアンに滞在した。男は戻ってこなかった。ちくしょう、あの野郎。だが、あいつを困らせ、とっちめてやるなんて無理なのかもしれない。

というのも、十六日目の朝のことだ。すべてを盗まれ空っぽになった私の屋敷を管理させている庭師から妙な手紙が来た。つぎのような手紙だ。

「ご主人様
ご報告申し上げます。昨夜、とんでもないこと、理解しがたいことが起こりました。警察も私ども同様、理解できないようです。すべての家具が戻って参りました。ごくごく微小なものまで、ひとつ残らずです。屋敷は、盗難にあう前とまったく同じ状態にあります。あまりにも妙な話です。金曜の夜から土曜の朝までのあいだのことです。扉の柵に沿って何かを引きずったかのような跡が道にできていました。あの家具が消えた日と同じような削れ方です。
ご主人様のお帰りをお待ち申し上げております。あなたの忠実なるしもべより。

フィリップ・ローダン」


えっ、いや、まさか。なんということだ。いや、戻るものか。

私はこの手紙をルーアンの警察署にもっていった。

「実にみごとな方法で取り繕《つくろ》ってみせましたな。とりあえずは放っておきましょう。近いうちにきっと捕まえてみせますよ」


だが、やつを捉えることはできなかった。警察はやつを逮捕できなかったのだ。私は今でもあいつが怖い。まるで獰猛な獣がすぐ後ろに放たれているような気分だ。

見つからない。あのお月さまのような頭をした怪物はもう見つからない。決して捕まえることはできないだろう。やつは二度とあのルーアンの住処には戻らない。あんなもの、やつにはどうでもいいのだ。やつを見つけられるのは、私だけだろうが、私はもうやつに会いたくない。絶対に嫌だ。

もし、やつがあの店に戻ったとしても、私の家具があの店にあったことを誰が証明できるだろう。やつを告発する根拠は私の証言だけだし、そんなの信じてもらえるかどうかはわからない。

ああ、まいった。もうこうしてはいられない。私は自分の見たことを秘密にはしておけなかった。また同じことが起こるかもしれないと怯えながら、世の人と同じような顔で生き続けることなど無理だった。

私は医者を探した。そして、見つけたのが、この精神病院の院長だった。私は医者にすべてを話した。

時間をかけ、私にあれこれ質問をした後、医者は言った。

「ここにしばらく滞在することは可能でしょうか」

「ええ、喜んで」

「お金はありますか」

「ええ、あります」

「独立した離れをご希望で?」

「ええ、そうです」

「お友達の面会はお受けになりますか」

「いいえ。誰一人として会いたくありません。あのルーアンの男が私に復讐しようとここまで追いかけてくるかもしれませんから」

今や私はひとり。孤独だ。もう、三か月ずっとひとりきりだ。おおよそ、静かに過ごしている。だが、ひとつ、恐れていることがある。もし、あの古物商が正気を失い、ここに入院させられることになったら、どうしよう。そうなると監獄すら安全とは言えないのだ。

＊特記ないかぎり註は訳者による。

死んだユダヤ人

ハンス・ハインツ・エーヴェルス

垂野創一郎訳

Der Tote Jude

Hanns Heinz Ewers

十二時の鐘が鳴るとその役者は言った。

「ほら、例の日のはじまりだ。お前は何年前だったかに――」

だが話しかけられた男は最後まで言わせず、「やめてくれ。俺はこの日が嫌で嫌で」

「また感傷か。お前ってやつは」相手があざけった。

「何を言う――でもいまだに忘れられない――」

「前代未聞のおっかなさで、血も凍るっていうのかい」役者が笑った。「――お前の記憶なんてみんなそうだ。だから吐いてすっきりさせちまえ」

「気が進まない。何から何まで生々しすぎる――」

「臆病もの！　いつから俺らの神経に気を遣ってくれるようになった。他の奴はみな絹絨毯《きぬじゅうたん》を歩くのに、お前だけは革靴で汚い血を踏みつける。お前は野蛮人とダンディの混血だ」

「俺が野蛮なものか」

「そいつは見解の相違かな」

「なら何も言うまいよ」

役者はシガレットケースをテーブルの向こうの話相手に押しやった。「いいや、話してもらおう。世界で一番のこの国にも、今もって血は流れる。そいつを忘れないのはいいことだ。それに話したくないってのも嘘だ。お前は話したい。俺らに聞かせたい。だから聞いてやろう」

金髪の男はシガレットケースを開けた。「イギリスのクソ煙草か！　あのいまいましい国のものは、なんでもクソだ」そう毒づくと自分の煙草を出して火をつけた。それから話を始めた。

かなり前のことだ。俺は十七歳の狐*だった。母親の袋にいるカンガルーの子くらいウブだったが、冷笑面《づら》でいっぱしの女性体験をよそおっていた。そんなのがカンガルーの袋から顔を出してたんだから、さぞ滑稽《こっけい》な見ものだったろう。

ある夜のことだ。うちの扉をガンガン叩く奴がいた。

「起きやがれ」とわめく声もする。「とっとと開けろ」

目をあけたら部屋は真っ暗だ。

「いつまで寝てやがるこの野郎」——やっとわかった。学生組合*の先輩*の声だ——「いつまで待たせる気だ？」

狐　まだ学生組合の正式な会員ではない見習い会員のこと。
学生組合　ドイツの大学に特有の制度。名誉を重んじ厳格な規律を持つバンカラな学生団体。
先輩　学生組合で狐の訓練指導をする特定の上級生。狐自身が自分の「先輩」を選べる。

「入れますよ」俺は言った。「鍵はかかってません」

扉が音をたてて開いた。ひょろりとした医学生が足元おぼつかなく入ってきて、蠟燭に火をつけた。

「さっさと起きろ！」先輩が声をあげた。

俺は驚いて時計を見た。「勘弁してくださいよ。まだ四時前です。二時間しか寝てないのに」

「俺だって寝てない」先輩は笑った。「酒場から直行してきた。いいから起きろ、狐。さっさと着替えろ」

「どういうことですか？　パーティーでもあるまいし」

「パーティーであるものか。服を着ろ。そのあいだに説明してやる」

やっとのことで眠気を目から追いやり、歯をカチカチいわせてズボンに足を入れていると、先輩は安楽椅子で荒く息を吐いて、すさまじく匂うブラジル葉巻をパフパフやりだした。俺は咳込んで唾を吐いた。

「煙《けむ》いか、狐」先輩はそう言ってゲップをした。「すぐ慣れるさ。いいから聞け。夜が明けたら向こうのコッテンフォルスト*でピストルの決闘がある。俺は介添人で、ゴスラーも行くと言った。だから遅れずに行けるよう、二人して夜どおし飲み歩いてた。だがゴスラーの奴、つぶれちまった。というわけだ。だから急げ！」

俺はうがいを止めた。「それで――俺に何をしろと」

「お前に？――馬鹿抜かすな。何時間も一人ぼっちで揺られてたまるか。だからお前も連れてってやる。用意はいいか？」

いまわしい夜だった。雨。風。どろどろの道。俺たちは学生組合会館への道を走った。馬車が待っていた。他の者は先に行ってしまってた。

「無理もない」先輩が毒づいた。「豚なみに腹ぺこだがともかく乗ろう。朝食のバスケットは従僕が持ってる。おい狐、会館バーまでひとっ走りして、コニャックをかっぱらえるか見てこい」

俺はベルを鳴らし、待ち、罵り、凍えた。ともかくコニャックはもらえた。俺と先輩は馬車の車室に入り、駅者は老いぼれ馬に一鞭くれた。

「今日は十一月三日。俺の誕生日です。なのにとんだ始まりだ」俺はこぼした。

「飲め！」先輩が叫んだ。

「おまけに二日酔いなのに。それもたいへんな！」

「飲めったら、犀野郎《さい》！」先輩は叫んだ。吐きそうになる煙を俺の顔に吹きつけた。おかげで船酔いみたいになりかけた。

「待て、小僧」先輩はにやりと笑った。「お前の二日酔いを追っ払ってやる」

そして先輩は話した。死体解剖室の話だ。先輩はたいした人だった。バターを塗ったパンを、手さえ洗わず、死体置き場で食べる。周りにはいろいろ標本がある。切断された手や足、むき出しの脳みそ、病んだ肝臓や腎臓や子宮。先輩はそんなのが好きなんだ。腐っていればいるほど、すっかり爛《ただ》れてグチャグチャになってるほどいい。そこから見事な手つきで標本を切り出して、筋肉や静脈をつや

コッテンフォルスト　ボン南西部の森林地帯。

が出るほど磨く。

もちろん俺は飲んだ。壜からグイグイと。先輩は話を二十くらいした。腐った脾臓の話なんかがまだ一番食欲をそそるほどだった。学生組合で学ぶこと、それは太い神経をはぐくむことだ。

二時間ほどで馬車は止まった。俺たちは車室から這い出て、泥に足をとられながら森に入る道を歩いていった。薄やみの中、朝靄《あさもや》を通して禿げちょろけの樹が見えた。

「そもそもなんだって決闘なんか」

「黙れ！　すぐわかる」先輩がうなった。そしてとつぜん喋《しゃべ》らなくなった。酔いを紛らわそうとしてか、大きく唾を飲み込む音が聞えた。やがて森の中の空き地に出た。一ダースくらいの男がそこにいた。

「ファクス*！」先輩が呼んだ。

従僕は大股で走って来た。

「ソーダ水をよこせ！」と先輩が言うとバスケットを持ってきた。先輩はソーダを三壜飲んだ。

「ひどいしろものだ！」と先輩はつぶやいて唾を吐いた。だが俺にはわかった。先輩はすっかり素面《しらふ》になっている。

俺たちは空き地を横切ってそこにいる者とあいさつを交わした。蓋を開けた救急箱の傍らに医者が二人いた。一人は俺たちの学生組合の元組合員だった。それから《マルキア》の組合員が三人とその組合従僕。この従僕は俺たちの従僕とお喋りをしていた。皆から離れて、木にもたれかかっているのは小柄なユダヤ人だ。

それで合点がいった。あいつは哲学専攻のゼーリヒ・ペルルムターだ。すると奴があの長身《のっぽ》のメルカー*と撃ち合うんだ。酒場でこんな話を聞いた。メルカーが常連の席に座っていたんだが、ペルルムターが何人か友達を連れてやってくると、「ユダヤ人は出て行け！」とたいそうなあいさつをした。友達は逃げたがペルルムターはもう帽子掛けに帽子を掛けていた。そして怯《ひる》まず腰をおろし、ビールを注文した。するとメルカーが飛び上がり、椅子を後ろに引いたもんで、奴は転がり落ち、組合仲間は喝采を叫んだ。おまけに帽子掛けから帽子をむしり取ると、外の泥の中に投げ捨てた。「とっとと拾いにいけ、豚野郎！」だがちびのユダヤ人は顔を真っ青にしてさっと起き上がり、のっぽのメルカーに詰め寄ると、ピシャリ！　と顔に平手打ちをくらわした。それからもちろん殴られ蹴られしながら酒場から逃げた。次の日メルカーは決闘仲介人を奴の家に遣わした。奴は応じた。五歩離れた距離から三発ずつの応酬だ。

　ゼーリヒ・ペルルムターは、ピストルはそちらで用意してくれと言った。「お安い御用さ」先輩は組合の副会長だから、決闘の手配は全部せねばならない。「あらゆる立派な大学生には武器で名誉を護る機会を与えるべきだ。そして、悪魔よ俺をかっさらえ、まだ銀のスプーンを盗んでいないかぎり*、そいつは立派な大学生だ。たとえゼ――ゼ――ゼーリヒ、ペ――ペ――ペルルムターなんて名であって

ファクス　学生用語。学生組合の従僕のこと。

メルカー　一般にはマルク・ブランデンブルク地方の出身者のこと。ここではおそらく学生組合《マルキア》の組合員の意味。

銀のスプーンを盗んでいない　「後ろ暗いことをしていない」という意味。

もな」あのちびのユダヤ人はまさにそんな感じで口ごもる。だから自分の名さえ満足に言えない。ピストルの件を頼むときも、ちゃんと口に出せるまでにたっぷり十五分はかかった。

奴はすり切れたマントの襟を立てて、樹にもたれていた。それにしても、なんて嫌らしい奴だ。かかとが内に曲った汚い靴の上に、すり切れたぶかぶかのズボンをはいている。黒く長い紐の垂れたばかでかいニッケルの鼻眼鏡が斜めに鼻にのっかり、その巨大な鼻はひび割れた紫色の唇をほとんどおおっている。痘痕《あばた》だらけの黄色い不潔な肌がさらに弱々しい感じを強めていた。両手をマントのポケットに深くつっ込み、目はぬかるんだ地面を見つめている。

俺は奴に近づき、手を差し出した。「おはよう、ペルルムター君」

「どー——どうして——どうして」奴は口ごもった。

「狐、さっさとピストルケースを持ってこい」先輩が鋭い声で呼びかけた。

奴がおずおず差し出した汚い手を、俺はぎゅっと握った。そして組合従僕のところに走り、ピストルケースを受けとると、先輩に渡した。

「気でも狂ったか」先輩が嚙みついてきた。「ユダヤ小僧と話をするなんて、何考えてるんだ」

決闘の審判役はプロイセン出身の学生組合会長だったが、介添役たちと短く言葉を交わし、それから大股に歩いて距離を測った。二人の決闘者はおのおのの位置に連れて行かれた。

「ご両人がた」プロイセン人が口をきった。「決闘の審判役の義務として、わたしはここで、ご両人から和解を引き出せないか、ひととおりその試みをいたします」

そして少しのあいだ待った。

「も――もし――できる――なら――」ちびのユダヤ人が小声でつかえつかえ言った。

先輩が怒りの目で奴をにらんで、ありったけの勢いで咳ばらいした。ユダヤ人は気圧《けお》されて黙った。

「するとどちらも和解を拒否するのですね」すばやく審判役が確認した。「それではこれから言うことをよく聞いてください。今から、一――二――三と数を数えます。一と三の間に発砲できます。一の前も三の後もだめです」

籤《くじ》に当った介添人の手で、ピストルに仰々しい身振りで弾が込められた。先輩がピストルを決闘者のところに持っていった。

「ペルルムター君」先輩は物々しい口調で言った。「今君にわれわれの学生組合のピストルを渡す。君が学生らしく騎士道精神にのっとり、カーディ*に駆け込まず、揉めごとを決闘で解決しようとしたのは名誉にあたいする。君が今この場でわれわれの武器にも名誉をさずけてくれるよう願おう」

そして奴の手にピストルを押しつけた。ペルルムターはそれを手にとったが、腕が震えて満足に握っておれないありさまだった。

「おいおい、銃をそんなに振り回すんじゃない」先輩が叱りつけた。「腕を下げろ。そして『一』の合図でさっとピストルを掲げてぶっぱなせ。無理して頭をねらうな。どうせ当たらない。肝を据えて腹をねらえ。そいつが一番確かだ。撃ったらピストルを顔に当てろ。それが君の唯一の防御になる。たいした役にはたつまいが、それでも次に敵が撃ったとき、弾が君ではなくピストルに当たることだっ

カーディ　イスラム教国の裁判官。ここでは法廷を指す。

てある。ともかく落ち着け、ペルルムター君」

「あ――あ――ありがとう」ユダヤ人が言った。

先輩は俺の腕をつかんで森の中に下がった。

「あの鈎鼻先生がメルカーをやっつけてくれたらな」先輩がつぶやいた。「あいつにはがまんならない。絶対にあいつもユダヤ人にきまってる」

「でもあのメルカーはSC*で一番のユダヤ嫌いですよ」

「だからこそだ。メルカーどもにはユダヤの血が混ざってる、俺は先《せん》からそう疑ってる。あの鼻を見てみろ！　たとえ洗礼してようが、親父やお袋も洗礼してようが、ユダヤ人はユダヤ人だ。明々白々じゃないか！　饐《す》えたビールと唾《つばき》でできたあの吃音の不細工な奴のほうがよほど親しみがもてる。なにしろメルカーにビンタを張ったんだからな。そんな奴に子牛を肉屋に引っ張って行くような仕打ちをするんだからひどい話だよ」

「ええまったく――でも和解しようとしてたじゃないですか。先輩が咳払いさえしなければ――」

先輩は会話を打ち切った。「黙れ狐。お前はなにもわかっちゃいない」

一同は藪の中にひっ込んだ。決闘する二人だけが、薄明かりの中、空き地に残った。

「よろしいですか」審判役が叫んだ。「数えます。一――二――」

メルカーが撃った。弾は大きな音をたてて樹に当った。ペルルムターはピストルを掲げさえしなかった。皆は二人のほうに近寄った。

「審判役に聞きたい。《ノルマニア》側は撃ったか」メルカーの介添人がたずねた。

「《ノルマニア》の決闘者は発砲しなかった」審判役が証言した。

先輩は憤然として依頼人に駆け寄った。そして鼻息荒く言った。

「君、気でも狂ったのか。決闘規則に発砲せずともいいと書いてあるのは君のためとでも思っているのか。どこでもいい、好きな所に撃ちたまえ。ズボンにびっしょり漏らしてもいいから、俺を助けると思って、とにかく撃ってくれ！　君は組合全体に恥をかかせていると感じないのか。組合が君の名誉を護る機会を与えてやっているのに？」

「も――もし――できる――なら――」ちびのユダヤ人は口ごもった。その額から大粒の汚いしずくがしたたり落ちた。

だが誰も気にかけなかった。決闘する二人は別のピストルを持ち、残りの者はふたたび後ろに下がった。

「一――二――そして――三」

「二」の直後にメルカーは撃ち、弾は切株にめり込んだ。相手から三メートルほど離れたところだ。ペルルムターはまたもやピストルを掲げず、腕を神経質にぶらぶらさせているばかりだ。

――「審判役に聞きたい。今度は《ノルマニア》側は撃ったか」

「《ノルマニア》の決闘者は今度も撃たぬほうを選んだ」

メルカー側の学生たちはにやにや笑った。プロイセンの審判役は蔑《さげす》んだような笑みを浮かべた。先

SC　学生組合代表者委員会。

輩は憤った目を彼らに向けた。

「何て奴らだ」先輩が歯ぎしりした。「畜生、こいつらの首さえへし折ってやれれば！」

「何でできないんですか」俺は聞いた。

「そんな愚劣な質問ができるのは狐だけだ」先輩は猫のようにフーと息を吐いた。「今は一時停戦則《ブルクフリーデ》の適用中だ。決闘のさなかに決闘の申し込みはできない——だが今晩、あの三人の《マルキア》の紳士方めいめいは、俺からサーベルの挑戦を受けることになるだろう。ご面相をすっかり変えてやる。切り刻んでムースにして、悪魔のもとに送ってやる。奴らの馬鹿にしきった笑いを見ろ。まるで俺たちの哀れな腰抜けに勝利の雄たけびをあげてるみたいじゃないか」

そして先輩は今度は決闘者に別の顔を見せた。

「ペルルムター君、もう君の勇気に訴えたりはしない。何の役にも立つまいから。その代わり、君の理性に訴えよう」それはとても静かな口調だった。「ねえ君、君だってきっと、ここで豚同然に殺されたくはあるまい。君自身が撃たないかぎり、そこから逃れるすべはない。きっと君の自己保存本能も君にそう語っているだろう。もし君が腹を撃てば、保証してもいいが、相手はもう君に何もできない。そのうえ、君は善行をしたことにもなる」——今の先輩はほとんど感傷的ともいえた。「君だって無傷でここを去るほうがずっと気持ちよかろう、ペルルムター君。君の可哀そうなご両親のことを考えてみろ」

「両親は——も——もう——いません」

「それじゃ彼女のこと——」先輩はそう続けようとしたが、そこで口ごもった。ユダヤ人の不細工な顔をながめて、いきなり恐ろしい、奇妙に痛々しげな笑いで顔をゆがめた。

「悪かった、ペルルムター君、君の――君の言葉で何と言ったっけ――君の顔《ポネム》じゃ彼女もできまい。許してくれたまえ――君を傷つけるつもりはなかった。でもきっと何かあるだろう――たとえば――そうだな――飼い犬とか」

「犬なら――ち――ち――小さいのを一匹」

「ならいいかい、ペルルムター君。誰もが何かしらはある。俺だって犬を飼っている。あの犬より愛しいものは考えられない。――それじゃ犬のことを思ってみろ！　君が無事で帰って、愛犬が君に飛びついて、喜んで吠えて尻尾を振るところを想像してみたまえ。犬のことを考えて――『一！』の合図で――撃つんだ」

「や――やってみよう」ちびのユダヤ人が声を絞り出した。大粒の涙が二粒、痘痕《あばた》の上を転がり、あざやかな跡を残した。しかし渡されたピストルはしっかりとつかんだ。そして何かを乞うように先輩をながめた。何かの願い事が彼を苦しめているらしい。

「も――もし――」奴は口ごもった。

だが先輩が助けを出した。「君にもしものことがあったら、犬の面倒を見てもらいたいって言うんだな。そうだろ、ペルルムター君」

「そう！」

「それじゃ約束しよう。きっと守る。なにしろ俺は組合員だからな。心配するな、君の犬は大事に飼ってやる。俺にまかせろ」先輩は手を差し出し、ユダヤ人は握りしめた。

「あ――ありがとう」

――「用意はいいですか？」審判役がたずねた。

「いいとも！」先輩が叫んだ。――「撃ちたまえ、ペルルムター君、かまわず撃て。これは正当防衛だ。犬のことを考えて撃て」

俺たちはふたたび樹のうしろまで下がった。審判は俺のすぐ近くに立っていた。俺の目はちびのユダヤ人から離れなかった。

「用意――一――」

ペルルムターはさっとピストルを掲げて撃った。弾は樹の枝を突き抜けてどこか高くに飛んでいった。奴は腕を大きく広げて立っていた。

「ブラヴォー！」先輩がつぶやいた。

「二――」

「もしメルカーの奴がほんの少しでも礼節を心得ていたら、空に向けて撃つだろうよ」先輩はつぶやいた。

「そして――三！」

三の合図とともにメルカーの銃がとどろいた。

ゼーリヒ・ペルルムターは口を開けた。はっきりした言葉が唇から漏れた。生まれてはじめて奴は口ごもらなかった。いや言葉じゃない。歌だ。奴は歌っていた。大声で。

「大学生はぶらぶらと
　その日その日を送るだけ――」

手からピストルが滑り落ちた。体が前にのめり、鈍い音をさせて倒れた。俺たちは走り寄り、俺がそろそろと体をひっくりかえした。

弾は額の真ん中を貫いていた。小さな丸い穴――

「約束は守る」先輩がささやいた。「今日にでもファクスに犬を連れて来させよう。俺のネロとすぐに仲よくなるだろう。来週になって、お高くとまった《マルキア》の奴らをぶちのめした話をしてやったら、二匹の畜生はさぞよろこぶだろう。――それじゃな、ゼーリヒ・ペルルムター」そして小声で付け加えた。「お前は名前に似合わず＊ばっちい汚物だった。――俺は何てこと言ってるんだ。お前はいい奴だった。そんなお前を容赦なく撃ったメルカーには償《つぐな》いをさせてやる。それから犬のこともある――蚤《のみ》がたかってなきゃいいが――」

医師たちが近寄り、傷口のまわりを綿で軽く叩いてから、流血を抑えようとガーゼタンポンを押し込んだ。

「どうしようもない」元組合員の医師が言った。「あとは死亡証明書を出すだけだ」

「朝飯に行こうか」審判役が誘った。

名前に似合わず　ペルルムターには「真珠母」の意味がある。

「それはどうも」先輩がたいそう儀礼的に言った。「でもこの決闘者への、われわれの義務を果たさなければなりません。とりかかれ、狐！」

先輩と俺は死体を抱え上げ、組合従僕の手を借りて森を抜けて街道まで運び、馬車の車室に入れた。

「お前はここらに詳しいか」先輩が馭者に聞いた。

「いいえ」

「でもこの森のどこかに公立病院はあるだろう」

「ええ、デンコフに大きなのがあります」

「ここから遠いか」

「二時間くらいですかね」

「ならそこへやってくれ、一番近いっていうんなら。そこでこいつとおさらばできよう」

俺たちは後ろの席に座り、組合従僕がその向い、その隣にゼーリヒ・ペルルムター君が座った。奴を座る姿勢にさせるのに少し手間がかかった。馬車が動き出すと前に倒れようとするので支えてやらなくてはならなかった。

「わかったか狐。お前を日ごろから鍛えておいてよかった。おかげでものに動じないようになったわけだ。ファクス、朝食のバスケットを開けろ」

「すみません、でも」俺は言った。「食欲が起きません」

「何だと」先輩がむっとした。『すみません、でも』ときたか。いいか、根かぎり飲んで食べろ。俺はお前に責任がある。失神したお前を家まで運ぶのはまっぴらだ。乾杯！」

先輩は大きなグラスにコニャックを注ぎ、俺はそれを一息に呑み込んだ。そしてハムをのせたパンを喉に詰めた。何も胃に入らない気がしたが、四切れ食べて、コニャックで流し込んだ。

雨がぶりかえし、震える窓ガラスを小川となって伝った。馬車はぬかるんだ道をよろめきながら進んだ。死体を支えるために、俺たちは交代でその正面に座った。到着は十時ころになるはずだった。俺たちは代わる代わる懐中時計をひっぱりだした。誰も喋らず、先輩でさえ無駄口を叩かなくなった。ただ「乾杯、乾杯」と言うばかりだ。俺たちは飲んだ。

とうとう目的地に着いて、皆は馬車を降りた。組合従僕が庭をつっきって病院の建物に走り、そのあいだ俺たちは馭者に食べ物や飲み物をやった。

看護人が二人と、それから年かさの院長が出てきた。先輩が自己紹介し、願い事をすると、院長は迷惑そうな顔をした。

「尊敬する同業者君」彼は言った。「これはまったく困ったことだ。われわれのところはこんな場合に備える用意がない。どう処理していいかもわからない。もしよかったら――」

だが先輩は譲らなかった。「衛生顧問官、どう処理していいかわからないなんて、そんなことはないでしょう。おまけにあなたには、死体を引き取って死亡届を提出する義務があります。決闘はあなたがたの担当区域でなされたのですから」

院長は懐中時計の鎖をもて遊んでいた。そして不意に馭者に聞いた。「決闘がどこでされたか教えてくれないか」

馭者はできるかぎり説明をした。すると院長の冴えない顔がぱっと明るくなった。「きわめて遺憾だが、あの空き地はわれわれの担当区域のすぐ外にある。あそこはフーゲン地区の所属だ。向こうの州立精神病院に行きたまえ。遺体を引き取ってもらえるだろう」

先輩は歯ぎしりをした。

「どのくらいかかるんです」

「はて。馬車なら二時間半から三時間といったところかな」

「馬車ならですって。ならこの天気とこのくたくたの駄馬なら少なくとも四時間はかかる。なにしろ朝の五時から走りづめだから」

「まったく遺憾なことだ」

先輩は新たな攻撃をはじめた。

「衛生顧問官、あなたはほんとうにわれわれをこんな状態で追い払うのですか。愚痴はこぼしたくありませんが、名誉にかけて断言しましょう。ここまでたどりつくのさえ、ひとかたならず神経をすりへらしたんですよ」

「ほんとうに遺憾なことだ」院長は繰り返した。「だがここで死体を引き取るのは禁じられている。死体は所轄の地方自治区域に届けねばならない。わたしが責任を負うわけにはいかない」

「しかし衛生顧問官――わたしならこんな場合は自分で責任を負いますが」

年かさの医師は肩をすくめた。

先輩は無言でお辞儀をした。「それじゃ馭者、州立精神病院にやってくれ。フーゲンの森の中だ」

だが今度は馭者がストライキを起こした。そんな無茶な。これ以上老いぼれ馬をこきつかうと死んでしまいます――。先輩はまた衛生顧問官のほうに半ば体を向けて目をやった。顧問官はふたたび肩をすくめた。

「いいからやれ。馬がどうなろうと知ったことか。これは俺の問題だ。四時間以内にフーゲンに着けたら百マルクのチップをやる」

「わかりました、ドクター」馭者が言った。

するとこ今度は組合従僕が勢いよく迫ってきた。「よろしければ馭者台に座りたいんですが。車室は狭いから三人のほうがゆったりできるでしょう」

先輩はそれを笑い飛ばして組合従僕の耳をひっぱった。

「たいそうな気配りだな、ファクス。でも遠慮はいらない。雨の中を座って風邪でもひいたら、お前の女房が泣くだろう。いいからさっさと入れ！」――そしてまた院長のほうを向いて、きわめて冷ややかに言った。「衛生顧問官、馭者に道を教えてやってもらえませんか」

年かさの医師は手をこすりあわせた。「よろこんで、同業者君。できることならなんでも――」そして馭者に道を詳しく説明した。

「あの下種《げす》め、悪党野郎め」先輩は毒づいた。「かと言って無理強いもできないし」

俺たちはまた車室に座った。従僕が朝食のバスケットを運ぶのに使った革帯と俺たちのズボン吊りを使って、死体を座席の隅にできるだけしっかり、せめてたえず支えているといういやな仕事から解放されるくらいに縛りつけた。それからめいめい座席の隅に体をもたせかけた。

夜はなかなか明けようとしなかった。あたりはいまだに灰色にうす暗く、雲におおわれた空がほとんど地にまで垂れている。街路はどしゃ降りの雨でぬかるみ、おかげで馬車は一度ならず立ち往生し、高くはねかかった泥が窓に黄色の筋をつくった。ガラス窓にわずかに残った透明なところから外をうかがおうとしても無駄だった。街路樹さえろくに見えない。俺たちはみんな、たいそう苦労して平静を保っていた。だが、いやな冷たい息詰まるような空気が狭い空間で鼻孔や口や全身の毛穴に貼り付くと、それもむずかしくなった。

「もう臭い出してきたんじゃないですか」

「臭いのは生きてたときからだろ」先輩が応じた。「ほら、煙草を吹かせ」——先輩は俺たちと組合従僕をにらんだ。俺たちの顔色は死人に劣らず血の気がひいていたと思う。——「いや、そんなんじゃだめだ——朝酒といこう！」

赤ワインの栓が抜かれ、俺たちは飲んだ。先輩が命令した。「まずは学生歌の『ふさぎと悩みをふっとばせ』を歌おう」

俺たちは歌った。

「ふさぎと悩みをふっとばせ！
兄弟よ、すでに朝日が笑ってる
若い僕らににこやかに
　　そう、美しくにこやかに！
さかずきを花で飾り

歌って踊っているうちに
あの世にまでも行かせておくれ
　行かせておくれ、糸杉*が
風に揺られるところまで！」

――「うるわしい歌はそれまで！　陽気な歌い手たちに乾杯！」

そう、俺たちは飲んだ。次から次にコルクを抜いて飲んだ。そして歌った。歌っては飲んだ。酔っ払ってはわめいた。

――「俺たちの物言わぬゲスト、ゼーリヒ・ペルルムター君のために追悼ザラマンダー*といこう。ザラマンダーの用意はいいか。一――二――三！――ザラマンダーは逝けり！――ファクス、遅いぞ。さっさと飲み干せ！」

――「よう、ペルルムター、ビール飲みの弱虫君、『乾杯！』くらいは言ってくれよ。君のためのザラマンダーなんだぜ。でもとにかく飲め、大将！」先輩はグラスを奴の鼻の下に持っていった。「飲みたくないのか。よし待て」赤ワインを唇の中に注ぎ込んだ。「ほら――乾杯！　よしよくやった！」すっかりできあがっていた組合従僕はかん高い声で楽しそうに笑った。そして「へ、へ、煙草はい

糸杉　死の象徴として墓場によく植えられる木。
追悼ザラマンダー　学生用語。亡き友をしのんで乾杯すること。

かが」とヴァージニア葉巻に念入りに火をつけ、死体の歯のあいだに押し込んだ。「酒と煙草あっての人生！」

「ええい、いまいましい」先輩が言った。「ここにトランプがある。いっちょスカート*をやろう。四人なら一人は抜けるな」

「それはたぶんペルルムター君ですね」俺が言った。

「何を言う。こいつだってお前くらいにはやれるさ。すぐわかる。——よし、お前が配れ、狐」

俺はカードを配り、自分の十枚を取った。

「そこじゃない。それはペルルムター君に渡せ。指のあいだに差すだけでいい。あとは自分でやるだろう。もっともこいつは今日はお疲れだから、無作法があっても大目に見てやれ。お前が少し手助けすればいい」

俺は死体の手を持ち上げて、指のあいだにカードを差し込んだ。

「パス！」先輩が言った。

「トゥルネ！」組合従僕が叫んだ。

「四枚のグラン！」ペルルムター君に代わって俺が宣言した。

「こりゃたまげた。なんてついてやがるんだ」

「ウヴェア！　シュナイダーとシュヴァルツを宣言！」俺は続けた。

「とんでもないツキだな」先輩がわめいた。「死んだあとも金を増やしてやがる」

俺たちはゲームを続けたが、いつも死体が勝った。一度も負けはしなかった。

「くわばらくわばら」組合従僕が悪態をついた。「この人がさっきの半分でもましに撃ててたらえらいことですよ。支払いがなくて幸いだ」

「支払いがないだと」先輩が絡んだ。「払いたくないのか、このシラミ野郎。この可哀そうな奴が死んだからって、支払いをうやむやにしようってのか。すぐ金を出して、こいつのポケットに入れてやれ。どれだけになる、狐」

俺は計算した。めいめいが銀貨を死体のポケットに入れた。計算に使った紙は、俺の親しくしている家からの招待状だった。俺の誕生日を祝って食事に誘ってくれている。思わずためいきが出た。

「どうした」先輩が聞いてきた。

「なんでもありません。今日は誕生日だったのを思い出したんです」

「そうだったな。すっかり忘れてたよ。よし、乾杯といこう。おめでとうよ狐」

「おめでとうございます」組合従僕も言った。

そのとき隅から口ごもる声がした。

「ぼ――ぼく――からも――おめでと」

俺たちの手からグラスが落ちた。なんだ今のは？　俺たちは隅に目をやった。死体は革帯にしっかりくくられている。体が揺れている。だが表情は変えていない。長いヴァージニア葉巻は歯にへばり

スカート　三人でするドイツ特有のカードゲーム。続く台詞内の「ウヴェア」「シュナイダー」などは勝負する得点の提示。

付いたままだ。黒く細い血すじがわきにしたたり、鼻と、灰のように白い唇に流れている。倒れたときも失くさなかった泥のはねたニッケルの鼻めがねだけ、わずかにぶらぶらとしていた。

まっさきに気をとりなおしたのは先輩だった。「そんな馬鹿な——なんだかまるで——新しいグラスをよこせ！」

俺はバスケットからグラスを出してたっぷり注いだ。

「乾杯！」先輩が叫んだ。

「か——かん——かんぱい」——隅から声がした。

先輩は手で額をつかんだ。そしてワインをぐいと喉に流し込むと「飲みすぎた」とつぶやいた。

「俺——も」俺はつかえつかえ言いながら、隅に体を押しつけ、気味悪い相客からできるだけ離れようとした。

「気にするな！」先輩が叫んだ。「ゲームを続けよう。ファクス、今度はお前が配れ」

「もうゲームはこりごりです」組合従僕が泣きそうな声で言った。

「気の弱い奴め、何が怖い——負けが込むのが嫌なのか？」

「金なら全部さしあげます——でもカードに触るのはごめんです」それは喚《わめ》かんばかりの声だった。

「いくじなし！」先輩が叫んだ、

「い——い——いくじなし！」隅から口ごもる声が聞えた。

ぞっとするような恐怖が俺を襲った。「馭者！　止めてくれ！　止めろ！　止めろ！　頼むから止めてくれ！」だが馭者には聞こえず、雨と泥のなか、老いぼれ馬たちに鞭をくれ続けていた。

俺は先輩が下唇を噛みちぎるのを見た。一滴の血が顎を這っていった。だがそのままぎごちなく立ち上がると、またグラスを満たした。

《ノルマニア》の組合員は何も恐れない。それを今から見せてやる」先輩はそう言うと死体の方を向いた。「ゼーリヒ・ペルルムター君」先輩はゆっくり、一語一語を絞り出すように言った。

「俺は今日、君が名誉を重んずる学生だと知った。君のために乾杯するのを許してくれたまえ」そして赤ワインを飲みほした。——「よし。そこでお願いがあるんだが、ペルルムター君、俺たちを愚弄するのをやめてもらえないか。皆グデングデンに酔ってはいるが、死んだユダヤ人は喋らないとわきまえるくらいの分別はまだある。だからお願いだ。黙っててくれないか」

するとゼーリヒ・ペルルムターは口をにやりとゆがめて、高らかに笑った。

「ハァ——ハァ——ハァ！」

「黙れ！」先輩が叫んだ。「この犬畜生、口を閉じろ、さもないと——」

だがゼーリヒ・ペルルムターは馬鹿にしたように笑うばかりだ。

「ハァ——ハァ——ハァ！」

「ピストルケース！——ピストルケースはどこへやった」先輩は座席の下から細長い箱を引き出すと、乱暴に蓋を開け、銃を取り出した。「あと一言でも喋ってみろ。撃ち殺してやる」怒りで狂ったようになって先輩は叫んだ。

だがゼーリヒ・ペルルムターは鴉じみた声で、

「ハァ——ハァ——ハァ！」

先輩は奴の顔に銃を向けて撃った。車室がバラバラになりそうな轟音が響いた。

だが硝煙の中から、ゼーリヒ・ペルルムターはまた笑った——いつまでも——いつまでも——笑いやめたくなさそうに。

「ハァ——ハァ——ハァ——ハァァァ——」

——先輩がうめきながら前に倒れ、死体の膝におおいかぶさった。反対側の隅から組合従僕のみじめったらしいすすり泣きが聞えた——

それから永遠に永遠を重ねて、俺たちはひたすら、うっとうしいどしゃ降りの中を、走りに走った——

——どんなふうに病院に着いたか——それはもう霧みたいにおぼろだ。ともかく死体は受理され、先輩は車室から引っぱり出された。先輩が叫び罵《ののし》るのを聞いた。暴れて口から泡を吹くのを見た。医者どもに拘束衣を着せられて施設にしょっぴかれるのも見た。今もそこにいる。常習的アルコール摂取による急性パラノイアと診断されたんだ。

——犬は俺がひきとった。ずっとしないちびの雑種だった。十年ほど飼ったが、どれほど親身に世話してやっても、俺に気を許さなかった。たえず俺に噛みついてキャンキャン吠える。ある日気がつくと俺のベッドにいて、汚しほうだいに汚していた。追っぱらおうとしたら指から血が出るほど噛まれたから、手で首を絞めてやった。

それが四年前の十一月三日、例の記念日のことだった——

どうだ。他ならぬこの日に、なぜ俺がひどく気が滅入《めい》るのか、わかってもらえたかい。

＊訳註はおもに訳者による。

音のする家

M・P・シール

植草昌実 訳

The House of Sound

M. P. Shiel

これに五感のすべてを奪はれし我は、
眠氣《ねむけ》ざしたる人の如くにも打倒《うちたお》れたり。*

――ダンテ

もうずいぶん昔、パリの大学生だった頃、私は名高いカロの知遇を得、その下で精神病のさまざまな症例と、それぞれに師がくだす的確きわまりない診断を目《ま》のあたりにした。思い出す患者のうち、マレ地区*のある幼い少女は、九歳くらいまでは周囲の子供たちと違ったところはなかった。ある夜、彼女は寝台《ベッド》に横になったとき、母親に「おかあさん、世界の音が聞こえるよね」と言った。学校の地理の授業で、われらが地球は太陽を中心にした軌道の上を、とてつもない速さで回っているのだ、と習ったばかりだったらしい。彼女のいう「世界の音」は、静まりかえった夜に気づいた自分の体内の音だったらしい。だが、その六か月後、彼女は三月の兎よろしく、正気を失った。

私はこの症例を、塀と生け垣に囲まれたサンジェルマン通りの古い家を共に借りていた、友人のハーコウ・ハルファーガーに聞かせた。彼はひとかたならぬ興味を示して聞きいり、私が話し終えると、もの憂げに黙り込んだ。

かの友人がおおいに感銘を受けた話がもう一つあった。サンタントワーヌのある若い玩具職人は、結核を病んではいたが、いつも無心にこつこつ働いていた。ある夕暮れどき、下宿の屋根裏部屋に帰る途中、大通り沿いに洋燈《ランプ》を灯した露店で、一政党の新聞を買ったのが、ことの始まりだった。その新聞を買うのは初めてだったし、彼は世間の出来事などほとんど知らないでいた。翌晩、彼は他の党の新聞を買った。すぐに彼は政治の動きや、世間の出来事についての知識を得た。彼の世事への興味は勢いづき、増していった。毎晩遅くまで横になったまま、紙面に横溢する熱気と、活動を呼びかける高らかな声を読みふけった。彼は睡眠不足で寝起きが悪くなり、気は静まらず、それでも朝刊だけは欠かさず買うようになった。歯ぎしりするようになり、そのぶん食は細くなっていった。やがて無気力になり、仕事にもたまにしか行かず、日がな一日寝て過ごすまでに至った。彼は人の形をしたぼろきれのようになってしまった。繊細な心に根づいた大きな関心事が、それまで持っていた小さな関心事をことごとく追いやっていった。やがて、彼は自分の命にさえ興味を失った。そしてある日、自分の髪を引きむしった姿で死んでいた。

わが師カロは、この患者について私に語った。

「このような事例を前にすると、泣くべきなのか、それとも笑い飛ばせばいいのかも、わからなくな

これに五感のすべてを奪はれし我は……　『神曲』地獄篇第三歌より。生田長江訳、新潮社（一九二九）。
マレ地区　パリ三区から四区にかけての一角。ユダヤ人街があり、商業地域として賑わった。

る。確かなのは、人間というものがいかに多様であるか、ということだけだ。息をするのにも不安を覚えて悩むような、溶いて伸ばした鉛の線のように脆《もろ》い心の持ち主もいる。そんな人が嵐にであったら、どれほど怖れることだろうか。かれらにとっては、世の中の仕組みは生存に適さず、むしろ悪意に満ちた『死の機械』というべきものだろう。機械がたてる音があまりに激しいので、かれらはこの世界に堪えられない。世の中という巨大な機械ではなく、その一人一人の存在に目を向けていこう。この不幸な玩具職人の症状を、きみは耳に起因すると診断した。だが、実際の病因は神経にある。この患者は聴覚過敏だよ。彼はギリシア神話のハルピュイア*に攫《さら》われたか、運命の輪に巻き込まれたかして命を落としたようなものだ。アポロンの戦車*に連れ去られたのだとしたら、最期としては悪くはないかもしれない。最初に異状をきたしたのは聴覚で、彼は世界の叫び声に耳を傾け、果てには自分も叫び声をあげて事切れた。このように、私たちの世界と混沌とを隔てているのは、薄い膜一枚にすぎないのだ。私は特殊な聴覚の持ち主に出会ったことがある。その男は聞いただけで、その音が何に起因するかを知ることができた。たとえば、銅と錫のと、鉄と鉛の、二本の合金の棒を打ちあわせて鳴らしたとする。その音はそれぞれの金属の配合の比率だけでなく、銅、錫《すず》、鉄、鉛の本質と、個々の持つ意味を伝えると彼は言うのだ。この男もまた、ハルピュイアに連れ去られてしまったがね」

このように実見してきた症例を、私は親友ハルファーガーに語り聞かせた。そして、彼が息を荒くしながら自分の興味を抑えつけているのを見てとり、少なからず驚いた。

私たちはストックホルムの神学校で知り合って以来、親交を絶やさずにいた。単なる友達づきあいではなかった。ハルファーガーほど内気で、人付き合いを好まない者を、私は知らなかった。共同生活をするようになってから（そのきっかけは夜中に開いた降霊会で同席したことだったが）数か月たっても、彼が自分について語ることはほとんどなかった。二人して日がな一日読書にふけり、彼は過去を夢想し、私は現在に熱中した。夜も深まると、〈ルイ十一世〉という名の酒場のやたらに広い地下室で、炉端の長椅子《ソファ》に身を沈めて、消えそうな燠火《おきび》を前に黙りこくって煙草をふかしたものだった。私が夜会なり講演なりを口実に連れ出さないかぎり、ハルファーガーは外出したがらなかったが、一度だけ彼を外で見かけたことがあった。慌ただしく行き来する馬車の車輪の音が古い舗石に響く中、サントノレ通り*を急ぎ足で歩いていたとき、彼の姿が目に入った。喧噪の中、何やら一心に耳を傾けている様子で、私には気づきそうになかった。

生来の高貴さをもつ彼だが、そのときのさまは幼い子供よろしく無邪気にも見えた——高貴さといっても、彼がことさらに気高げにふるまったり、金のかかった身なりをしていたわけではない。むしろ正反対だ。それどころか、遠い昔の人のようでさえあった。だが、このときの彼ほど、堂々たるまでに貴公子然とした人のさまを、私はそれまでに見たためしがなかった。昨日咲いた花は今日は色褪せ、明日は散ってしまっても、根は朽ちず時を経《へ》てまた芽吹くもの、と思わせる風情《ふぜい》だった。私はハルファーガーその人についてはあまりよく知らないままだった。聞いているのは、ゼットランド*でも北

ハルピュイア　女面鳥身の妖怪。
アポロン　ギリシア神話の光明の神。太陽神ヘリオスと同一視され、戦車（＝太陽）を駆り中天を横切るさまが絵画等に描かれた。
サントノレ通り　パリ一区、セーヌ北岸の繁華街。

の方の島に母親と伯母が住んでいることや、彼は難聴ぎみではあるが、ある種の音、たとえば扉の軋《きし》みや鳥の声などに、苦しみや喜びを聞きとることくらいだった。

彼は小柄なほうで、やや太り気味だった。「音楽的」といわれる形の額の下には、鷲鼻がそびえていた。こめかみの下に大きく張り出した頬骨は、頭脳をしっかり支えているように見えた。眉と、重たげな瞼《まぶた》の目は、ともに下がっていた。彼は薄いなりにあごひげをたくわえていた。もっとも特異に見えるのは耳で、ほぼ円形で小さく、扁平で外縁が内側に巻き込んでいなかった。それが彼の血族の特徴であると、あとになって知った。わが友の青白い顔は、悲しみに打ちひしがれ己《おの》が無力を嘆いているように見えた。そんな彼を、アッシリア最後の王アッシュールバニパル*の末裔に喩《たと》える者もいた。

一年後、暖炉の前でくつろいでいるとき、私はパリを去るつもりであることをハルファーガーに伝えておかなくてはならない、と思った。私が伝えると、彼はいつもの礼儀正しさで「なるほど」とだけ言い、炉格子をじっと見つめていた。一時間ほどして、彼は顔を上げると、私に言った。「世の中は厳しいものだな」

今はじめて気づいた、という口調で、ありきたりなことを彼が言うのは、たびたび耳にしてきた。だが、そのときの彼の真摯なまなざしと、はっきり見てとれる落胆のようすに、私は驚いた。

「なんのことかい?」私は尋ねた。

「友よ、行かないでくれ!」彼は両腕を広げた。

彼が何者かから悪意を向けられていることも、激しい誘惑に堪えていることも知ってはいた。絶え間なく誘いかけ招く手や、自分の心に潜んでいる欲求から、彼は逃れようとしていた(それゆえに孤独であろうとしてきた)。その悪意は、海に囲まれ孤立した家から父親によって送り出された五歳の頃に始まった、と彼は言った。

悪意の主は?

母親と伯母だ、と彼は答えた。

では、誘惑というのは?

家に帰りたいという、飢えのように狂おしい思いだ、と彼は言った。

何がきっかけで、どのように母と伯母の悪意が明らかになったのか、私は問うた。悪意には明らかな動機がなく、宿命的なものなのだろう、と彼は答えた。先祖の地に自分を閉じ込めて苦しめるのが使命であり、自分たちの願いであると、母と伯母は信じているのだ、と。

私は正直に、まるで理解できないと言った。彼の実家のもつ力は、その危険はどこにあるのか。ハルファーガーは答えずに暖炉の前から立ち上がると、部屋を出ていった。戻ってきたときには、革装の四つ折り本*を抱えていた。背の亀甲文字《フラクトゥール》で、ヒュー・ガスコイン著の『ノルウェー名家年代記』という本であることが読み取れた。彼が指さしたページには、次のように書かれていた。

ゼットランド　スコットランド北東沖の群島シェトランドの古称。十五世紀にスコットランドに属するまではノルウェーの県であった。
アッシュールバニパル　在位前六六八—前六八七。ニネベに大図書館を建設したことで知られる。
四つ折り本　用紙一枚を四つ＝二度折り、四ページにしたものを製本した大判の本。

「この兄弟のうち年長で、より優れていたため重用されていたハロルドは、デンマークに巡礼に行き、フジャルトランド（ゼットランドの別称）に帰ってきたが、そのとき妻スロンダを伴《ともな》っていた。彼女はデンマーク王の血族であった。洒落者だが素行が悪く、ずる賢さだけはハロルドに勝る弟スウェインは、兄の帰還をおおいに歓迎した。

　しかし、まもなくスウェインは嫂《あによめ》のスロンダに恋するあまり、甚《いた》く病みついた。尊敬すべきハロルドは病床のスウェインを世話していたのだが、なんたることか、スウェインは彼を剣で一撃するや、すかさず両手を縛りあげ、船艙《せんそう》に閉じ込めた。そして、スロンダを譲るよう求めたが、ハロルドが応じないので、両耳を殺《そ》ぎ、片目を抉《えぐ》り、さらに殺す寸前まで彼を痛めつけた。だが、勇敢なるハロルドは縛《いまし》めを解き、手練《てだれ》の組み討ちでスウェインをねじ伏せるや、脱出した。しかしながら、居城もほど遠からぬサンバーグ岬まで来たところで、健脚を誇る彼も弟に負わされつづけた傷の重さにもはや走れず、ついに倒れ伏した。その間に追いついたスウェインは、手にした矢で兄を打擲《ちょうちゃく》し、その身を岬から海へ投げ落とした。

　その後ほどなくして、スロンダ夫人は（夫の死の真相を知るどころか、生死さえさだかでないまま）スウェインの好意を受け入れて彼の妻となり、二人の結婚を寿《ことほ》いで喇叭《らっぱ》が高らかに響き、祝宴が盛大に開かれた。それから二人はすぐに遠方への旅の支度をはじめた。

　スウェインは、帰国後にスロンダのためフジャルトランドに大邸宅を建てようと思いたち、抜け目のない職人頭《しょくにんがしら》を呼び寄せ、贅《ぜい》を凝《こ》らした屋敷を建てるのに必要な職人を集めるよう申しつけてイングランドにやった。その後、夫妻はローマに滞在した。一方、職人頭はロンドンに行って手方《てかた》を集めたが、引き連れてフジャルトランドに帰る途中、船が沈んで一人残らず溺れ死んでしまった。

二年後、スウェイン・ハルファーガーはフジャルトランドに手紙を送り、屋敷が竣工したかを尋ねた——職人頭が溺死したことなど知らずに。問題なくレイバ島に建っているという返事がすぐに届いた。だが、そこはスウェインが建設を命じた島ではなかった。さらに、彼は恐怖のあまり倒れ、そのまま死んでしまいそうになった。手紙の筆跡がまぎれもなく、兄ハロルドのものだったからだ。彼はこのように語ったという。『ハロルドは生きているか、さもなくばやつの幽霊がこの手紙を書いたに相違ない』その後、彼は何日も怯《おび》えていた。

スウェインが現状を知るためにフジャルトランドに帰ると、サンバーグ岬の近くにあった城は瓦礫《がれき》と化していた。彼は怒りのあまり叫んだ。『こは如何《いか》に！　父上の城は何処《いずこ》？　なんたる悪《あ》しき運命よな！』近隣の住民に尋ねると、異国から来たらしい大勢の職人が解体していったという。『いったい誰が申しつけたというのだ』と尋ねても、誰も答えられなかった。彼は重ねて問うた。『我が兄ハロルドが生き延び命じたのではないか？　余のもとには兄の手紙が届いておるのだぞ』やはり答える者はいなかった。レイバに赴《おもむ》くと、そこには豪壮な館が建っており、ひと目見るや彼は一人ごちた。『生きているにせよ死んだにせよ、これは我が兄ハロルドが建てたに相違ない』そして、妻を連れ帰り二人でそこに住んだ。現在、その館にはスウェインの子孫たちが住んでいる。このような始まりゆえ、館には無惨な伝聞が絶えない。ここに住む者は邪悪なる狂気と苦痛への恋着《れんちゃく》に見舞われている。また、耳を失ったハロルドの恨みを受け、一族の者たちは血筋が絶えるまで聴覚の苦しみを受けつづけると言われている」

私は目を通しているうちに、いつしか声に出して読んでいたが、読み終えるとハルファーガーに笑みを向けた。「なあ、きみ、このガスコインという男は、史実を記録するのは不得手なようだが、なかなか面白い伝奇物語の書き手だな」

「いや、これが史実なんだ」彼は答えた。

「これを信じているのか？」

「この館はたしかにレイバ島にある」

「だが、中世の亡霊が自分の一族の館を支配したなんて、信じられるかい？」

「ガスコインはそうは書いていない」彼は言った。「『手にした矢で兄を打擲』したが、それでハロルドが死んだとはかぎらない。仮にそう書いてあったとしても、ぼくには確かめようがないがね」

「それにしても、ハルファーガー、『邪悪なる狂気』とか『苦痛への恋着』とかいうのは、いったい何なんだ？」

「ぼくに答えられると思うか？」彼は両腕を広げた。「何も知らないというのに。まったく知らないのだよ！　あの館からは五歳のときに追い出されたからね。そのときの自分がどれだけ泣いたか、今も忘れてはいない。あの館に帰りたい思いと、それを厭《いと》う思いを共に抱くのがどれほど辛いかは、きみには話したことがないしな……」

いずれにせよ、そのとき私はハイデルベルク*に行かなければならなかった。なので、滞在期間を短くし、二、三週間ほどで帰ることにした。彼の沈黙を合意と解し、その後まもなく出立した。

だが、帰るまでには考えたよりも日数がかかった。帰ってきたとき、私たちの借家には誰もいなかった。ハルファーガーは去ってしまった。

十二年後、一通の手紙が転送されてきた——おそろしく長い手紙で、筆跡はいくぶん乱れてはいたが、見慣れた友のものだった。消印には「レイバ」の文字が読みとれた。急いで書いたのが明らかなのに、たいしたことが書かれてはいないので、私は驚いた。最初の便箋の半分は私との旧交のことで埋められ、そのあとには死に近い母親に会ってもらえないか、という懇願が認《したた》められていた。残りは母親の家系の調査結果で、彼女がハルファーガー家の直系に属し、父親は遠縁であることを伝えるのが目的と見てとれた。そして、この家系に属する者は十四世紀以来、四百万人を超えていたが、今生きているのは三人のみ、と伝えた。そこで手紙は終わっていた。

この手紙に急き立てられる思いで、私は北へと向かった。ケイスネス*からオークニー諸島*沿岸の荒れる海を渡り、ラーウィック*に到着した。さらにそこからゼットランド諸島の最北端、荒涼たるアンスト島に行き、金にものを言わせて二本マストの漁船《シクサーン》（ヴァイキングの船、ロングシップはこのようなものだったのだろう）を調達し、暗い空の下で荒波と競わせるに至った。この時季の船旅は危険だ、と漁師たちは言った。十二月の海は寒さよりも荒波が厳しく、大時化《おおしけ》でない日はまずないのだという。

ハイデルベルク　ドイツ南西部の学園都市。
ケイスネス　スコットランド最北端の郡。
オークニー諸島　ケイスネスの北、シェトランド本島の南に位置する群島。
ラーウィック　シェトランド本島東部の港町。

波の上に海霧が立ち込め、船を暗く包み込んだ。海も空も暗く、目に映る景色はとてもこの世のものとは思われず、私は船の行く先が別の世界であるかのような気がしてきた。船はときおり、岩礁か海食柱と思われる、ごつごつした岩のそばを通過したが、メキシコ湾流との長年の戦いに崩れかけた岩肌は怖ろしいまでに荒涼としていた。それらも三つほどしか目に入らなかったのは、海路の半ばほどで、時刻は早いというのにあたりが夜のように暗くなったからだ。冬の北海では嵐が治まることはないのだ。それでも翌日、雨が降りつづいていたが、空は少し明るくなった。すっかり暗くなる前に、船長は（彼は航海のあいだ、少女に変身する海豹《あざらし》やら、海馬やらといった海の妖怪の話ばかりしていた）船首の先に暗く浮かぶ灰色の島を指さして、あれがレイバ島だ、と言った。

船長は続けた。レイバは潮がこのあたりのあらゆる島に当たって起こす渦や横流《おうりゅう》の中心にある。島を囲む岩礁のせいで、その流れはさらに荒々しくなり、接岸は難しく、まして夜には無謀だ、と。だが、海岸に白く砕ける波が見えるところまで、船を近づけることができた。船長によれば、波の力はしばしば大砲を超え、岩を六百フィートの高みに投げ上げることさえあるという。

翌朝、太陽が水平線を照らす頃、船は海岸に近づいた。そのとき、島が回転しているかのように思った（おそらくは渦巻く水のせいだろう）。船は西岸にある小さな湾、あるいは入り江に入った。私の目的地は東岸にあったのだが、うねりのために近づけなかったのだ。そこには二軒の小屋があり、そこに住む五、六人の漁師は、東岸にある屋敷に食料品を届ける仕事もしていた。彼らに事情を話し、一人を案内役に雇って、私は島の奥に踏み込んだ。

そのとき、夜のあいだ船にまで聞こえてきた、海岸に砕ける波の轟《とどろ》きとはとても思えない、耳障りな音がまた聞こえた。進むにつれ、音は非常に大きくなっていった——私は上陸のさいに感じた、島の回転を思い出した。見るかぎり、レイバは花崗岩と片麻岩の崖ばかりのようだった。だが、島の中央と思われるところは台地で、いくつもの湖があり、そのゆるい流れから西から東に向けて傾斜しているのが見てとれた。つながった湖の東の果てが見えないので、案内人に大声で尋ね、彼が答えを叫ぶのを聞いて、その先に岸がないことを知った。一万頭の野牛が吠えつづけているような音が絶え間なく、叫ばなければ言葉のやりとりができなかった。地面が震えていた。そのあいだも、私は樹木を探してあたりを見渡したが、徒労でしかなかった——この荒れ果てた島には、絶え間ない嵐に堪えられる植物はなく、あるのはただ泥炭ばかりだった。正午を小一時間も過ぎると、もう空が暗くなってきた。すると、案内役の男は東岸に続く小道を指さし、急ぎ足で来た道を引き返していった。私は去っていく彼に大声で問いかけたが、もう何も聞こえていないようだった。

心は沈み、眩暈《めまい》を覚えながら、私は小道を下った。その先は海に向かって張り出し、震える岩棚だった——この島を震わせているのは、砲声のような波濤の轟きだけではなかったが。私は突風から身を守ろうと岩にしがみつき、ダンテが夢想したあの荒涼たる眺めにも比すべき、陰鬱にして奇怪な風景を見渡した。さほど遠からぬ先に、魔女の指のように海面から突き出した岩礁が三つあり、そこには魚鷹《みさご》や海鵜が巣をかけ、海豹や海象《せいうち》が棲んでいる。岩礁のあいだで耳を聾《ろう》さんばかりに荒れ騒ぐ波は、陸《おか》を目がけ旗を振り立てて進軍する兵士の一団さながらであった。私は岩からそろそろと身を離し、左手に向かいよろめくように進んだ。すると、夢にも見たことのない荘厳な眺望が、円形劇場に踏み込んだかのように、目の前に広がった。

いま私は円形劇場に喩えたが、そこはむしろ、ノルマン様式＊の教会の扉の形に似ていた。半マイルもある扉を、弧を描く上部を陸側にして、海面に倒した形を想像してもらったほうがいいだろう。そして、その弧に沿って、高さ四十ヤードの岩の壁が聳《そび》え立っている。その壁の全面から、水が轟き、白く泡立ちながら海に流れ落ちていく——目にするや私は呆然とし、我に返って身を竦《すく》め、一刻も早くここから逃れようとしたのは、理解してもらえるだろう。

私が見たのは、さきほどの湖の水が流れいく、その果てだった。

そして、ノルマン様式の瀑布の向こうに、滝と波との水煙に包まれて、真鍮色の建造物があった。日はほとんど暮れかけていた。だが、水飛沫《しぶき》に煙《けむ》り涙に滲《にじ》んだような視界の中で、周囲が巨大なせいもあるだろうが、その建物は小さく見えた。屋根は円蓋《ドーム》状で、上部が半円状の窓が二列になって並んでいた。上に位置する窓の方が小さかった。細見するうちに、それは瀑布の裏の窪みに円《まる》く張り出した岩床に建っていることが推測できた。その岩床は水の流れの陰に収まっていた。川のように絶え間なく流れる水は、そのまま海へと落ちていく。館への道は、土手のように岩壁から張り出し、ところどころに設《しつら》えられた流れを避ける穹窿《アーチ》上の屋根には海藻が絡みついていた。

岩棚をくだり、張り出した道を渡りきる頃には、私は水飛沫でずぶ濡れになっていた。近づくにつれて、その館が下から半ばまで、古い船体のように藤壺《ふじつぼ》やさまざまな色の海藻に覆われているのが見てとれた。さらに——驚くべきことだが——その真鍮の屋根のあちこちから、海藻の絡みついた太い鎖が、それでも光を放ちながら延びていた。そのさまは、ノアの方舟《はこぶね》がいくつもの錨《いかり》を下ろしているかのように見えた。私は目をまっすぐ館に向けたまま前進し、屋根から滝のように落ちる水の下を駆け抜け、いくつかの入り口の一つから建物に入った。

闇と――そして音が、私を取り囲んだ。叫び声をあげる惑星の中心か、何千もの砲声の只中にいるかのようで、合間には何かはわからないが、ものが砕けるような音さえした。私は哀しさを覚え、涙をこぼしかけた。「なるほど」と私は声に出した。「まわりを気にせず泣くには最適なところだな。溜息の谷とでも呼ぼうか」広間の奥へと進み、どこにどう続いているものかと考えるや、洋燈《ランプ》を手にした怖ろしげな姿が、目の前に立ちはだかった。思わず身を竦めた！　それは布を巻きつけた長身の骸骨のようだったが、小さいが炯々《けいけい》たる隻眼《せきがん》と、顔の一部を覆う薄い皮膚とで、生きている男だとわかった。耳は両方ともなかった。エイスという名をあとで知ったその男は、自分の姿がこのありさまなのは全身がほとんど炭になってしまうほどの重い火傷《やけど》を負ったからで、なんとかここまで回復した、と（真偽はさておき）語った。悪意ありげな顔つきと、苛立ったような仕草で、彼は二階の部屋まで私を案内し、細い蠟燭《ろうそく》に火を灯すと、卓子《テーブル》を指さしただけですぐに去っていった。

かなり長い時間、私は一人でただ座っていた。音のせいで五感は麻痺し、混乱してはいたが、館が揺れているのだけはわかった。ここでもっとも力を持つもの、それは水、水だ――悪い想像が浮かび、神経が張りつめて息苦しく、果てしない奔流に呑み込まれていくような気がした。眩暈さえ覚えたので、私は立ち上がり、歩きだした――が、すぐに立ち止まり、わけもなく自分に腹立ちを覚えた。こ

ノルマン様式　フランスに起源し、十一世紀のイギリスで発達した建築様式。装飾は少なく、厚い壁、太い円柱、上部が半円状の扉や窓を特徴とする。

れまでに覚えたことのない、まったく自分にそぐわない衝動に駆られて歩きだした。そこで、立ち止まるとすぐに、通された部屋を細見した。広く、贅を凝らした家具が置かれていたが、どこもかしこも湿気に傷《いた》んでいた。部屋の中央にはハルファーガーの名が刻まれた柩が安置されており、その刻字と棺材の古さから、十四世紀頃のものと見てとれた。この陰鬱な室内に、ただ一人いる寂しさは身に堪えたが、真夜中を過ぎるや、壁掛《タペストリ》が開き、ハルファーガーが気ぜわしげに入ってきた。

十二年のあいだに、我が友はすっかり老け込んでいた。見た目は恰幅《かっぷく》がよくなったようだが、栄養不良なのか、ひどく衰弱しているのが見てとれた。頭はうなだれて前に突き出し、腰は曲がり、額や肩にかかる髪は驚くほど白くなって、同じように白い顎髭は胸に触れていた。歩を運ぶたびにローブの裾から毛脛《けずね》がのぞいた。足にはこの地方ではリヴリンと呼ばれている、柔らかい革製のスリッパを履いていた。

彼が話しかけてきたので、私は驚いた。だが、口が動くのが見えるばかりなので、声が聞こえないと大声で言うと、彼は両耳を手で押さえ、また口を動かした。だが、やはり声は聞こえなかった。彼は腹立たしげに手を振り、蠟燭を手にして部屋を出ていった。

ハルファーガーの様子にはなんとも不自然なものがあった——それは、あの骸骨のようなエイスを見たときに感じたものに似ていた。怒っているのではないかと思うような、熱狂と言うべき過度の熱意や、声や足取りや身振りの大仰さ。死んでしまったかと思うほど血の気のない顔にかかる髪をひっきりなしに掻きあげ、重たげな瞼の下で充血した目は、うつむいたまま動かなかった。彼が戻ってきたとき、ローブのベルトには象牙の薄板と、鉛筆がわりの黒鉛のかけらが挟まれていた。彼は象牙板に手早く、もし疲れていなければ母の葬儀に参列してほしい、と書いた。

私は大声で承諾の返答をした。

彼はまたも耳をふさぐと、象牙板にこう書いた。「大声をあげないでくれ。この家のはずれで声をひそめて話しても、ぼくの耳には届くのだから」

彼が学生時代、難聴ぎみだったことを、私は思い出した。

いくつもの部屋を通っていくあいだ、彼が蠟燭の火を手で覆っているのに、私は気づいた――この震える屋敷の中では、片隅でさえ空気が動いているので、やむなくしているのだ。奇妙な振動と隙間風が絶え間なく、嵐が来たかのように唸りつづけ、揺れていない窓帷《カーテン》はなかった。どちらを向いても目に入る過去の栄華も、今は荒れ果て、朽ちていた。どの部屋も墓のようだ。ある部屋には美術館さながらに銅像が林立していたが、いずれも壊れ、菌類に覆われ、結露を滴らせていた――屋敷そのものが重労働の中、汗をかいているかのようだった。屋内には瘴気《しょうき》が立ち込めていた。私は迷路のような屋敷を足早に行くハルファーガーについていくのに懸命だった。彼は一度だけ立ち止まり、蠟燭の灯りに目を眇《すが》めながら、上を指さして一言だけ叫んだ。唇の動きから「聞け」と言ったように思われた。

すぐに長方形の部屋に通された。寝台の横に並べた椅子の上には柩《ひつぎ》が据えられ、その脇には蠟燭が列をなしていた。ごく深い柩だが、変わっているのは深さだけではなかった――足元の方が開いていて、近づくと遺体の足の裏が見えるのだ。さらに、柩の側面には三本の棒が立てられ、それぞれの先には柔軟な発条《ばね》がつけられ、その先から小さな鈴が下がっていた。枕元にはエイスが、不機嫌そうに狭い中を行き来していた。

ハルファーガーはその場に立ち尽くし、遺体を凝視していた。私も動けず、これまでに目にしたことのないほど厳《おごそ》かな死に顔を見下ろすばかりだった。柩の中、痩せこけた高齢の女性の顔は、もつれた灰色の長い髪に埋もれ、鼻ばかりが尖って見えた。屋敷の振動と共に、その顔は厳粛に揺れていた。柩の三カ所に、ヴァイオリンの駒《ブリッジ》のような板が渡されているのに、私は気づいた。板の両端は柩の側面に彫られた溝にはまり、上面は蓋の内側に沿う形に作られていた。一枚は故人の膝、もう一枚は腹部、三枚目は首の上に渡されていた。それぞれに丸い穴が開けられ、そこに結ばれた細い糸は柩の蓋を通って、棒の先の鈴にまで続いていた。それが何を意味するのか理解する前に、ハルファーガーは蓋を閉じた。彼は柩に鍵をかけると、私に「来い」と声をかけたようだった。

エイスが柩の頭側の把手を摑むと同時に、部屋の奥の暗がりから、黒衣の婦人が歩み出てきた。長身で、顔は青ざめていたが、その足取りは堂々としていた。鼻の線と耳の形から、ハルファーガーの伯母、レディ・スウェルサと察せられた。赤い目をしていたのは泣いていたからだろうか。

ハルファーガーと私とで、柩の足元側の把手をそれぞれ持ち、黒衣の婦人は黒い蠟燭を立てた燭台を手にして前に立ち、葬儀が始まった。部屋を出るあたりで、隅に二つの柩があり、それぞれにハルファーガーと伯母の名を刻んであるのが見てとれた。私たちは曲がりくねった階段を下りた。さらに真鍮の狭い階段を下り、金属の扉の前に来ると、婦人は燭台を置いて去り、私たちは残された。

柩を運び込んだ部屋は外壁が真鍮で、その外は瀑布にもっとも近く、流れを直接受けているのが振動から察せられた。四方には棚が設えられ、柩が積み上げられていた。私たちが踏み込むと、たちまち鼠どもが騒ぎだし逃げ惑った。かれらにとっては棲み心地の良いところだったようだ。厚さ十六フィートの真鍮の壁を——あるいは、同様に厚い床を——食い破って入ったとはとても考えられないので、大洪水のさいの方舟のように、最初の番《つがい》となる二匹がいたのだろうと思ったが、それは我ながら安直な考えだ。ハルファーガーがあとで、この館を建てた者が何かの理由で置いていったのではないか、と言った。

部屋の中央にある石の長椅子に柩を置くと、エイスは一人、急ぎ足に出ていった。ハルファーガーは部屋の端から端へと行きつ戻りつしながら、ときどき立ち止まって屈んでは覗き込み、伸び上がっては棚と支柱を検分していた。棚が保《も》つかどうか懸念しているのだろうか。たしかに、湿気と腐朽とが部屋に蔓延していた。私が触れた木部《もくぶ》は、親指で押すと崩れ落ちた。

彼が足を止めるや、こちらに合図をするのが見えた。二人で私の部屋に戻った。私は一人残され、しばらくはやり場のない怒りに歩きまわっていたが、やがて寝苦しいなりに眠りについた。

この荒地のおぼろな陽光が屋敷の奥に届かなくても、規則正しく起床できたのは、部屋の柱時計のおかげだった。時にはハルファーガーが来て起こしてくれることもあり、旧交を温めるのに時間はかからなかった。奇妙だが、確かなことだった。若い頃は相手を尊重するあまりに、しようとは夢にも思わなかったような態度やもの言いを、互いにするようになってきたからだ。たとえば、先が暗がりに消えて見えないほどの長い廊下を、あてもなく足早に歩いているとき、彼は象牙板に私の歩みが遅いと書き、見せてきた。早いも遅いも気分次第だ、と答えてやった。「きみはせかせかしなくなったな」と彼は書いた。私は少々気を悪くして、こう答えた。「一つの指輪を同じ指にはめつづけることもなかろうさ」

　ある日、彼は自分の人間離れした鋭敏な聴覚について、臆せず私に打ち明けた——が、私の聴覚もまた変わってきていた！　自分でも驚いたことに、時がたつにつれ、叫び声のような音を感知するようになってきたのだ。聴神経の発熱が原因だ、と私は主張した。この館を取り巻く瀑布の水音を遠ざけ、海鳴りや絶え間ない嵐が止みさえすれば、その原因も確かめられることだろう。ハルファーガーの内耳は炎症を起こし、高熱を発しているにちがいない。そして、その聴覚の異状はウィリス錯聴*であろうと彼に告げた。彼は納得いかないと言いたげに眉をひそめたが、私は続けて、自分の経験から類似する症例を挙げた。ある難聴の婦人が、走る列車の中で針が落ちる音を聞きつけたこと[原注]を話すと、彼はこう答えた。「僕はつねづね、学者という人種がもっとも無知蒙昧だと考えているよ」

　私には、彼が聴覚の異状を意識したくないばかりに理屈をこねているように思われた。しかし、彼は自分はもとより、エイスもスウェルサ伯母も眩暈を起こしがちなのだ、と告白した。私は驚いた！　というのも、自分もこの日、目覚めたさいに部屋が回っているように感じ、ふらついて気分が悪くなったばかりだったのだ。その感覚はすぐに消えたので、内耳の、おそらく篩骨《しこつ》迷路の末梢神経が一時的に不調をきたしたのだと、早計にも決めつけていた。だが、ハルファーガーは屋敷だけでなく周囲までもが回転していると確信しており、そのさまは正気を失ったか、あるいは何かに憑かれたのようでもあった。深淵の際に立ったまま、両手を広げて底を見下ろし続けているようで、眩暈がすっかり去ることはない、と彼は言った。一緒に歩いていたとき、ハルファーガーが投げだされるように倒れたことがあった。そのとき彼は一時間ばかり地面から立ち上がれず、汗みずくになり、取り乱して我を忘れ、目に驚きと当惑を浮かべたまま、震える壁を見つめていた。さらに、悪化する耳鳴りの中に、いくつかの特徴ある音に気づいたことも、彼を苦しめていた。轟音の中にときどき、小鳥がさえずる子守唄が聞こえ、その小鳥は藤色の冠羽と泡のように白い翼をもち、はるか遠い国から唄を届けに来たかのようだと、彼は言った。また、多くの人の声も聞き取れるとも言った。人声は遠いがはっきりとして、せわしなく議論をしているのがわかるが、次第に不明瞭になって音楽のようにしか聞こえなくなるという。さらには、食器がひしめく宇宙空間から耳元に響いてくるような、際限ない衝突音も。そして、瀑布の暗鬱な轟きの奥底に、複雑怪奇な球体の音楽が繰り返されているのが、聞こえるというよりは特定の色彩で見える、と言った。どの音も耳の病変が作りだしたものだ、と私は強弁したが、それは彼には心地良くもあったようで、立ったまま耳に手をあて、しばらくのあいだ聞き入ったこともあった。だが、音はときに怒りを激しくかき立てることもあった。彼がほぼ一時間おきに「聞け！」と叫ぶのも、原因は音にある、と考えていた。だが、私は間違っていた。ほどなくして真相を知り、落胆どころか恐怖に沈んだからである。

下階にある鉄の扉の前まで来ると、彼は何も聞き逃すまいとしているかのような鋭い目をして、しばらく立ち止まった。やがて「聞け！」と叫び、私に目を向けるや、象牙板に「聞こえなかったの

原注　このような症例は医学者のあいだではよく知られている。聴覚神経が騒音で衝撃を受けて過敏になり、騒音が大きくなるほど過敏さも増す。
ウィリス錯聴　耳硬化症の一症状。静かなところでは大きな音も聞きとりづらいが、騒がしいところでは音がよく聞きとれるのが特徴。

か?」と書いた。私には轟音のほかは何も聞こえなかった。すると彼は耳元でわめいたが、その声は夢の中で聞いているように遠かった。「今にわかる」

彼は燭台を持つと、ローブのポケットから鍵を取り出し、鉄の扉を開いた。がらんとした部屋は円形で、広さに比して丸天井は高く、壁際には二段の脚立《きやたつ》が置かれ、大理石の床の中央にはローマのインプルウィウム*よろしく丸い水槽があり、その水は暗く澱《よど》んで底は見えなかった。蠟燭の火に照らされたその水面に、中央から広がる波紋を見て、黒く重たげな水がこの館の震動ではない力でつい先ほど乱されたばかりなのに気づき、私は不安を覚えた。説明を求めて目を向けると、ハルファーガーは手真似で待つようにと応えた。それから一時間ほど、彼は後ろ手を組んで部屋の中を歩きまわるばかりだったが、やがて立ち止まり、二人肩を並べて水槽の縁に立つと、水面を見つめた。彼に腕を強く摑まれたそのとき、赤く染められた小さな、おそらく鉛の玉が落ちてきて、水槽の中央に沈んでいき、私は恐怖を覚えた。玉は水面に触れるや、かすかに霧のような飛沫をあげた。

「いったい、これは何だ?」私は声を絞った。「この禍々《まがまが》しいものを何と呼べばいいんだ?」

彼はまたせわしなく、だが自信ありげな仕草で待つように告げると、脚立を水槽の縁まで持ってきて、私に燭台を持たせた。脚立に上がって燭台を高く掲げると、丸天井の下におぼろに、吊り下げられた古い銅の球体が見えた。その下部は気球のように細く伸びて、先端には穴が開いていた。球体に書かれた赤い文字がかろうじて読み取れた。

ハルファーガー館　一三八八—一八八

私は慌てて脚立を下りた。

「あれには何の意味がある？」

「文字が読めたか」

「読んだが、意味がわからない」

彼は書いた。「ガスコインの著書とスランスターの記述を対照して、この館が建てられたのが一三八九年頃だということを、ぼくは突き止めた」

「あとの方の数字は？」

「最後の八のあとは」彼は答えた。「変色して読み取れなくなっている」

「数字は何だったと思うか？」

「読めないが推測はできる。一八八八年は過ぎてしまったから、九以外にはない」

「おや、きみも焼きが回ったものだな」私は苛立ちを抑えられなくなった。「その考え方も、ものも言いも、事実をふまえて結論を出す聞き手にはつきあいきれないものだ」

「理屈がわかっていないのは、きみの方だ」と彼は書いた。アルキメデスの公式に則《のっと》れば、球の直径からその体積を知ることができるじゃないか。丸天井の下の球体は、直径が四・五フィートで、鉛玉の方は三分の一インチだ。一三八九年には球の中に鉛玉がぎっしり詰まっていて、一時間に一つ落ち

インプルウィウム　古代ローマの住宅にある、中央広間《アトリウム》の天窓から落ちる雨水を受けるための貯水槽。

れば、すでに四百万個が球体を出ていったことになる。今、中に残っている玉がさほど多くないと計算するのは簡単だろう。この落下はあと一年も続くまい。したがって、数字は九であるという結論に至らざるをえない」

「だがね、ハルファーガー」私は声高に言った。「友よ、聞いてくれ。その考えはあまりに邪悪だ！　なにもそんな悲観的な計算までして、鉛玉の一つ一つがきみの一族の一人一人を指しているとか、最後の日付が機械《からくり》の止まるときを示しているとか考えることはないじゃないか。もし仮にきみの言うとおりだとしても、いったい何の意味があるというんだ。意味なんかないんじゃないのか？」

「ぼくを怒らせたいのか？」彼は声を荒らげた。そして、立腹ぶりが見てとれる手つきで、こう書いた。「この仕掛けの意味などわかるものか！　だが、この機械が一種の巨大な砂時計で、日ではなく周期で時間を計っている、そしてその周期が五百年だなんてことは、きみにはわからないだろう」

「だが」私はさらに声をあげた。「それは頭の中に生まれた、怖ろしい幻にすぎない。鉛玉の落下はどのように制御されているのか。友よ、きみは混乱しているんだ――水の轟きのせいで、正気を失いかけているんだ」

「ぼくも中を見たわけじゃない」彼は答えた。「液状の媒体があるのか、ぜんまい仕掛けなのか、おそらくはこの屋敷の震動が動かしているのだろうが、どんな内部機構が鉛玉の落下を制御しているのか。この機械を発明した中世の職人が技を凝らしたのだろう。だが、一つだけ明らかなのは、鉛玉の落下を遅くしている要素の一つは、落下口の狭さにあるということだ。静力学の法則から、球体の中にある鉛玉が三つ以上でないと、その制御は利かない。したがって、最後の三つはほぼ同時に落下することになる」
「頼む、もう止せ！」私は言葉を抑えられなくなっていた。「ハルファーガー、母上は亡くなったばかりだ。もうきみの血族には、ほかにはレディ・スウェルサしかいないじゃないか」

　彼は答えるかわりに、軽蔑のまなざしを向けただけだった。

　だが、翌日になって彼は、鉛玉が落ちる音が自分には絶え間ない悲しみなのだ、と告白した。一時間ごとの落下を気を張りつめて待つのが日常になってしまったのだ、と。眠っていても、落下すれば目をさました。館のどこにいても、鉛玉の落ちる音が聞こえ、そのたびに耳が痛んだ。この落下に人生を占拠されてしまったのだ、という彼の言葉に、私はひどく驚いた。落下音が自分の心を捉え、絡みつき、止んでしまったら正気を失いかねない、と言い終えたハルファーガーは柱に寄りかかり、顔を伏せて泣いた。彼が落ち着いたところで、私は尋ねた。この機械《からくり》の呪縛を振り切って、ここから逃げだしてもいいのではないか、と。だが、彼が書いた返答は謎めいていた。「三者の結合は簡単には解けない」私は尋ねた。「三者の結合とは？」彼は苦笑を浮かべた。「苦痛への恋着——痛みを望むこと——それはまさに、邪悪な狂気ではないのか？」彼が無意識のうちにガスコインの引用をしているのに気づき、私は驚きのあまり棒立ちになった。邪悪な狂気！　苦痛への恋着！「伯母の顔を見たろう」彼は続けた。「きみの目が曇っていなければ、穏やかさには不信心が、喜びの裏には背徳の忍従が、笑みの陰には嘲《あざけ》りが見えたはずだ」そして、心の底から震え上がるような怖ろしい予測を、それが希望でもあるかのように、笑いを浮かべながら綴った。彼の耳を聾している音はさらに大きくなるだろう、というのだ。そうなれば、脳に大きな打撃を受けることになる。私がこの屋敷に着いて以来、まず足音が、さらには時として大きくなる私の声が、彼には激痛をともなって聞こえていた。耳に苦痛をもたらす大音響は、むしろ心を惹き寄せるほどの蠱惑となり、聞く者は人の道を踏み外しかねない――ハルファーガーの言葉を、私はそう解した。だが、音がさらに激しくなることはとても想像できないし、起こりうるかどうかもわからない、と私が言うと、彼は書庫から代々の家長によって書き継がれてきた一族の年譜を何冊も抱えてきた。その記録によると、レイバ島のある海域を乱す嵐は、数年の間を置くことすらなく、凡夫の中のサムソン*か、恒星の中でもひときわ輝く天狼星《シリウス》*のごとく、暴威をふるった。嵐は訪れるたび豪雨を伴い、創世記さながらの洪水を起こした。竜巻が高く上げた飛沫は島に降り注いだ。海水を受けて滝は勢いを増し、倍加する水嵩に水門は耐えきれず、ついには轟音とともに倒壊したという。この十八年間、そのような嵐がレイバに来なかったのは奇蹟のようなことだ、とハルファーガーは言った。

「ところで」私は尋ねた。「きみの言う『三者の結合』というのは、落下する鉛玉と、音が大きくなるという予測に加えて、あと一つ、何かあるはずだが」

答えるかわりに、彼は私を円形の広間へと案内し、ここが円形の館の中心であることを確認した、と告げた。広間はこれまでに見たこともないほど広く、蠟燭の灯が照らす壁は、ほとんど平らで湾曲もないほどに見えた。床から天井に向かって、一本の真鍮の柱が屹立しており、壁とのあいだは片腕を伸ばすほどの隙間しかなかった。

「この円柱は」とハルファーガーは書いた。「丸天井にまで達し、さらに上に延びている。下は床に届き、さらに貫通して、さらに地下室の真鍮の床を突き通って土台の岩盤まで至る。柱は階ごとに広がり、床を支えている。この説明を聞いて思ったのは何か、率直に言いたまえ」

「わからない」私は彼から目をそらした。「謎かけ遊びはよそうじゃないか、ハルファーガー。眩暈がしてきたよ」

「いや、答えてくれ」彼は言った。「あの最下層の真鍮の床がいかに奇妙であるか、考えてみるといい。調べたかぎりでは、厚さは六フィートはあるが、それでも岩盤にまでは届いていないと、僕は推測している。そして、柱はこの館の基礎には、どこにも固定されてはいない。外壁から延びている鎖が館を支えているのは明らかだ。さあ、ここまで聞いて、どう考える？」

「聞きたかったのはそんなことなのか？」私は声を荒らげた。「悪意などないのかもしれない。結論を急ぐな。このような場所であれば、基礎がしっかりしている建物はむしろ、大嵐で倒壊するかもしれない。そのさいに鎖が切れて建物を守るよう、建設者が意図していたのだとは考えられないか」

「相変わらず思いやりが深いな」彼は答え、私を連れて共に読書する書斎に向かった。

　彼は学ぶ習慣を完全には失っていなかったが、腰を落ち着けての読書はできなくなっており、本を抱えたまま（時に取り落としもしつつ）灯火を点した下を歩きまわっていた。思わず読んで聞かせようかと思いかけたこともあった。彼が気まぐれに興味を向ける本は、悪漢《ピカレスク》小説の類《たぐい》や、ことさらに理屈を並べ立てたようなものだった。デ・ケベード*の『偉大なる吝嗇漢の生涯』、ティコ・ブラーエ*の宇

サムソン　『旧約聖書』士師記に登場する怪力無双の英雄。
天狼星《シリウス》　おおいぬ座α星。この星座の中でもっとも明るく見える恒星。

宙論、とりわけジョージ・ヘイクウィル*の『力と神の摂理』を彼はよく手にした。だがある日、私が本を読んでいると、彼はいきなりこんなことを言って中断させた。「きみのような科学の徒が、生き物が呼吸としなくなったらそれが死だ、と信じているのは、理解できない」その一言で、私たちは読書から離れた。館の最下層にある書庫に行くと、彼は〝死後の生〟の長さを証明しようとする本を時間をかけて何冊も並べたて、私を圧倒しては勝ち誇ったような声をあげた。死者が祈りの言葉を発したというヴェルラム男爵フランシス・ベーコン*の記述をどう考えるか、死んだ囚人の腸が動いていたという事例をどう理解するか、と彼は尋ねた。そんな話は信じない、と私が答えると、彼は驚いた様子で、死んだコブラがのたうったり、蛙の心臓が死後もしばらく動いていたりすることを語った。「彼女は死せず、ただ眠るのみ」*と、彼は口ずさんだ。ベーコンやパラケルスス*の説にある、生命の本質は精神もしくは体液にあるという考えは、体液を満たした器官が体内にあるかぎり、生命がすぐさま消えうせないのは自明だという、彼の主張の裏付けになっていた。〝死〟の中の〝生〟がどれだけ持続できるか、その限界を私が問うと、神経がもはや神経と呼べないまでに腐敗してしまったときや、鼠が首を齧《かじ》るなどして脳と胴体の接続が切れてしまったときに、はじめて死に支配される、と彼は答えた。私はレイバに身を置く前には想像もしなかったほど無分別に、それはきみの母上のことか、と尋ねてしまった。彼はしばらく考えてから、こう書いた。「たとえ自分とスウェルサ伯母の命が、母の命がついに終わったことで長らえられたなどと思わなくても、母の身体が破壊されていく過程を、ぼくは確かめようとしたことだろう。幸い、ぼくには的確な知識があった」そして、こう続けた。死体安置室に走りまわる鼠どもが、やがて母をきれいに消し去ってしまうだろう。だが、その体に歯を当てようにも、柩に張った三本の紐を、鈴を鳴らさずに噛み切ることはできないだろう、と。

冬至が過ぎ、新たな年が始まった。夜、私は部屋で眠り込んでいるところを、ハルファーガーに揺り起こされた。燭台の灯に照らされたその顔は怖ろしく見えた。かつての面影はほとんどない。驚き怖れて目を見開いた、哀れな亡霊のようだった。張りつめ軋む音を聞きつけ、自分を吊り下げている一本の糸が今にも切れるかのような不安を覚えた、と彼は言い、お願いだから柩の部屋まで一緒に来てくれ、と頼んできた。屋敷の中を通っていくあいだ、彼は窶《やつ》れた顔に怯えの色を浮かべ、足取りは重く、死者の部屋に入ると、棚のあいだを行きつ戻りつして調べてまわった。石の長椅子の上で震えている、貴婦人の柩の開いた足側から、鼠が一匹這い出した。ハルファーガーが通り過ぎたとき、柩を安置したうちでいちばん低い棚が音を立てて崩れ、彼の足元で塵と砕けた。私は怯えた獣のような声をあげてよろめく彼を支え、そのまま上階へと連れていった。

フランシスコ・デ・ケベード　スペインの作家、詩人、政治家（一五八〇—一六四五）。悪漢小説『偉大なる吝嗇漢の生涯』*Historia y vida del gran tacaño* は歿後の一六九九年に刊行された。

ティコ・ブラーエ　デンマークの天文学者（一五四六—一六〇一）。天体観測をもとに新たな天動説を提唱した。

ジョージ・ヘイクウィル　イギリスの聖職者（一五七八—一六四九）。『神の力と摂理』*Power and Providence of God* は一六二七年の著書。

フランシス・ベーコン　イギリスの哲学者（一五六一—一六二六）。

「彼女は死せず、ただ眠るのみ」　アメリカの聖職者ウィリアム・ヘンリー・ファーネス（一八〇二—一八九六）の詩"She is Not Dead, But Sleepeth"（一八九五）より。

パラケルスス　スイス出身の医師、科学者、錬金術師、神秘家（一四九三—一五四一）。

狭い部屋の隅で力なくうつむいて座るハルファーガーは、ただ震えて、急に年老いてしまったかのようで、鉛玉が落ちるたびにあげた「聞け！」という声も発しなかった。なぜ柩の部屋に行ったのかと私が尋ねても、彼は「早すぎる！」と呻くばかりだった。いつ目を向けてもその場を動かず、ただ震えているばかりだった。その夜、彼が眠った様子はなかった。

翌晩、私が歩み寄ると、彼は突然立ち上がり、叫んだ。「鈴が鳴っている！」

彼が声をあげると同時に、どこか遠くからかすかに嘆きが聞こえたが、それが激しい悲鳴であることは、私の耳にもわかった。ハルファーガーは両手で左右の耳を叩くと、声のしたほうに駆けだし、私も暗い屋敷の中に彼のあとを追った。行き着いた部屋には枝つきの燭台が置かれ、壁には色褪せた、元は赤を基調にした壁掛《タペストリ》が掛かっていた。そして床には、レディ・スウェルサが意識を失い、倒れていた。灰色の髪が、幾束も根元から引き抜かれ、まき散らされて、波打つようにその身に被さっていた。さらに、喉元には締めつけた指の痕があった。ハルファーガーの手を借りて壁龕《へきがん》の寝台に彼女を運ぶと、私は棚に見つけたチンキ*を、食いしばった歯のあいだに投与した。その顔を見て死の危険はないと察したが、なんとも不穏なものを感じ、あとをハルファーガーに任せて部屋を出た。

次に顔を合わせたとき、彼の態度の変化は怖ろしいというほかなかった。考えの浅い者が発奮するために「働け！　時間がないんだ！」と自分に言い聞かせているような、自己愛めいた様子もあったが、それを妨げるような歩行困難の兆候も見られ、私の心は重くなる一方だった。伯母の容態を、とりわけ危害を加えられた痕跡について尋ね、よくよく耳を澄ませて彼の低い声を聞いた。聞き取れたのは「あのエイスの骸骨めが、伯母の命を狙ったんだ」ということだった。

私は驚いたが、彼は意にも介していないようだったし、エイスを雇っている理由も、彼がどんな身の上の何者なのかということさえ、はっきり語ろうとはしなかった。エイスが来たのはハルファーガーがまだ若く、館から離れていた頃のことで、その常人離れした体力のほかに知ることはほとんどなかった。どこからどうやって来たのかは、スウェルサ伯母しか知らないという。伯母はあの男を怖れているか、そこまでではなくても、得体の知れない相手と見て、用を申しつけるのをひどくためらっているようだった。さらに、彼がレイバに帰ってきて以来、伯母は何らかの目的があって自身に無言を課し、ごくたまに必要のある伝達を除くと、それを破ったことがない、と付け加えた。

運動失調に起因すると思われるハルファーガーの動きは、酔漢がきちんとした動きを強いられているかのように苦しげだったが、それでも自分がしようとすることはできているようだった。一族の記録を集めては日付に沿ってまとめ、束にして、いつのものかわかるように札をつけていた。壁にかかった絵を裏向きにするように言い張り、手伝うよう求めた。だが、眩暈に襲われて一時間に六度も倒れ、耳からは頻繁に出血した。彼の声は、銀のピッコロが奏でる哀調を帯びた曲を連想させるものだった。ちょっとした動きでさえ、彼は屈み込み、汗ばみ、両手は風を受けた木の葉のように震えた。哀れに呻く唇の動きや、窪んだ目にたまる涙に、私は気づいた。彼は急速に年老いてしまったのだ。

だが、あくる日、彼は突然その老いをかなぐり捨て、若い身に戻った。私の部屋に踏み込み、まだ夢の中にいたところを叩き起こした。その目つきからも、声からも、狂気じみた喜悦が伝わってきた。

チンキ　生薬やハーブをエタノールに浸潤した製剤。

「起きろ！　嵐だ！」

そう、私は気づいていた――ゆうべの悪夢の中で。部屋の空気から感じていた。嵐が来た。燭台の灯りにも青ざめて見えるハルファーガーの顔からも、それはうかがえた。

喜びがわけもなく胸のうちに湧き起こり、私は長椅子から飛び起きると、時計に目をやった。午前八時だった。熱狂した予言者のように裸足のまま先に行くハルファーガーを、私は追った。建物の震えがさらに強まったのを感じた。刹那、息を停めるかのように静まったので、耳を澄ませた。風が館の中の空気を寥々《りょうりょう》と揺らしていた。ときおり、遠くラマ*から届く嘆きのような音が聞こえたが、それは私の耳鳴りなのか、風が立てた音なのかは、わからない。オルガンの和音が高らかに鳴っていたのかもしれない。昼頃に、洋燈《ランプ》を手に廊下を裸足で走るハルファーガーを見た。彼はこちらに目を向けはしたが、気づかなかったのか、通り過ぎかけた。だが、踵《きびす》を返すと、私の耳元で叫んだ。「見るか？」合図に従いついていくと、外壁についた真鍮の板戸の、ごく狭い出入口まで来た。掛け金を外すと、板戸は彼を跳ね飛ばす勢いで内側に開き、風は荒々しく真鍮の通路に吹き込むと、私は壁に押えつけられ、奥の壁の額は落ち、長椅子が押しやられる音がした。私は通路に腹這いになり、なんとか開いた戸口まで進んだ。外には海が見えるはずだったが、大文字のOのような円形の開口部からは、颪にゆらぐ薄暗い空しか見えなかった。レイバからは太陽が失われていた。風が弱まった隙に、二人で力を込めて板戸を閉めた。

「来たまえ！」新たに活力を得た彼は、私の先に立った。「この大いなる廃墟で死者たちがどうなるか、見届けよう」私たちは急いだが、階段を半ばも下りないうちに強い衝撃を感じ、私の足は竦んだ。低く重い震動は、柩がいちどきに床に落ちて起こしたにちがいなかった。ハルファーガーに目をやると、彼は恐慌に陥《おちい》って両耳を押さえ、驚きに口を開いたまま、足早に先に向かうばかりだった。そして、私も恐怖に捉えられた――大きく構えていたはずの心は揺らぎ、我が身を守るには乱心する彼を置き去りにせねば、と思いさえした。だが、ならば別れの挨拶をするためにも彼を追わねば、とためらっていた。身勝手でもそうではなくても、どちらにしてもその躊躇は正気の沙汰ではなかった。夜と変わらぬ暗さの屋敷の中を手探りでさまようちに、洋燈《ランプ》を見つけたので、ハルファーガーを捜すことにした。数時間が過ぎ、館の中の空気から、私に迫る危険がさらに力を増し、荒々しくなっていると確信した。叫ぶような音――現実とは思えない、まさに悪魔の群の猛《たけ》びが、耳に届いたのだ。夜になり、滝の通奏低音がさらに高まる中、それまでになかった音が――喜ぶかのような、あるいは恨むかのような高音が、悪意をはらんで聞き取れた――狂犬病が視覚とともに聴覚にもたらす変調のように。六時頃にようやくハルファーガーを見つけた。薄暗い部屋にうつむいて、両手を膝に置いて座り、髪は乱れ、顔は耳からの出血で汚れていた。ローブの右袖がないのは、おそらくは窓の開閉のさいにちぎれたのだろう。ひどく傷ついた右腕が、力なく垂れ下がっていた。私はその場に立ったまま、彼が何かつぶやいているのを見ていたが、私がここを去ると伝えたというのに、何の返事もしていないの

ラマ 『旧約聖書』で言及されるイスラエルの都市、ベニヤミンのラマ。現在ではパレスチナのアルラム。ここはエレミヤ記第三十一章十五章の「主はこう仰せられる、『嘆き悲しみ、いたく泣く声がラマで聞える……』」を踏まえている。

に気づいた。だが、やがてきっと顔を上げると、一言「聞け！」と叫んだ——焦《じ》れたように「聞け、聞くんだ！」と繰り返す。「二つめの鈴が鳴ったぞ！」すると、彼の声に応えるかのように、屋敷のどこかからかすかに、だが間違いない嘆きが聞こえてきた。眩暈を起こしたのか、ハルファーガーが突然ふらつき、倒れた。私は身震いを抑えられなかったが、洋燈《ランプ》を手に声のした方に急いだ。甲高い嘆きの声はまだ続いていたので（いや、それは私の頭の中で響いていただけなのかもしれない）、私はレディ・スウェルサの部屋の前に駆けつけた。向かいの武具室の扉が開いていたので、踏み込んで戦斧《せんふ》を摑み、彼女を救わんと扉に向かうと、中からは一つだけの目をぎらつかせたエイスが出てきた。私は武具を構え、気合一声、彼に詰め寄った。が、もう一方の手が洋燈《ランプ》を取り落とすや戦斧を奪われ、すさまじい力で放り投げられた。それでも、かの骸骨めいた男が武具室に逃げ込むのが見えたので、まずは目の前の扉に外から錠を下ろし、もう一方の扉に急ぐと、同じように封鎖した。これでエイスは袋の鼠だ。私はレディ・スウェルサの部屋に入った。彼女は壁龕の寝台に横たわり、屈んで口元に耳を近づけたが、聞こえるのは今際のきわの喘鳴《ぜんめい》だけだった。喉元にくっきり残る扼痕《やくこん》から、もう助けようがないと見て取り、そのまま寝かせておくと、花綱をほどいて天蓋から下りる窓帷《カーテン》を閉め、死を迎えつつある顔を視界の外に追いやった。書き物机に、ハルファーガーに宛てたと思われる手紙があった。「運命を怖れず、抗《あらが》い、それに喜びを覚えて、わたしは旅立ちます。貴方も続いて来られますように」燭台を手に取り、彼女を置いて、私は部屋を出た。

　来た方に戻りかけようとしたとき、異音を聞きつけてぎょっとした——何かぶつかる音、いや、巨大なタンバリンを乱打するような音だ。途方もない力を込めて叩いていているのが離れていてもわかった。

一度は静まったが、少し間をおいて叩く音はまた始まり、その一定の間隔の響きに私は苦痛を覚えた。ほどなくして、閉じ込められたエイスが憤激し、武器庫の壁から外した古い真鍮の楯を二つ、両手に持って打ち合わせているのだと気づいた。ハルファーガーのいる部屋に戻ると、彼は苦悶の只中にあった。真っ赤な顔で、怯えた馬のように頭を振り、楯が打ち当たる音がするたびに両耳を手で塞いでいた。「いったい、いつになったら」かすれた声が私の耳元で呻いた。「伯母の喉鳴りは止むのか？ 止まないならば、いっそこの手で――ああ、神よ……」この朝から、彼の聴覚は（私のも同様だが）、混沌たる騒音の中で、ひときわ鋭敏になっていた。そして、レディ・スウェルサの喘鳴は、エイスの狂乱するシンバルの音と共に、彼を苛んでいるようだった。片手を差し上げたかと思うや、彼は両腕を広げて、暗い室外へと飛び出していった。

私は彼を追ったが、またも徒労に終わった。時は過ぎ深夜を迎え、いや増す瀑布の轟きは、勢いが頂点に至った嵐の猛威と混じりあい、いかなる正気をも挫く叫びをあげた。私は心の制御を失い、宙に浮いたかのように眩暈に揺れながら、足早にただ部屋から部屋へと渡り歩くばかりだった。「眠氣《ねむけ》ざしたる人の如くにも」という詩の文句さながらに、倒れもした。武具室のそばを通ったときには、エイスが狂乱して打ち鳴らす楯の音が耳を打った。ハルファーガーには出会えなかったが、彼も私と同じように、さまよえるユダヤ人*よろしくこの屋敷の中を歩きまわっているにちがいない。夜半を過ぎた頃、扉の下から光が漏れている部屋を見つけ、入ると彼がいた――そこは、鉛玉を落とす仕掛けの部屋だった。彼は脚立にしがみつくように座り、暗い水槽を凝視していた。朝方に見た、熱狂したような目の光は、とうに失せていた。私が駆け寄っても微動だにしなかった。両手から肘までが鮮血に染まっていたが、それにさえも気づいていないようだった。心ここにあらず、といった風情か。口を開き、荒い息をついていた。私の目も気に留めず、彼は急に立ち上がり、手を打つと「最後の鈴が鳴った！」と叫んで、部屋を走り出ていった。だから、その直後に起きた、私が目にして怖れたものを、彼は見なかった（もっとも、音で気づいたかもしれないが）。時計の針が進む音と同時に、銅の球体から鉛玉が一つ音をたてて落ち、水槽に落ちて水飛沫をあげたのだ。もう一つ、さらにもう一つと、時を刻むごとに！　最初の水飛沫が消え去る前に、三つめが立てた飛沫がそれに交じって、丸天井に向かって飛んだ。巨大な砂時計の砂が落ちきったと知った私は、部屋から走り出ようとした。だが、途方もない運命がこの屋敷にいちどきに降りかかるような気がして、足を止めた。天井から小銃《マスケット》を発砲したかのような破裂音が響き、雨がどっと吹き込んできた。竜巻がワルツを踊るように旋回しながら屋根を吹き飛ばし、丸天井を破ったのだ。そのとき、両手で頭を抱えたまま、ハルファーガーがこちらに向かって走ってきた。傍らを走り過ぎようとしたので、私は彼を摑まえ、声をあげた。「ハルファーガー、自分の身を守れ！　最後の鉛玉が水槽に落ちたんだ！　頼む、聞いてくれ」耳元で叫んだ。「あの深い水槽にだ！」だが、彼は私を一瞥しただけで、立ち去った。私は最寄りの一室に急いで入り、扉を閉めた。しばらくは膝から力が抜け、座り込んでいたが、やはり落ち着かず外に出てみると、廊下は腿の深さまで浸水していた。嵐が丸天上の破れ目から吹き込み、屋敷の中で荒れ狂っていた。燭台の火が消えた。だが驚いたことに、光が見えた。薄暗くおぼろな、青い光——弱いのに荒々しげな光が、屋内のいたるところに。光を呆然と見ているところに、突風が廊下を吹き抜けていき、あちこちでものの折れ砕ける音がした。そのあとは果てしない時間のように思えたが、ものの一分の間もなかったのだろう、すぐに――ほとんど直後に聞こえてきたのは、断崖に館を固定している鎖が、嵐に揺さぶられて唸り、壁に当たる音だった。そして、またもひとたびの静寂に戻ったあと、じわじわと迫ってきていたその時が、とうとう来た。館が動きだしたのだ。わが身のあちこちが別の生き物になったかのように痙攣《けいれん》した。館はゆっくりと回り、止まり、滑ってずれていき、また静止した！　そして、ずれて滑ったかと思うと、止まった。季節労働者が鋤《すき》で耕す畑土のように、真鍮の軸に一定の負荷がかけられ、館は回っていた。負荷がじわじわと増し、次第に館の動きが軽くなっていく。私はまたもよろめき、のめり、足元の回転に堪え、浮かんでくる「ここから逃げなくてはならない」という思いを、拳を振って払いのけた。「いや、まさか、そうはいかん」私は声に出した。「ここに踏み留まるんだ。暴風が浮かれ騒ごうと、雷鳴が荒れ狂おうと、この回転が止まるまでは！」そして、よろよろと駆けだした。だが、視界は灰色に閉ざされ、記憶を頼りに進もうにも手探りしていくほかない。川に成り果てた階段を昇るのに苦闘し、屋根が落ち壁が崩れる喧噪の中をよろめき、のめりながら進んだ。いたるところが水浸しで、屋根はすでに三本の垂木だけを残して吹き飛ばされていた。青白い月光の下、壁掛《タペストリ》が風にはためくさまは、毒蜘蛛《タランチュラ》に噛まれた苦行僧《ファキール》が、苦悶の声をあげ髪を振り乱しているかのようだった。ひときわ大造りの張り出し玄関が、館が動くたびに何かの障害に触れ、そのたびに呻くよ

さまよえるユダヤ人　十三世紀頃からヨーロッパに流布した伝説上の人物。磔刑に向かうイエス・キリストを殴った、あるいは乞われても休ませなかったがゆえに、罰としてイエスの再臨まで生き続け、放浪していなくてはならない。

うな音で辺りを震わせた。三つ数えるあいだに三度、立て続けに衝突した。嵐は狂乱を極めていた。風は勢いを増して玄関という玄関を吹き抜け、触れるものを容赦なく払い落としていった。崩れた壁に残った扉を開くと、ハルファーガーが墓の上に座っていた。彼は太鼓を片手に持ち、もう一方の血まみれの手で握った撥《ばち》で、力なく、だが執拗に叩きつづけていた。館が傾きゆく速度はかなり遅くなっており、崩壊も終わりに近いようだった。ハルファーガーは顔に張りついた髪を掻き上げ、すっくと立ち上がると、両腕を伸ばして館と同じ向きにその身を回転させはじめた。夢見るように、髪を振り乱し、頬を震わせながら……そのさまに吐き気をもよおし、私はのめり、よろめきながら外に出たが、階下の玄関にたどり着くまでの記憶はない。目の前で扉が音を立てて開き、全身に強風が吹きつけた。その衝撃で、私は狂気の中を抜け出し正気に戻った。外に踏み出すや否や、嵐に辺獄へと運ばれていった。

奔流に海まで押しやられた――渦潮に巻き込まれているあいだ、世界そのものが裂けていくような甲高い騒音が、まだ耳に届いていた。だが、その音がさほど遠ざからないうちに、海藻が積み重なる波打ち際に放り出された。幸い、そのさいに気を失いはしなかった。ずぶ濡れの体を陸《おか》まで引き上げた。岩棚に這い上がると、来たときに渡った橋は残っており、薄い絹布のように風に攫われそうになる我が身を張りつけるように這いずって渡り、叩きつける雨の下を岩場へと向かった。嵐に屋根が吹き飛ばされた館に月光が差すのを見たときのように、辺りが明るくなっているのに気づき、私は来た方を振り返ってみた――ハルファーガー家の館は跡形もなく、今や私の記憶に残るばかりになっていた。見上げれば、いまだ風が吹き止まぬ空には、北から天頂にかけて一面に極光《オーロラ》が輝いていた。それを目にするや、涙が溢れた。悪夢は消えた！　妄執は去った！　脳から妄想の皮膜が剝がされていくかのようだった。私は跪《ひざまず》き、このレイバ島のあらゆる誘惑と苦難、そして破壊から我が身を救った奇蹟に、手を差し伸べて感謝した。

木に愛された男

アルジャーノン・ブラックウッド

渦巻栗 訳

The Man Whom The Trees Loved

Algernon Blackwood

Ⅰ

その男は、木を描くときになにか特別な直観を働かせて、木の本質を見抜いているようだった。彼は木を理解していた。多くを知っていた。たとえば、なぜオークの森では、一本いっぽんがまったく異なるのか。また、全世界のブナの木で、そっくり同じものが二本とないのはなぜなのか。みなは彼を呼んで、お気に入りのリンデンやシラカバを描かせた。というのも、彼は木の個性を写し取れたからだ。ちょうど、馬の個性を写し取るような具合だった。どうやってそんなことをやっているのかは謎だった。彼は絵を学んだ経験がなかったのだ。その作品は、ときとしてひどい誤りを犯していた。〈木の人格〉は正確にはっきりととらえられるのだが、それを描くとなると、ほとんど滑稽なものになってしまうのだ。それでも、木の特徴や人格は、彼が筆をふるえば、絵に生きいきと現れた――輝いていたり、機嫌が悪そうだったり、夢を見ていたり、場合によっては、親しみやすかったり、冷淡だったり、善良だったり、邪悪だったりした。そうしてありありと現れた。

この広い世界で、彼が描けるものはほかになかった。花や風景はただのしみになってしまった。人間に関してはどうしようもなく、絶望的だった。動物も同様だった。空はどうにか描ける場合もあり、葉叢を吹き抜ける風も表現できたが、たいていはどちらも放っておくことにしていた。彼はひたすら木を描いた。賢明にも、愛が導く本能に従っていた。その筆致は、ひとの目を釘づけにした。彼の手にかかると、木はまるで――生きているかに見えた。不気味とさえいえる技だった。

「そうとも。サンダーソンには木を描く才能があるんだ！」とデヴィッド・ビタシー老人は思った。彼はバス勲章*の三等の受章者で、引退前は森林管理局に勤めていた。「なにしろ、葉のそよぎが聞こえそうなくらいだ。においだってかぎ取れる。雨粒が葉を伝って滴るのも聞こえる。枝が揺れるのさえ見える気がする。成長しているんだ」彼はこうして自分の満足をいくぶんか表した。二十ギニーは無駄ではなかったと自分に言い聞かせるようであり（妻はそう思っていなかったのだ）、書斎机の上で額縁に収まっている、この上品なレバノンスギの老木からは、生命が不気味なほどなまなましく感じられると説明するようでもあった。

もっとも、世間一般では、ビタシー氏は厳格な人物として通っていた。あるいは、気難し屋といってもいいかもしれない。ほとんどだれにも知り得なかったことだが、彼のうちには、自然への根強い愛情が潜んでいた。この愛は、東洋の森や密林で長の歳月を過ごす間に育まれた。イングランド人に

バス勲章　イギリスの騎士団勲章の一。一三九九年、ヘンリー四世（一三三六―一四一三）の戴冠式に創設されたバス騎士団にちなむ。

してはたいことだが、たぶんユーラシア系の血筋だからだろう。こっそりと、まるで恥じているかのように、彼は美の感覚を大切にしてきた。彼のような人間には似つかわしくない感覚であり、並外れて生きいきとしていた。とりわけ、木がこの感覚を養ってくれた。それに、彼は木を理解していた。とらえがたい絆で結ばれているのを感じていた。このつながりが生まれたのは、おそらく、何年もの間、木を想い、守り、保全し、いたわってきたからだろう。何年もの孤独な歳月を、影のようにそびえる彼らとともに過ごしてきた。こうしたことは、当然、ほとんど胸のうちにしまっておいた。世の中がどんなところかは承知していたからだ。妻にも秘密にしていたが――話さないわけではなかった。木のせいで妻との間に亀裂が入っているのはわかっていた。彼女がそのつながりを不安に思い、反発しているのもわかっていた。だが、彼がわかっていなかったか、少なくとも理解していなかったこともあり、木が彼の人生に及ぼしている力を、彼女がどこまで見抜いているのかは不明だった。彼の推測によると、彼女の不安はインドでの歳月に根差していた。当時の彼は、仕事の都合上、何週間も彼女を置き去りにして、繁茂する森に入っていかねばならなかった。彼女は家に残されて、ありとあらゆる災難が夫の身に降りかかるのではないかと気をもんでいた。こうした事情を考えれば、彼女の本能が木への情熱に反感を抱くのも当然だった。なにしろ、その愛情はいまだに影響力を持ち、彼につきまとっているのだ。彼女が反発しているのは、たったひとりで夫の無事な帰りを待ちながら、不安にさいなまれていたころの名残だった。

というのも、ビタシー夫人は、福音主義*の牧師の娘で、己を犠牲にするのもいとわない女性だったのだ。たいていは、なにをやるにしても、夫と苦楽をともにすることが幸せな義務だと考えており、自己を滅するまでになっていた。ただ、木に関しては、あまりうまくいかなかった。それは依然として譲歩しがたい問題だった。

たとえば、彼も承知していたことだが、芝生に立つレバノンスギの肖像画の件で彼女が異を唱えたのは、彼がつけた値段のせいではなかった。この取り引きが、夫婦でわかちあえない関心事を不愉快なほど際立たせたからだ――それは唯一の不和だったが、根深かった。

サンダーソンは画家であり、自分の不思議な才能ではした金を稼いでいた。小切手がもらえるのは、きわめてまれだった。上品な木や興味をひく木の持ち主で、木だけを描いてほしいという者は、ほとんどいなかった。彼は自分の楽しみのために「習作」を描いても、自分の楽しみのために取っておくのだった。買い手がいても、売ろうとしなかった。ごく少数の、とりわけ親密な友人だけに見せた。彼が嫌っていたのは、理解のない者から見当違いの批評を聞かされることだった。自分の技法を笑われるのはかまわなかった――彼は嘲笑を浮かべてそれを受け止めた――が、木の人格そのものについて感想を述べられると、たちまち傷ついたり、怒ったりすることがあった。木を軽んじる意見を聞かされると憤慨した。まるで、親しい友人が自分では答えられないのに侮辱されたかのようだった。彼はすぐさま腹を立てた。

「実に異様ですわ」さる〈理解のあるご婦人〉が言った。「なにしろ、あなたの筆にかかると、あのイ

福音主義　キリスト教、プロテスタントの中でも保守的な一派。

トスギが個性を持っているように見えるんですもの。本当はイトスギなんてみんなそっくり同じですのに」

この計算ずくのお世辞は、わずかに的をはずしていただけだったが、サンダーソンは顔を紅潮させた。あたかも、鼻先で友人をないがしろにされたかのようだった。だしぬけに彼女の前にまわって、絵を裏返した。

「変だとおっしゃいますがね」彼は礼儀を無視して答えた。彼女の愚かしい強調をまねていた。「奥さまがご主人に個性をお認めになるのも変ですよ。本当は男なんてみんなそっくり同じなんですからね！」

彼女の夫が有象無象と異なるのは資産だけだったし、彼女はそれを目当てに結婚したので、この瞬間、サンダーソンは一家と絶縁した。期待が持てそうな「注文」の機会も失われた。彼の繊細さは病的といってもよかった。なんにせよ、彼の心に触れたいなら、木は避けて通れなかった。木を愛しているといってもよかった。彼が木からすばらしい霊感を得ているのはたしかだった。それに、霊感の源というのは、それが音楽であれ、宗教であれ、女性であれ、批評するには危険なものだ。

「あくまでわたしの意見だけど、ちょっと高すぎたんじゃないかしら」ビタシー夫人が言った。レバノンスギに払った小切手の話をしていたのだ。「芝刈り機だって喉から手が出るほどほしいのに。でも、この絵であなたがそんなによろこぶなら――」

「この絵を見ると、ある日のことを思い出すんだよ、ソフィア」老紳士は答えた。彼女を誇らしげに見てから、いつくしむように絵を眺めた。「もう昔の話だがね。これとは別の木を思い出すんだ――あれは春を迎えたケント*の芝地だったな。ライラックの茂みで鳥がさえずっていた。綿織のワンピースを着ただれかさんが、レバノンスギの下で辛抱強く待っていた——絵のレバノンスギじゃないのはわかっているが——」

「わたしは待っていたんじゃないわ」彼女は腹を立てて言った。「教室の暖炉用に樅《もみ》ぼっくりを拾って——」

「樅ぼっくりはレバノンスギに生らないよ。それに、私が若いころは、六月に教室の暖炉を使ったりはしなかった」

「とにかく、同じレバノンスギじゃないんでしょう」

「あの木のおかげで、レバノンスギがみんな好きになったんだ」彼は答えた。「あの木は思い出させてくれるんだよ。きみがいまでもあのころと同じ少女だって——」

彼女は部屋をわたって、彼のそばに行き、いっしょに窓の外を見た。そこには、ふたりが住むハンプシャー*の田舎家の芝生が広がっており、手入れされていないレバノンスギが、ぽつんと佇んでいる。

「いまも昔も夢ばかり見ているんだから」彼女は優しく言った。「小切手のことはちっとも後悔していないわ——本当よ。でも、もとの木だったら、もっと実物らしかったでしょうね」

「あれはずっと前に倒れてしまったんだ。去年、その場所を通りかかったけど、木は跡形もなかった」

ケント　イングランド最東端の州。
ハンプシャー　イングランド南岸の州。

彼はしんみりと答えた。しばらくすると、彼が手を放したので、彼女はそばを離れて壁のところに行き、絵のほこりを慎重に払った。サンダーソンが描いた、現在の芝地に立つレバノンスギの絵だ。とても小さなハンカチで額のぐるりを拭いた。つま先立ちをして、てっぺんに手を伸ばした。

「この絵のなにがいいって」老人は心のなかでつぶやいた。妻は部屋を出ていた。「木が生きているように描かれているところだよ。もちろん、どんな木も生きているわけだが、レバノンスギがそれをはじめて教えてくれた――木には『なにか』が備わっていて、私がすぐ近くで観察していれば、私がいるとわかるのだ。いまにして思えば、そう感じたのは愛していたからだろうな。愛は、生命があらゆる場所にあると教えてくれる」束の間、レバノンスギを見やった。陰鬱な巨体が深まりゆく夕闇にそびえている。奇妙な切ない表情が、一瞬だけ目に現れた。「そうだ。サンダーソンは木をありのままに見ているんだ」彼はつぶやいた。「あの木は、おぼろげに秘められた生を厳《おごそ》かに夢見ながら、〈森〉の縁に立っている。やはりケントのもう一方の木とは違うな。ちょうど私と――私と牧師くらい違う。しかも、素性はまったくわからない。実のところ、あの木のことはなにも知らないんだ。私はもう一方のレバノンスギを愛していた。だが、この老木には敬意を覚える。まあ、親しみはあるが――うん、おおむね親しみが持てる。彼は、そうした親しみやすいところもしっかり描きこんでいる。見て取ったんだな。あの男のことをもっとよく知りたいものだ」とつけくわえた。「彼に訊きたいのは、どうやってこんなにはっきりと見て取ったのかということだ。この木は向こうに立っていて、田舎家と〈森〉の間に入っているが――どちらかというと、背後の木の大群より、私たちに共感しているようで――いわば仲立ちしている。これにはいままで気がつかなかった。いまは私にも見える――彼の目を通して見える。あの木は番人のように立っている――どうも守ってくれているらしいな」

彼は不意に向きを変えて、窓の外を見た。そこで目に入ったのは、取り囲むようにわだかまる、巨大な薄闇だった。これが〈森〉で、彼らの小さな芝地を取り巻いている。闇にまぎれて、押し寄せてきている。こぎれいな庭にはきっちりと花が植えてあるが、無礼もいいところで――小さくて派手な虫が、眠る怪物にとまろうとしているようだった――けばけばしい羽虫が、ずうずうしくも大河のそばで飛びまわっているが、その大いなる流れは、いちばん小さな波でも羽虫を飲みこめるのだ。あの〈森〉は千年の歳月を重ね、奥深く広がり、まさにまどろむ怪物だった。彼らの田舎家と庭は、そのひたすらつづく縁からわずかしか離れていなかった。風が強まり、黒と紫の暗いへりがめくれあがると……。彼は、こうした〈森の人格〉を感じるのが大好きだった。昔から大好きだった。

「おかしなことだな」彼はしみじみと思った。「ひどくおかしなことだが、木々からは、おぼろげで、途方もなく巨大な生を感じる。これをとりわけ強く感じたのは、いまでも覚えているが、インドにいたときだった。カナダの森でもそうだった。だが、イングランドの小さな森で感じたのは、ここがはじめてだった。サンダーソンは、私の知り合いでこれを感じている、唯一の人間だ。口には出していないが、ここに証拠がある」再び愛する絵のほうを向いた。異様な生命の戦慄を覚えながら、絵を見た。「まったく、不思議でならないよ」彼は考えつづけた。「いったい木というのは――なんというか――この単語が意味する範囲で――生きているといえるのだろうか。いま思い出したが、大昔に、物書きをやっていたやつから話を聞かされたな。なんでも、かつての木は動きまわることができたらしい。ある種の動物的な生命体だったが、あまりに長い間、ひとところに立ったまま、食事をしたり、眠ったり、夢見たりしていたので、移動する力を失ってしまったのだとか……」

頭のなかで、空想がめちゃくちゃに飛び交った。彼は両切り葉巻に火をつけて、開け放った窓のそばにある肘掛け椅子に座りこみ、空想が戯れるのに任せた。外では、芝生の向こうにある茂みで、クロウタドリが何羽かさえずっている。大地や木や花のにおいがした。刈りとった草の芳香や、はるか彼方の森の中心に広がる、ヒースの野原の香りもかすかにする。夏の風が葉叢《はむら》をほんのわずかに揺らした。だが、大いなるニュー・フォレスト*は、黒と紫の影でできた、包みこむようなスカートをほとんど持ちあげなかった。

ところが、ビタシー氏は、森に広がる手つかずの自然をすみずみまで知り尽くしていた。紫色に陰る場所ならすべて知っていた。そこでは、ハリエニシダの黄色い波がしぶきをあげたり、ネズやギンバイカがかぐわしい香りを漂わせたり、すみわたった暗い目のような池が空を見あげてきらめいたりしている。鷹の群れが空を舞い、何時間も輪を描いている。タゲリが見え隠れしながら飛んでいき、愁いを帯びて不機嫌な声を響かせ、静寂がいっそう深まる。彼は孤独を好む松の木も知っていた。普通よりも小さく、ふさふさとしていて、生命力があふれており、迷いこんだ風が吹くたびに歌をうたった。ジプシーのような旅人たちは、そうした木々の下に、茂みを思わせるテントを張った。彼は毛足の長いポニーも知っていた。子馬はまるでケンタウロスの赤ん坊だった。おしゃべりなカケスも見かけた。春にはカッコウの柔らかな鳴き声がした。ひっそりとした沼地からはサンカノゴイの太い声が聞こえた。じっと見張っているようなモチノキの下生えも知っていた。この木は不思議で謎めいており、暗く、意味ありげな美しさをまとっている。その淡い色の落ち葉は、黄色くきらめくのだ。

ここでは〈森〉全体が安らかに生を送り、息づいている。切り倒される恐れはない。斧の恐怖が、漠とした無意識の生命をさいなむこともない。破壊者たる人間に脅かされ、早すぎる死の不安におびえることもない。〈森〉は、己が最高位に君臨しているのを知っていた。堂々と広がり、身づくろいをしていた。その尖塔は、警告を伝えるためではなかった。風が危急を告げることはなかったからだ。〈森〉は外へ外へと膨張し、太陽と星々へ伸びていった。

だが、木の葉の門を出ると、郊外の木々は様子が違った。屋敷に脅かされていた。自分たちが危機に陥っていることを知っていた。道は、もはや林間の静かな草地ではなく、騒々しくて無情な通路だった。人間たちはそこを使って、木々に攻撃を仕掛けた。彼らはきっちりと育てられ、大切にされていた――だが、大切にされているといっても、いつの日か、結局は死に追いやられるのだ。村でさえそうだった。そこでは、巨大な栗の木が厳かな太古の平安に浸っているが、その安らぎは見せかけにすぎない。シラカバが激しく揺れて栗の巨体にぶつかり、ほんのわずかな風にもしびれを切らして、警告を伝えている。塵が木々の葉を詰まらせている。彼らの静かな生命は内なる歌を口ずさんでいるが、騒々しい往来が耳ざわりな叫びをあげていては、それも聞こえない。木々は、彼方に広がる〈森の平安〉に加われるように望み、祈っていたが、動けなかった。彼らが知っていたのはそれだけではない。〈森〉は王者のごとく壮麗な姿を見せつけて、彼らをさげすみ、憐れんでいるのだ。彼らは人工的な庭園の産物だった。一方向へ育つよう強いられている、花壇の花と同類なのだ……。

ニュー・フォレスト　イングランド、ニューハンプシャーにある国立公園。

「あの画家のことをもっと知りたいものだ」彼はそう思って、ようやく実生活に考えをもどした。「ソフィアはどうかな。彼がここにしばらく泊まるのはいやだろうか――？」銅鑼《どら》の音を聞いて立ちあがり、しみのついたチョッキから灰を払った。すそを引っ張りおろした。彼はほっそりとしたやせ型で、動きはきびきびしていた。薄暗いところだと、白銀の口ひげさえなければ、四十代にまちがわれてもおかしくない。「とにかく、提案するだけしてみよう」と心に決めて、上階へ着替えをしに行った。彼は本気で考えていたのだが、サンダーソンなら、自分がずっと感じていたこの世界を――木から感じていた世界を説明できるかもしれなかった。レバノンスギの魂をあんな風に描けるのだから、その世界を知り尽くしているにちがいない。

「別にかまわないわ」彼女はブレッドアンドバター・プディングを前にして判決を下した。「でも、彼は話し相手がいないと退屈するんじゃないかしら」

「きっと一日中〈森〉で絵を描いているよ。彼の知恵をちょっと拝借したいんだ。うまくできればの話だが」

「あなたはなんだってうまくやるじゃないの、デヴィッド」というのが彼女の答えだった。この子どものいない老夫婦は、愛情をこめながらもていねいに接するのを旨《むね》としていた。いまではとっくに廃《すた》れた作法だった。ところが、彼女はさきほどの発言が気に入らなかった。落ち着かなかった。やり返されたことにも気がつかなかった。彼は楽しそうに、満ち足りた笑みを浮かべていた――「きみと銀行口座は別だがね」この木への情熱は昔から諍《いさか》いの種だったが、ごく穏やかな諍いだった。彼女は、その強い想いが怖かった。それが真相だった。聖書は、彼女にとって地上と天国の案内書だったが、そんな情熱については述べていなかった。夫は調子を合わせてくれるものの、彼女の本能的な恐れを改めることはできなかった。彼はなだめたが、彼女の考えは変えられなかった。彼女も木は好きだったが、日陰や遠足の場所としてだった。彼のように木を愛することはできなかった。

夕食のあと、開け放った窓のそばでランプをともして、彼は音読をはじめた。晩の配達で届いた〈タイムズ〉紙から、彼女が興味を持ちそうな箇所を拾い読みするのだ。これは毎日の習慣だったが、日曜は別で、妻をよろこばせようと、テニスン*かファラー*を気分に応じて選び、うとうとしながら読んだ。彼が音読するかたわらで、彼女は編み物をして、あたりさわりのない質問をしたり、彼の声は「朗読するのにぴったり」だと言ったりした。場合によってはちょっとした議論もしたが、彼女はそれも楽しんでいた。なぜなら、彼はいつも勝たせてくれて、「おや、ソフィア。そんな風に考えたことはなかったよ。でも、きみからそう言われてみると、たしかにそんな気がしてくるね……」と言ってくれるのだ。

デヴィッド・ビタシーは賢明だった。結婚してかなり経ったのち、インドの木々や森と孤独な月日を重ね、妻をバンガローで待たせるうちに、彼のもうひとつの顔である、ずっと深遠な部分は不思議

テニスン　イギリスの詩人アルフレッド・テニスン（一八〇九―九二）。一八五〇年に王室より桂冠詩人の称号を得る。代表作に「イン・メモリアム」「モード」。
ファラー　イギリスの聖職者フレデリック・ウィリアム・ファラー（一八三一―一九〇三）か。

な情熱を育んでいたが、彼女にはそれが理解できなかった。一度か二度、この想いをわかちあおうと真剣に試みたのち、彼はあきらめて、彼女からそれを隠す術《すべ》を身につけた。それは、いってみれば、自分の情熱について、ごくさりげなく口にすることだった。彼女にはその想いを知られているので、すっかり押し黙っていても、彼女の苦痛が増すだけだからだ。そういうわけで、ときどき、彼は軽く話をして、自分のまちがいを見せ、彼女を勝った気にさせておいた。そこは、いまでも妥協するかどうかで紛糾している領域だった。彼は辛抱強く耳を傾け、彼女の批判や、脱線しがちな話や、不安を聞き入れた。そうすれば彼女は満足するし、自分は変わらずに済むと承知していた。問題になっているものは、あまりに根深く、純粋だったから、変えようがなかった。だが、平和のためには、話し合いの場を持ったほうが望ましかったので、彼はこうしてその場を設けたのだった。

彼の目に映じる、彼女の唯一の欠点は、宗教への度を越した熱意だった。その源は彼女が受けた教育にあったが、深刻な害はなさなかった。激しい感情に揺さぶられて、何度かはがれ落ちたこともあった。彼女がそれにしがみついていたのは、父親からたたきこまれたからであり、自分で考え抜いた結果ではなかった。それどころか、多くの女性がそうであるように、彼女は本当に考えたことなどなく、ただ他人の意見を反映しているだけだった。彼女はひとの考えを読む術を心得ていたのだ。そんなわけで、人間の性質について多くを知るデヴィッド・ビタシー老人は、苦痛を忍びながら、深く愛している女性から内面の一部を隠し通してきた。彼からすれば、彼女が聖書からささいな決まり文句を引用するのは奇癖だった。とても高潔で、懐の広い魂に依然として取りついている、おかしなものであり——ちょうど、動物が備えている、角や役に立たないものと同じだった。進化の過程で使わなくなったのに、いまだに残っているのだ。

「どうしたの？　怖がらせないでちょうだい！」彼女はだしぬけに尋ねた。いきなり居ずまいを正したので、縁なし帽がずり落ちて、片耳にかかりそうだった。というのも、デヴィッド・ビタシーは新聞に没頭して、それをがさがささせていたのだが、急に意外そうな声をあげたのだ。新聞紙をおろすと、金縁眼鏡の縁越しに彼女を見つめた。

「よかったら、ちょっとこれを聞いてほしい」と彼は言った。熱を帯びた声だ。「きみの耳を拝借したいんだ、ソフィア。フランシス・ダーウィン*が英国学士院で行《おこな》った演説の一部なんだがね。ほら、彼は会長で、あの偉大なダーウィンの息子だよ。いいかい、よく聞いてくれよ。とても重要だからね」

「聞いてるわよ、デヴィッド」彼女はいくぶん驚いてそう言うと、目をあげた。編み物の手を止めた。束の間、彼女はうしろを見やった。突然、部屋がどこか変化した。おかげで彼女はすっかり目が覚めているような気分になったが、それまではうたた寝も同然の状態だった。夫の声と物腰が、いままでにないなにかを呼びこんだ。彼女の本能は警戒態勢に入った。「読んでみて」彼は深く息を吸った。まずは、もう一度、眼鏡の縁越しに覗いて、彼女が聞いているのをたしかめた。どうやら、本当に興味深いものに出くわしたらしいが、彼女自身は、しばしば、こうした「演説」の文章を重苦しく感じた。

フランシス・ダーウィン　イギリスの植物学者（一八四八―一九二五）。チャールズ・ダーウィンの第七子。『植物の運動力』*The Power of Movement in Plants*（一八八〇　未訳）など、父との共著があるほか、父の歿後には自叙伝と書簡集の編集をした。

よく響く、力強い声で、彼は読みあげた。

「『植物に意識があるか否か、知ることは不可能でありましょう。ですが、連続性の原則の観点からすれば、生きとし生けるものすべてに精神が宿っているとしても、なんら矛盾はありません。仮に、こうした考え方を認めるとしますと――』」

「仮に、ですよ」彼女は口を挟んだ。危険をかぎ取ったのだ。

彼はさえぎられても気にしなかった。ささいなことだと考えていたし、もう慣れていた。

「『仮に、こうした考え方を認めるとしますと』」彼は話を再開した。「『必然的に次のような結論が導かれます。すなわち、植物の内には、おぼろげではありますが、われわれが意識として自身の内に認めているものが存在するのです』」

彼は新聞を置き、彼女をじっと見つめた。ふたりの目が合った。彼が力をこめたのは、後半の部分だった。

一分か二分の間、妻は返事もせず、意見も口にしなかった。ふたりは無言で見つめあっていた。彼が待っていたのは、読みあげた内容を理解して、その重要性をかみしめてもらうためだった。それから視線をそらして、さきほどのくだりを一部読みなおした。彼女は、心をとらえる奇妙なまなざしから解放されると、思わず肩越しにふりかえって、部屋を見まわした。あたかも、なにものかが気づかないうちに入ってきたのを感じたかのようだった。

「必然的に次のような結論が導かれます。すなわち、植物の内には、おぼろげではありますが、われわれが意識として自身の内に認めているものが存在するのです」

「仮に、の話でしょう」彼女は力なくくりかえした。問いかけるような目を前にして、なにか言わねばならないと感じたが、まだ心が落ち着いていなかった。

「意識の話だよ」彼はやり返した。そして、重々しくつけくわえた。「いいかい、これを述べたのは、二十世紀の科学的な人間なんだよ」

ビタシー夫人は椅子からからだを乗り出したので、絹のひだ飾りがかさりといった。新聞よりも大きな音だった。彼女はいつもの癖で、鼻をすするような、鼻を鳴らすような、小さな音を立てた。足をそろえて、両手を膝に置いた。

「デヴィッド」彼女は静かに言った。「これはわたしの考えだけど、こういう科学的な人間は単純に早とちりしているだけじゃないかしら。聖書には、わたしが覚えているかぎり、そんなことはなんにも書かれていないわ」

「そうだね、ソフィア。私も思い出せないよ」彼は辛抱強く答えた。それから、少し間をおいてつけくわえた。ひとりごとも同然で、彼女に向けて言ったわけではないようだった。「いま考えてみると、サンダーソンも似たようなことを言っていたっけ」

「それじゃあ、サンダーソンさんは賢明で、思慮深い方ね。安心できる方だわ」彼女はすかさず言葉をつづけた。「もしそう言っていたのならね」

というのも、彼女は勘違いをしていたのだ。夫が言わんとしていたのは、自分が聖書について述べたことであり、科学的な人間についての考えではないと思っていた。彼はまちがいを訂正しなかった。

「それに、植物は木と同じものではないわ」彼女はだめを押した。「つまり、必ずしも同じではないでしょ」

「そうだね」デヴィッドは穏やかに言った。「でも、両方とも大いなる植物界の一部だよ」

一瞬の間をおいてから彼女が答えた。

「まあ！　植物界ですって！」歳を重ねた、かわいらしい頭をそらせた。彼女が放った言葉には、かなりの軽蔑がこめられていたので、植物界がそれを聞いたら、自らを恥じたかもしれない。なにしろ、植物は世界の三分の一を覆っているのだ。根や、枝や、繊細に震える葉は絡みあって、すばらしい網を張りめぐらしている。無数の尖塔は陽光や風や雨をいっぱいに浴びている。そんな植物界の存在意義が疑問に付されたかのようだった。

Ⅱ

果たしてサンダーソンはやってきた。彼の短い滞在は、おおむね成功だった。そもそもなんのために来たのかは、うわさを聞きつけた者にも謎だった。というのも、彼は自分から訪ねていくことなどなかったし、顧客のご機嫌を取るような人間でもなかったからだ。ビタシーの持つなにかを好いているのはまちがいなかった。

ビタシー夫人は、彼がいなくなってせいせいした。まず、彼は礼服を持ってこなかった。とても低い襟に、フランス人のような大きいバルーンタイという出で立ちだった。髪を長めに伸ばしているのはいただけないわね、と彼女は思った。こうしたことは重要ではない。だが、彼女の考えでは、これらはなにかが少し乱れているしるしだった。ネクタイはやたらとひらひらしていた。

にもかかわらず、彼は興味深い男だった。服装などは奇抜だったが、紳士だった。「もしかすると」彼女は、どこまでも情け深い心のなかでつぶやいた。「あのひとは二十ギニーを別のことに使ったのかもしれないわ。きっと病弱な姉妹か、歳を取った母親を助けるためね！」絵筆や、額や、絵の具や、画布のことまでは思い至らなかった。彼を大目に見ていたのは、その美しい目と、熱意にあふれた物腰のためでもあった。三十歳の男はたいてい無感動なものだ。

とはいえ、滞在が終わると、彼女はほっとした。またいらっしゃいとは言わなかった。夫も、うれしいことに、勧めたりしなかった。実のところ、若いほうの男は、年上の男を虜にして、何時間も〈森〉に引きとめたり、芝地で話しこんだりしていた。太陽が照りつけていようと、夕暮れどきの湿った冷気がまわりの木々から迫ってこようとお構いなしであり、年齢やいつもの習慣など気にも留めなかったため、彼女は快く思わなかったのだ。もちろん、サンダーソン氏は、インドの熱病の発作がぶり返しやすいことなど知らないだろうが、デヴィッドは話をしておくべきだった。

ふたりの男は、朝から晩まで木について語り合った。そのため、彼女の内で眠っていた、かつての恐れの跡が目覚めてしまった。その跡が延びる先には、大きな森の暗闇があった。こうした感情は、幼いころに福音主義の教えから習った通り、誘惑だった。そう考えなければ、危険をもてあそぶことになる。

彼女の頭は、ふたりを眺めているうちに、奇妙な恐れでいっぱいになった。自分でも理解できなかったが、それだけに不安になった。あのふたりはみすぼらしいレバノンスギの老木をじっくり調べているけど、そんなことをするなんてくだらないし、分別がないわ、と彼女は思った。あれは度を越している。神がこの世に限度を設けたのは、人間を安全に導くためなのだ。

夕食のあとでさえ、ふたりは低い枝にのぼって煙草を吸った。下に垂れて芝生をこすっている枝がいくつかあるのだ。しまいには、彼女はお入りなさいとしつこく呼びかけるはめになった。レバノンスギは、どこかで聞いた話によれば、日が暮れると安全ではなかった。近づきすぎるのは健康によくない。その下で眠るのも危ないというが、どんな危険なのかは忘れてしまった。実際はウパスノキ*を思い浮かべていたのだった。

とにかく、彼女はデヴィッドを呼び入れた。サンダーソンもあとにつづいた。

しばらくの間、この断固たる措置を取る前に、彼女は客間の窓からふたりをこっそり観察していた――夫と客人の両方だ。夕闇がふたりを包みこみ、じめじめした靄《もや》の帳《とばり》をおろしている。煙草の先がぼうっと光るのが目に入った。ふたりのはっきりしない声が聞こえる。蝙蝠《こうもり》が頭上で軽やかに飛び交っている。大きくて静かな蛾が、ツツジの花の上で穏やかに輪を描いている。突然、あることに思い至ったのは、こうして眺めているときだった。夫はここ数日でなんとなく変わったのではないか――正確にいうなら、サンダーソン氏が到着してからだ。なんらかの変化が起きていたが、なんなのかはわからなかった。それどころか、探るのもためらっていた。本能的な恐れに影響されていた。ずっとつづくものではないのなら、知りたくなかった。もちろん、細かいことにはいろいろと気がついていた。目に見える、ささいなことだ。たとえば、彼は〈タイムズ〉紙を顧みなくなった。また、しみのついたチョッキも着なくなった。ときどき、うわの空になっていた。実生活のこまごまとしたことについて、これまではきっぱりと決断していたのに、迷うようになった。そして――またしても眠りながらしゃべるようになった。

これらのほかにも、たくさんのささいな奇行が突然頭に浮かび、連携しながら攻撃を仕掛け、押し寄せてきた。それとともに、かすかに心が痛み、からだが震えた。束の間、彼女の精神はぎょっとして、わけがわからなくなった。そこで目に留まったのは、夕闇に沈む、おぼろげな人影だった。レバノンスギが彼らにかぶさっていて、〈森〉がすぐうしろに迫っている。そのとき、考えたり、いつも通りに内なる導きを求めたりする間もなく、こんなささやきが、くぐもってはいるがとても切迫した調子で、脳裏をよぎった。「サンダーソンさんのせいよ。早くデヴィッドを呼び入れなさい！」

彼女はその通りにした。甲高い声が芝生をわたり、〈森〉に消えた。あっという間に吸いこまれた。こだまはしなかった。その音は、聞き耳を立てる千もの木々の城壁にぶつかって消えた。

「湿気はからだに堪えるんですよ。夏でもいけません」彼女はつぶやくように言って、素直に入ってきたふたりを迎えた。自分の大胆さを意外に思うとともに、悔やんでいた。ふたりは、とてもおとなしく呼びかけに応じた。「夫は東洋の熱病の影響が出やすいんです。あら、煙草はどうか捨てないでくださいな。開けた窓のそばに座れば、夕涼みをしながら煙草が吸えますわ」

彼女は一瞬だけ饒舌になった。無意識のうちに動揺していたせいだった。

ウパスノキ　東南アジアに自生するクワ科の常緑樹。樹液が矢毒に用いられた。

「とても静かですね――すばらしく静かです」彼女は話をつづけた。だれもしゃべらなかったのだ。「穏やかですし、空気はとてもさわやかで……神さまはいつだって、助けを求めるひとのそばにいらっしゃいますわ」うっかり口が滑り、自分がなにを言っているのか理解するひまもなかったが、幸運にも、声を低めるのは間に合った。だれにも聞かれずに済んだ。その言葉は、おそらく、ほっとした気持ちが思わず表れたのだろう。頭が混乱して、そもそもそんなことを言ったのかとさえ思った。

サンダーソンが肩掛けを持ってきてくれて、椅子を並べるのを手伝ってくれた。彼女は昔ながらの、優しい言いまわしで礼を述べた。ランプをつけましょうかと言われたが、これは断った。「蛾とか虫とかが寄ってくると思いますわ！」

三人は薄明りに包まれて座っていた。ビタシー氏の白い口ひげと、その妻の黄色い肩掛けが、小さな馬蹄形の両端でほのかに輝いている。サンダーソンのぼさぼさの黒髪ときらめく目は、その間に挟まれている。画家は穏やかにしゃべっていた。どうやら、レバノンスギの下で主人とはじめた会話をつづけているらしい。ビタシー夫人は用心して耳を傾けた――落ち着かなかった。

「ほら、木というものは、昼の間だと正体を隠しているでしょう。本性をすっかり現すのは日が暮れてからなんです。木を知るには」ここで婦人に対してかすかに頭を下げた。まるで彼女が理解できなかったり、好きになれなさそうなことについて詫びているようだった。「夜に見てみなければなりません。たとえば、おたくのレバノンスギですが」夫のほうを見たので、ビタシー夫人にも、向きを変えた目のきらめきが見て取れた。「最初はぼくもひどくしくじりました。朝にやったからです。あしたになったら、どういうことかおわかりになるでしょう――最初のスケッチは、上の階の書類入れにあります。それに比べたら、お買いあげになったのはまったく別の木ですよ。あの風景はですね」――からだを乗り出して、声を低めた――「ある日の午前二時ごろに、月と星のおぼろげな光のもとで目にしたんです。ありのままの姿が見えまして――」

「外に出たってことですか、サンダーソンさん？　そんな時間に？」老婦人は驚きながらも、やんわりと叱るように尋ねた。彼が選んだ形容詞もいまひとつ気に入らなかった。

「他人様の家でやるのは身勝手だったかもしれません」彼はていねいに答えた。「ですが、たまたま目が覚めてしまいまして、あの木が窓から見えたのです。それで、下の階におりました」

「ボクサーは嚙みつかなかったんですね。不思議だわ。いつもホールで気ままに寝ているんですよ」彼女は言った。

「その正反対でした。おたくの犬はぼくについてきましたよ」それからつけくわえた。「うるさくて眠れなかった、なんてことはないですよね。もっとも、こんなことを訊いても手遅れですが。本当に申し訳ないです」彼の白い歯が夕闇に現れた。ほほえんでいた。大地と花のにおいが、さまようそよ風に乗って窓から入ってきた。

　ビタシー夫人もこのときばかりは無言だった。「ふたり揃ってぐっすり眠ってたよ」夫が口を挟んで、笑い声をあげた。「それにしても度胸があるね、サンダーソン。とんでもないことだが、絵に免じて許そう。そこまで手間をかける画家なんて、そうそういないよ。まあ、どこかで読んだけど、ホルマン・ハント*とかロセッティ*とか、そういう画家は、ひと晩中、果樹園で絵を描いていたらしい。自分が求める月光の雰囲気をとらえようとしたんだな」

彼はおしゃべりをつづけた。妻はその声を聞いてうれしくなった。夫の声のおかげで、気が楽になったからだ。ところが、しばらくして、その相手が再び発言すると、彼女の考えは暗くかげり、不安になった。本能的に夫への影響を恐れた。林や、森や、群れ集う木々は、どれも謎と驚異を秘めているが、彼が話していると、そうしたものがまざまざと実感されて、すぐ目の前に現れるかに思えた。

「〈夜〉は、あらゆるものをどこかしら変貌させます」彼が話していた。「ですが、いちばん劇的に変わるのは、やはり木でしょう。昼間は陽光が帳をおろしていますが、夜になると、その背後から本来の姿を現すのです。建物でさえそうします——ある程度は——ですが、木ではとくに顕著です。昼間は眠っていますが、夜になると目を覚まし、己をさらけ出し、活発になって——生きいきとします。ほら、覚えておいででしょう」礼儀正しく主人の妻のほうを向いた。「ヘンリー*はそのことをはっきり理解できたんですよ」

「あの社会主義者の方ですか？」夫人が訊いた。声の調子と強弱のせいで、その単語は不道徳なものに聞こえた。ほとんど怒っているような発音だった。

「ええ、あの詩人ですね」画家は巧みに答えた。「スティーヴンソン*の友人ですよ。スティーヴンソンというのは、ご存じでしょうが、子どもたちに心温まる詩をいくつも書いた作家です」

彼は低い声で、話に出した一節を引用した。いまは、時と、場所と、舞台がすべて整っていた。言葉が漂い、芝生をわたり、そそり立つ青い暗闇のほうへ流れていった。そこでは、大きな〈森〉が数リーグもの曲線を描いてちっぽけな庭を包囲しており、まるで海の波打ち際のようだった。彼方から潮騒が聞こえて、打ち寄せる波は彼の声と調子を合わせているかに思えた。風もよろこんで耳を傾けているようだ。

目を見開く〈昼〉ではならぬ。
ありとあらゆる執拗な尋問を
彼は大きな、荒々しい声で行うがゆえに、
これら穏やかなるものたち、巨体をなす大群である
木々は――神の哨兵は……
大いなる、名状しがたき本性を隠してしまう。

だが、ただの一言を

ホルマン・ハント　イギリスの画家ウィリアム・ホルマン・ハント(一八二七―一九一〇)。ロセッティらとともに、中世や初期ルネサンスの作を範とする芸術運動「ラファエル前派」を興した。

ロセッティ　イギリスの画家・詩人ダンテ・ゲイブリエル・ロセッティ(一八二八―八二)。ハント、ジョン・エヴァレット・ミレーと共に「ラファエル前派」を興した。「吸血鬼」のジョン・ポリドリは叔父にあたる。

ヘンリー　イギリスの詩人・ジャーナリスト・雑誌編集者ウィリアム・アーネスト・ヘンリー(一八四九―一九〇三)。詩の代表作に「インビクタス」がある。その風貌と、幼少時の病気ゆえの隻脚は、友人スティーヴンソンの作『宝島』のジョン・シルヴァーのモデルになったといわれる。

スティーヴンソン　イギリスの小説家・詩人ロバート・ルイス・スティーヴンソン(一八五〇―九四)。代表作に『宝島』『ジキル博士とハイド氏』がある。言及されたのは『子供の詩の庭』(一八八五)か。

いにしえの司祭たる〈夜〉が、
数多の秘密を持つ〈夜〉が発すると、かの秘められしものが――
神々しき変容をもたらす、秘儀導師の恐ろしき力を――
木々にしか理解できぬ力を及ぼし、
彼らは震え、変貌する。
各々の奇異なる魂には
おぼろげながら
精髄が現れ、彼らの肉体は
並外れて荘厳な気配を帯び、
闇を仕着せのごとくまとうさまは、
謎めいた、途方もないギルドのよう。
彼らは黙考し――脅かし――震撼させる。*

やがて、ビタシー夫人の声が、そのあとの沈黙を破った。
「神の哨兵のくだりが気に入りましたわ」とつぶやいた。その声にはつらつとしたところはなかった。押し殺した小声だった。真実が楽の音のように述べられ、彼女は金切り声で異論を唱えられなくなったが、懸念は薄れなかった。夫はなにも意見を言わなかった。彼女が煙草を見てみると、火が消えていた。

「老木はとりわけ」画家が話をつづけた。ひとりごとのようだった。「とてもはっきりとした人格を持っています。彼らは怒ったり、傷ついたり、よろこんだりします。木陰に入った瞬間、彼らが迎えてくれているのか、あとずさっているのか感じられますよ」彼はだしぬけに主人のほうを向いた。「プレンティス・マルフォード*の風変わりな随筆はご存じですよね。『木に宿る神』ですよ――荒唐無稽かもしれませんが、まぎれもない純粋な美がこめられていますでしょう。読んだことはありませんか?」彼は尋ねた。

だが、それにはビタシー夫人が答えた。夫は相変わらず、奇妙な深い沈黙を守っていた。

「読んだことなんてありませんわ!」その言葉は、冷水の滴のように、黄色い肩掛けに埋もれた顔からこぼれ落ちた。子どもでも、言わずじまいになった、その先の考えを予想できただろう。

「なるほど」サンダーソンは穏やかに言った。「ですが、木には『神』が宿っていますよ。神といっても、きわめて理解しがたいかたちで、ときとして――木がこれを現すのも経験から知っていますが――神ではない――暗くて、恐ろしいものです。いままでお気づきになりませんでしたか。木が欲するものをはっきり示すことに――少なくとも連れ添いは選ぶということに? たとえば、ブナはどんな生

目を見開く〈昼〉ではならぬ……　ヘンリーの詩集 *Poems*(一九〇七)所収の Rhymes and Rhythms 第二十四編 "To A. C." より。引用箇所は第一連の最初の七行と、第二連の前半十三行。

プレンティス・マルフォード　アメリカの詩人、コラムニスト(一八三四―九一)。スピリチュアリズム運動「ニューソート」の指導者の一人でもあった。「木に宿る神」は主著『精神力』*Thoughts are Things*(一八八九)に収録。

命も近づけさせません――鳥も栗鼠も枝に来ないし、どんな植物もブナの下には生えないのです。ブナ林の静けさには、しばしば恐ろしくなりますよ！　それに、松の木は足元のコケモモの茂みを好みますし、ときには小さなオークをめでたりもします――あらゆる木々は、明確で考え抜かれた決定をくだし、それをしっかり保持しているのです。木のなかには、どうやら――不可解で目を引く事例ですが――人間を好むものもいるようです」

老婦人が居ずまいを正すと、衣擦れの音がした。もう我慢ならなかったのだ。堅めの絹のドレスが、小さな鋭い音を発した。

「わたしたちが知っているのは」彼女は答えた。「神さまが涼しい夕べに庭を散策されるという言い伝えですわ」――息をのんだことからも、必死になっているのは明らかだった――「けれど、神さまが木に宿っているとか、そんな話は教わっていません。木というのは、肝に銘じておくべきですけれど、所詮はただの大きな植物ですわ」

「おっしゃる通り」というのが静かな返事だった。「ですが、成長するものはみな命を持っていますし、その謎は到底きわめつくせないものでしょう。われわれ自身の魂に秘められた驚異は、あえて申しあげるならば、愚鈍でものも言わない、単なるじゃがいもにも秘められているのです」

こんな意見を述べたのは、笑わせるためではなかった。笑うなどもってのほかだった。だれも笑わなかった。それどころか、その言葉からありのままに伝わってくる感触こそは、いまの会話にずっとつきまとっていたものだった。全員が自分なりに悟った――美や、驚異や、不安を感じながら――この話は、どういうわけか、植物界全体を人間界に引き寄せている。なんらかのつながりが、両者の間につくられていた。大いなる〈森〉が家のすぐ近くで耳をすましているのだから、おおっぴらに話すのは賢明ではない。〈森〉がにじり寄ってくる間も、一同は話をしていたのだ。

ビタシー夫人は、忌まわしい魔力を破りたくてたまらず、唐突に口を挟んで、実生活の話を持ち出した。夫がいつまでも黙っていて、じっとしているのが気に入らなかった。見たところ、彼はやけに控えめで――別人のようだった。

「デヴィッド」彼女は言った。声を高めた。「湿気が堪えているんじゃないかしら。だんだん冷えてきているし。熱病はいきなりぶり返すから、チンキを飲んだほうがいいわよ。ちょっと取ってくるわね。そのほうがいいわ」彼に反対するすきを与えず、彼女は部屋を出て、同毒療法*の薬を取りに行った。彼女はそれが効くと信じていたので、彼は、妻の気が済むように、タンブラー一杯を週に一回飲んでいた。

彼女がいなくなって扉が閉まった途端、サンダーソンはまたしゃべり出したが、今度はまったく異なる口調だった。ビタシー氏は居ずまいを正した。どうやら、ふたりが再開したのは――レバノンスギの下で交わしていた、本物の会話らしく――脇にのけられた偽の会話は、老婦人の目をくらますためのものに過ぎなかった。

「木はあなたを愛しています。それこそが真相です」彼は真剣に言った。「何年もの間、海外で彼らに

同毒療法　ホメオパシー。十八世紀末のドイツに始まった代替医療。「同種のものが同種のものを治す」とし、病因となるものを治療に用いる。

尽くしてきたおかげで、みんなあなたのことを知っているんです」

「私を知っている？」

「ええ、そうです」――束の間言葉を切り、それからつけくわえた――「あなたの存在を意識しています。自分たち以外にも気づかってくれるものがいると意識しているんです。おわかりでしょう」

「たまげたな、サンダーソン！」この単純明快な言葉にこめられていたのは、彼がいままで肌身で感じていながら、あえて口にしようとはしてこなかった印象だった。「つまり、彼らは私とつながっているんだな？」思い切って訊いてみた。自分の発言に笑い出したが、笑っていたのは口元だけだった。

「おっしゃる通り」間をおかずに、断固とした答えが返ってきた。「彼らが交わりたがるのは、自分たちの役に立つと本能的に感じたものです。本質をなす存在にとって有益で、自分たちの最上の表現に――生命に力を与えてくれるものです」

「なんと、まあ！」ビタシーは自分がそう言っているのを聞いた。「いや、きみは私の考えを言葉にしてくれたよ。私もそういうことを何年も感じていたんだ。まるで――」あたりを見まわし、妻がそこにいないことをたしかめてから締めくくった――「まるで、木につけられているようだった」

「『混淆《こんこう》』という単語がいちばん適切かもしれません」サンダーソンはおもむろに言った。「木はあなたを引き寄せようとするでしょう。善の力は必ず交わろうとします。悪は離れようとします。だからこそ〈善〉は最後に必ず勝つのです――いかなる場所でもです。長い目で見れば、積もり積もってものすごい力になります。〈悪〉はばらばらになり、分解し、死にやすいものです。木は同胞と交わったり、本能的にみなでいっしょにいようとしますが、これはきわめて重要な象徴といえます。群れて生える木は大丈夫です。ただ、ひとりぼっちの場合、というのは広い意味でですが、そうした木は――なんというか、危険なのです。チリマツをご覧なさい。それか、モチノキのほうがよくわかるかもしれません。ご覧になったら、観察して、理解なさい。悪の思念があれほどはっきり現れているものなんて、見たことがありますか？　彼らは邪悪なのです。ええ、もちろん美しいですとも！　邪悪なものはしばしば、不思議な、見当違いの美しさを備えていて――」

「となると、あのレバノンスギは――？」

「いえ、邪悪ではありません。むしろ、異質というべきでしょう。レバノンスギは、森で寄り集まって生えますからね。運悪く迷いこんだだけですよ」

ふたりは思いのほか没頭していた。サンダーソンは、時間を惜しんで話していたので、とても早口だった。あまりに濃密な内容だった。ビタシーは、最後の部分にはほとんどついていけなかった。頭がまごついてしまい、自分自身の、もっとあいまいで、整理もされていない考えに行き当たるばかりだった。やがて、画家の放った別の言葉にぎょっとして、再び注意を引きもどされた。

「ただ、あのレバノンスギはここを守ってくれますよ。あなたがたご夫婦は、あの木を人間のようにみなしていますからね。レバノンスギを愛おしく想っているおかげですよ。いってみれば、ほかのものたちはあの木から向こうには行けないのです」

「守ってくれるとは！」彼は叫んだ。「彼らの愛情から守ってくれるのか？」

サンダーソンは笑い声をあげた。「話が混ざっていますよ」と言った。「一方の話をするのに、もう片方の話を持ち出していますね。とにかく、ぼくが言いたかったのはこうです――おわかりでしょうが――彼らはあなたを愛し、あなたの人格や存在を意識しているわけですから、あなたを勝ち取ろうと考えているはずです――境界を越えて――自分たちのうちに――自分たちが生きる世界に引きこもうとしているのです。乗っ取るといってもいいでしょうね」

画家のせいで、さまざまな思いが湧きおこり、頭のなかでめちゃくちゃに飛び交った。まるで迷路がいきなり動き出したかのようだった。緻密な線がぐるぐるとまわって、惑わされた。あまりに速くまわっていて、出口の手がかりは途中までしかわからなかった。まずはひとつを追いかけ、次にまた別のものに取りかかるが、いつも新手が勢いよく割りこんでくるので、彼はどこにも行けなかった。

「だが、インドだぞ」彼は言った。しばらく経ってからのことで、声を低めていた。「インドはずっと遠くだ――このちっぽけなイングランドの森からは遠く離れている。それに、木だってぜんぜん違うんじゃないか?」

スカートがこすれる音がして、ビタシー夫人が近づいていることを告げた。さきほど口にした言葉は、彼女がやってきて、説明を求めた際に、言い逃れをするためのものだった。

「世界中の木々はつながっています」不可解な答えがすぐさま返ってきた。「知られずには済みません」

「知られずには済まない! それでは、きみが考えているのは――?」

「風ですよ――大いなる俊足の運び手です! 彼らは太古の昔から、世界中を自由に行き来できるのです。たとえば、東風は徐々に進んでいきます――落ちている伝言や意味をつなげ、鳥のように土地から土地へわたるのです――東風は――」

そのとき、ビタシー夫人がタンブラーを持って、つかつかと入ってきた——

「さあ、デヴィッド」と言った。「発作が起きかけていても、これで防げるわ。スプーン一杯でいいのよ。あらあら！　ぜんぶじゃないわよ！」彼はいつも通り、中身の半分をひと飲みしてしまった。「寝る前にもう一度飲んでちょうだい。残りはあしたの朝よ。起きたらすぐ飲んでね」

彼女は客人のほうを向いた。彼はひじのところにあるテーブルに、タンブラーを置いてくれたのだ。彼女は、ふたりが東風について話すのを聞いていた。強い口調で戒めたが、彼女は誤解していた。内輪の会話は唐突に終わりを迎えた。

「それこそ、デヴィッドの体調をおかしくさせる最大の原因なんです——東風ですよ」と言った。「だから、うれしく思いますわ、サンダーソンさん。あなたも同じお考えですのね」

Ⅲ

深い静寂がおりた。梟《ふくろう》が一羽、森で鳴いていて、くぐもった声が聞こえる。大きな蛾が一匹、羽を唸らせて、窓にそっとぶつかった。ビタシー夫人はかすかにびくりとしたが、だれもしゃべらなかった。木々の上には、星がぼんやりと見える。遠くから、犬の吠える声がした。

ビタシーは、煙草に火をつけなおし、三人をとらえていた、沈黙のちょっとした魔力を破った。

「それにしても、意外と心休まる考えだね」と言って、マッチを窓の外に投げた。「生命はいたるところにあり、われわれが有機物と無機物と呼ぶものの間には、実際はなんの区別もないというのは」

「そうですね。宇宙というものは」サンダーソンが言った。「本当に一体なんですよ。人間は見通せぬ隔たりに頭を悩ませていますが、実のところ、隔たりなんてないいんじゃないかと思います」

ビタシー夫人が不穏な衣擦れの音を立てた。口を出すのは我慢していた。長くて理解できない単語に胸騒ぎがした。魔王《ベルゼブブ》は多すぎる音節に潜むのだ。

「とくに木や植物では、きわめて精緻な生が夢を見ていますが、それに意識がないという証拠はいまだに見つかっていません」

「意識があるという証拠もでしょう、サンダーソンさん」彼女は機をとらえて言葉を挟んだ。「人間だけが神さまに似せてつくられたのです。灌木でも物でもなくて……」

夫がすかさずさえぎった。

「そういうことではないよ」彼は柔らかな口調で説明した。「木の生き方が私たちの生き方と同じだと言っているわけじゃない。それに」と妻を思いやって言った。「害はない見方だと思うんだが、あらゆる被造物は、創り主である神さまの命をある程度宿しているんじゃないかな。そう考えるのはすばらしいことだろう。神さまが創りたもうたものには、すべて命があるんだ。いや、汎神論者ではないがね！」なだめるようにつけくわえた。

「まあ！　もちろん違いますとも！」その言葉に彼女は不安を覚えた。急所への一撃どころではなかった。彼女のとまどう頭のなかに、忍びやかで、危険なものが入りこんできた……まるで豹のように。

「ぼくは、腐朽にも生があると考えたいですね」画家がつぶやいた。「朽ち木が崩れると、知覚力が生まれます。枯れ葉が落ちるところには、力と動きがあります。それどころか、なにかが壊れたり、崩れたりするところには、必ずそのふたつがある。たとえば、不活発な石を考えてみましょう。石には、熱や重量やありとあらゆる潜在力がつまっています。石を構成する粒子はなにを秘めているのでしょう？　そのことについて、ぼくらはほとんど理解していません。重力もそうですし、磁針が『北』を指す理由も同様です。いずれも生命の一形態なのかも……」

「方位磁針に魂があるとお考えですか、サンダーソンさん？」婦人が声をあげた。絹のひだ飾りがかさかさと音を立て、口調よりもいっそうあからさまに憤怒を示した。画家は暗闇でひとりほほえんだが、ビタシーは急いで答えた。

「われらが友人は、ひとつの見方を提示しただけだよ。そういう謎めいた作用は」彼は静かに言った。「私たちに理解できない類の生命によるものじゃないか、とね。水はなぜ下のほうへ流れるのか？　木はなぜ地面と直角に生えて、太陽へ伸びていくのか？　天体はなぜ各々の軸を中心にまわりつづけているのか？　火はなぜ触れたものを破壊せずに変質させるのか？　これらがただそれぞれの法則に従っているだけだと言ったところで、なんの説明にもなりはしない。サンダーソンさんは見方を提示しただけだよ――たしかに詩的ではあるがね――これらは生命のしるしかもしれないが、生命とはいっても、私たちとは異なる段階にあるものなんだ」

「『命の息を吹き入れられた』*というくだりがありますわ。あなたがおっしゃったものは息なんてしま

命の息を吹き入れられた　『旧約聖書』創世記　第二章第二節。

せん」彼女は勝ち誇って言った。

そのとき、サンダーソンが口を挟んだ。だが、その言葉は自分自身か主人に向けてのもので、取り乱した婦人に本気でやり返しているわけではなかった。

「ですが、植物は息をしますでしょう」と彼は言った。「息をし、食事をし、消化し、動きまわり、環境に適応します。人間や動物と同じようにね。植物は神経系も持っています……少なくとも細胞核の複雑な機構を有していて、神経細胞の性質をいくぶんか備えています。記憶もあるかもしれません。刺激に対して、はっきりとした行動を取るのはまちがいありません。これは生理的なものかもしれませんが、ただそれだけだという証拠はまだありません。それに――精神的なものではないという証拠も」

彼はどうやら気がつかなかったようだが、小さく息をのむ音が黄色い肩掛けの奥から聞こえた。ビタシーはせきばらいをして、火の消えた煙草を芝生に捨てた。足を組んだり、また組みなおしたりした。

「そして、木が集《つど》うところには」相手は話をつづけた。「たとえば、広大な森の背後には」と言って、森を指した。「思いのほか壮麗な〈統一体〉がいるかもしれません。これは、それぞれが異なる、千本もの木々を通じて現れるのです――巨大な集合的生命で、ぼくたちと同様、とても細かく、精巧な組織を持っています。条件が揃えば、それは人間と融けあい、交わるかもしれません。そうなれば、ぼくらはそれと一体になることで、それを理解できるでしょう。少なくとも、一時的にはできるはずです。それは人間の生命力を飲みこんで、茫洋とした、夢見る生の、途方もない渦巻に引きこむかもしれません。大きな森が人間を引きつける力はものすごくて、ただただ圧倒されるばかりです」

ビタシー夫人がきゅっと口をつぐむのが聞こえた。肩掛けと、とりわけかさかさ鳴るドレスが、抗議の声をあげた。彼女の内では、反対意見が痛みのように燃えあがった。彼女はあまりに苦しくて、畏れなど感じなかった。だが、同時に、ぼんやりとしか理解できない単語や意図に埋もれてわけがわからなくなり、とっさには言葉が見つからなかった。とはいえ、彼の話の真意がなんであれ、その背後に潜む、とらえがたい危険がなんであれ、それらはたしかにある種の穏やかな魔力を織りあげた。ほのかにきらめく暗闇が、開け放った窓のそばで三人をそっと包みこんだ。露に濡れる芝生や、花々や、木々や、大地のにおいもそこに加わっていた。

「情緒というものは」彼は言葉を継いだ。「相手となる人間次第で変わりますが、これは相手に秘められた生命が自分の生命に影響を及ぼすためです。深みが深みに呼びかけるんですね。たとえば、あるひとがあなたしかいない部屋に入ってきたとします。すると、あなたがたは即座に変貌する。新しくやってきた者は、無言だとしても、情緒の変化を引き起こすのです。となれば、〈自然〉の情緒も同様の力を発揮して、ぼくらの琴線に触れ、心を動かすのではないでしょうか。海や、丘や、砂漠は、そのときどきで、情熱や、よろこびや、恐怖を呼び起こします。もしかすると、少数の者は」意味ありげに主人を一瞥したので、ビタシー夫人は再び彼の目が向きを変えるのを見た。「奇妙な、燃えるように美しい感情を覚えるでしょう。到底名状しがたい感情です。では……こうした力はどこから来るのか？　その源は、まちがいなく……死んではいないはずです！　森が持つ影響力や、特定の精神に及ぼす奇妙な支配力には、生命がじかに現れているといえないでしょうか？　そうでなければ、まったく説明がつきませんよ、大森林が放つ謎めいた力は。もちろん、それをわざわざ招き寄せてしまう体質というのもあります。群れなす木々の断固たる力は」——荘厳ともいえそうな声でそう述べた——「決して無視できません。とくにここでは、肌身で感じられると思います」

空気が張りつめるなかで、彼は話を終えた。ビタシー氏は、こんなに深入りするつもりではなかった。話が脱線してしまった。妻が悲しんだり、怯えたりするところは見たくなかった。また、彼も意識していたことだが——それも痛切に意識していた——彼女がひどく感情をかき乱されているさまは、見るに堪えなかった。彼女のうちでは、彼の言い方を借りるなら、なにかが「高まって」いて、爆発しそうだった。

彼は会話を一般的な話題に持っていこうとした。たまりにたまった感情を伸ばして、薄めるつもりだった。

「海は神さまのものだし、神さまが海を創ったんじゃないかね」彼はあいまいに切り出した。サンダーソンが察してくれることを願った。「木についても同じではないかな……」

「巨大な植物界全体がそうですね」画家は話を合わせてくれた。「みな人間の役に立ってくれています。食料だとか住みかだとか、日常生活のさまざまな目的を果たしてくれます。地球の大部分を覆っているのも驚くにはあたりません……すばらしく組織化された生命ですが、ひとところに佇み、ぼくらがいつ必要としても大丈夫なように準備してくれています。しかも、逃げ出したりしませんからね。もっとも、彼らを採るのは、それゆえに簡単ではありません。ある者は花をつむのに尻ごみしますし、木を切り倒すのを拒む者もいます。奇妙なことに、森にまつわる物語や伝承は、ほとんどが暗く、謎めいていて、どこか不吉でさえあります。森に住まうものが陽気で無害なことなど、めったにありません。森の生命は、ぞっとするものとして感じられていたのです。樹木信仰は現代でも生き残っています。木こりは……木の命を奪う者たちですが……ご存じの通り、取りつかれたような人間ばかりで……」

彼は唐突に口をつぐんだ。奇妙な具合に声が途切れた。ビタシーは、話が終わる前からなにかを感じていた。妻がいっそう強く感じているのもわかっていた。というのも、最後に述べられた意見につづいて、重い沈黙が垂れこめると、そのさなかにビタシー夫人が弾かれたように立ちあがり、みなの注意をあるものに向けたのだ。それは芝生の向こうから近づいてきた。なんの音もしなかった。輪郭は大きくて、奇妙なかたちに広がっている。高みへと伸びているらしく、灌木の上の空は、日が暮れて淡い金色だったが、そのものが通るとかすんだ。彼女があとで言い張ったところによると、それは「ぐるぐる輪を描いていた」そうだが、本当に言いたかったのは「螺旋」だったのかもしれない。

彼女はかすれた叫び声をあげた。「ついに来たんだわ！　あなたが呼び寄せたのよ！」

彼女は激したようにふりむいた。怯えながらも腹を立てて、サンダーソンのほうを向いた。息も絶えだえにあえぎながら、そう言った。礼儀などかなぐり捨てていた。「わかってたのよ……あなたが話をつづければこうなるって。わかってたわ。ああ！　ああ！」再び叫んだ。「あなたの話が、あれを呼び出したのよ！」その恐怖は声を震わせるほどで、思いのほかすさまじかった。

だが、混乱した激しい言葉はだれも顧みなかった。みな面食らっていた。一瞬の間、なにも起きなかった。

「なにが見えたんだね？」夫が訊いた。ぎょっとしていた。サンダーソンは無言だった。三人とも身を乗り出していた。男たちは座ったままだったが、ビタシー夫人は窓のところに駆けつけていた。まるで、夫と芝生の間に割りこもうとしたかのようだった。彼女は指さした。小さな手がシルエットとなって空に浮かびあがり、黄色い肩掛けは腕から雲のように垂れている。

「レバノンスギの向こう——レバノンスギとライラックの間よ」その声にはいつもの甲高い響きがなかった。かぼそい小声だった。「あそこ……ほら、見えるでしょ。ぐるぐるまわっていて——ああ、神さま、もどっていくわ！……〈森〉にもどっていく」声が低まって、ささやきとなった。震えていた。彼女はもう一度くりかえした。ほっとして、大きなため息を漏らした——「ああ、神さま！　わたし、てっきり……最初は……あれがこっちに来るかと思ったの……わたしたち目がけて……デヴィッド……あなた目がけて！」

彼女は窓からあとずさった。ぎこちない動きだった。暗闇を探って椅子に寄りかかろうとしていると、夫が伸ばした手に触れた。「抱きしめてちょうだい。どうか……ぎゅっと抱きしめて。わたしを離さないで」そのときの彼女は、彼がのちに名づけた「よくある状態」だった。彼は妻をしっかり抱き寄せて、また椅子に座らせた。

「煙だよ、ソフィー」すかさずそう言った。声を落ち着けて、自然に聞こえるようにした。「私も見たよ。煙が庭師の小屋から流れてきたんだ……」

「でも、デヴィッド」——そのささやきには改めてぞっとしている響きがあった——「あれは音を立てていたわ。いまだってそうよ。しゅうしゅういってるのが聞こえる」彼女が使った単語は——しゅうしゅうとか、しっしっとか、ひゅうひゅうといったものだった。「デヴィッド、すごく怖いわ。あれはすごくいやなものよ。あのひとが呼び出したのよ……！」

「しっ。静かに」夫がささやいた。そばで震えている彼女の手をさすった。

「あれは風に乗っていますね」サンダーソンが言った。はじめて口を開いた。とても静かな口調だ。彼の顔に浮かぶ表情は、薄暗いせいで見えなかったが、その声は柔らかくて、なにも恐れていなかった。それを聞くと、ビタシー夫人はまたしてもぎくりとした。ビタシーは自分の椅子を少し引き寄せて、彼女からサンダーソンが見えないようにした。自分でもとまどいを感じていた。ほんの少しではあったが、なにを言えばよいのか、なにをすればよいのかわからなかった。なにもかもがあまりに奇怪だったし、唐突すぎた。

だが、ビタシー夫人は心底震えあがっていた。彼女からすると、さきほど目にしたなにかは、ちっぽけな庭のすぐ向こうの、取り巻くように広がる森から出てきたように見えた。それはこそこそした様子で現れた。一同のほうへ、意志を持って、忍びやかに、骨を折って近づいてきた。そして、なにかに止められた。それはレバノンスギを越えられなかった。あのレバノンスギは——この印象はあとになっても消えなかった——それを食い止め、追い返した。大きくうねる海のように、〈森〉は一瞬だけ一同のほうへ押し寄せ、あたりを包む暗闇を突き進んだ。この目に見える動きは最初の波だった。彼女にはそう思えた……まるで謎めいた潮の変わり目のようだった。子どものころ、砂浜にいると、それが怖くて、まごついたものだった。途方もない〈力〉が外へ押し寄せているように感じた……そのなにものかに対しては、彼女のあらゆる本能が反発していた。それは、自分と自分が愛するものを脅かしていたからだ。あの瞬間、彼女は悟った。〈森の人格〉は……脅威なのだ。

よろめきながら窓を離れ、ベルへ向かうと、はっきりしない言葉が聞こえた。サンダーソンが——それとも夫だろうか？——ひとり言をつぶやいていた。「あれが来たのは、あれの話をしていたからだ。あれのことを考えていたせいで気づかれて、あれを呼び寄せてしまった。だが、レバノンスギが止めてくれた。あれは芝生をわたれないんだ……」

いまでは三人とも立ちあがっていた。夫の声が重々しく割りこんだのは、妻の指がベルに触れたときだった。

「トンプソンにはなにも言わないでおこう」不安を感じているのが声に表れていたが、うわべはもとのように落ち着き払っていた。「庭師に行ってもらえば……」

そこでサンダーソンがさえぎった。「もしよろしければ」すかさずそう言った。「おかしいところがないか、ぼくが見てきましょう」夫妻が答えたり反対したりする間もなく、彼は行ってしまった。開けてあった窓から飛び出した。ふたりが見ていると、彼は走って芝生をわたっていき、暗闇に消えた。

そのすぐあと、家政婦がベルに応えて入ってきた。それと同時に、テリアの大きな吠え声がホールから聞こえてきた。

「ランプを」主人が手短に言うと、彼女は部屋に入って、そっと扉を閉めた。そこで聞こえたのは、風が愁いに満ちた歌声をあげて、外壁をかすめていく音だった。遠くで葉叢がそよぐ音も混ざっている。

「ほら、風が強くなってきた。あれは風だったのさ！」彼は妻に片腕をまわしてなだめようとしたが、彼女が震えているのが感じられて、心が痛んだ。もっとも、自分が震えていることにも気がついていたが、これはある種の奇妙な高揚感によるもので、怯えているためではなかった。「きみが見たのは煙だよ。ストライドの小屋か、彼が家庭菜園で燃やしていたごみから出てきたんだ。私たちが聞いた物音は、枝が風にそよぐ音だよ。そんなに神経をとがらせることはないだろう?」

かぼそいささやき声が答えた。

「わたしが心配しているのはあなたよ。わたしが怖くなったのは、あなたを想っていたからなの。あの方のせいで、すごく不安だし、落ち着かないわ。彼はあなたに影響を及ぼしているんだもの。ばかげているのはわかっている。でも……疲れたわ。くたくたなのに、気が抜けないのよ」言葉があふれ出し、早口のあまり混ざりあった。彼女は、しきりに窓のほうをふりむきながらしゃべっていた。

「お客さんがいるから緊張しているんだよ」彼はなだめるように言った。「重荷になっているんだ。この家にひとを泊めるなんて、めったになかったからね。あの男はあした帰る予定だよ」自分の手で、彼女の冷たくなった両手を挟んで暖め、優しくさすった。それ以上はなにも言えず、なにもできなかった。不思議な内奥の興奮にときめき、鼓動が早くなった。その正体はわからなかった。彼にわかっていたのは、おそらく、それの出所だけだった。

彼女は彼の顔に目をこらし、薄闇を見通そうとした。そして、妙なことを口にした。「気のせいかもしれないけど、デヴィッド、一瞬だけ……あなたは……別人のようだったわ。今夜は神経が過敏になっているのね」それ以上は、夫の客について触れなかった。

芝生から足音がして、サンダーソンが帰ってきたのがわかった。夫は声を低め、急いで答えた——

「私を心配する必要なんてないよ。どこも悪くないんだ。請け合ってもいい。これまでの人生でいちばん元気だし、幸せだよ」

トンプソンがランプと光を手にして入ってきた。彼女が出ていくやいなや、今度はサンダーソンが窓をよじ登って入ってきた。

「なにもありませんでした」彼はこともなげに言って、窓を閉めた。「だれかが落ち葉を燃やしていたんです。その煙がいくぶんか木々を抜けて、漂ってきたんですね。そういえば、風ですが」とつけくわえた。束の間、主人を意味ありげに見やったが、ごくさりげない所作だったので、ビタシー夫人は気がつかなかった。「風もうなりはじめています……ずっと奥の……〈森〉で」

だが、ビタシー夫人は、彼の様子でふたつ気がついたことがあり、ますます不安になった。まず、彼の目が輝いているのに気がついた。同じような光が、突然、夫の目にも宿ったからだ。もうひとつ気がついたのは、さきほどの単純な言葉には、どうやら深い意味がこめられているらしいことだった。「風もうなりはじめています。ずっと奥の……〈森〉で」彼女の頭には、好ましからぬ印象が残っていた。彼が言わんとしていたのは、口にしたことだけではないようだ。あの口調は、まったく異なるものをほのめかしていた。彼が話していたのは、実際は「風」ではなかった。それは「ずっと奥」にとどまっているわけでもなく……むしろ近づいてきていた。それとは別の印象も受けた——いっそう快からぬものだったが——夫は、その秘められた意味を理解しているように思えたのだ。

「ねえ、デヴィッド」彼女が穏やかに切り出したのは、上階でふたりきりになってすぐのことだった。

「あのひとがいると、恐ろしく不安になるわ。どうしても落ち着かないのよ」そのわななく声は、彼の愛情深い心をとらえた。

彼はふりむいて、彼女を見た。「どんな風に不安なんだね？　きみはときどき空想的になるからね」

「思い違いかもしれないけど」彼女はためらいがちに言った。つかえがちで、取り乱しており、少し怯えていた。「なんというか――彼って催眠術師なんじゃないかしら？　それか、神智学で頭がいっぱいなんじゃない？　ほら、どういうことかわかるでしょ――」

彼は、妻がいくぶん取り乱して不安になることには慣れっこだったので、いつもなら、まじめに説明して安心させたり、正確でない言葉づかいを正したりはしなかったが、今夜は思いやりを持って、優しく接したほうがいいと感じた。できるかぎり彼女をなだめた。

「でも、害はないだろう。彼がそういう人間だったとしてもね」彼は静かに答えた。「ああいうのは、手あかのついた考えに新しい名前をつけているだけだよ」その声には、しびれを切らしている気配はまったくなかった。

「それを言いたかったのよ」と彼女は答えた。彼が恐れている聖句が、口にはされなかったものの、そのひと言の裏にひしめいていた。「あのひとは、いつか現れると警告されていたものだわ――終末に現れるものよ」彼女の頭は、いまだに反キリストや預言の亡霊でいっぱいだったし、いってみれば間一髪で〈獣の数字〉*を免れていたのだ。いつもは教皇が非難の的となっていた。彼のことは理解できるからだ。目標ははっきりしていたから、砲門を開けばよかった。だが、この木と森の問題は、あまりに漠然としていて、あまりに忌まわしかった。彼女は震えあがっていた。「あのひとのせいで考えずにはいられないのよ」と話をつづけた。「高位の権天使《けんてんし》*や能天使*とか、闇にまぎれて歩むものたちとか。木は夜になると生きいきするとか、彼がそういう話をするときの口調が好きになれないわ。羊の囲いに放たれた狼を思い浮かべてしまうのよ。それで、あの気味の悪いものが芝生の上の空にいるのを見たら――」

だが、彼がすぐにさえぎった。それには触れないのがいちばんだと判断していたのだ。話しあわないほうがいいのはたしかだった。

「彼はそこまで考えていなかったんじゃないかな、ソフィー」まじめな調子で割りこんだが、かすかにほほえんでいた。「木はある程度の意識を持って生きているのかもしれない、と言っていただけさ――おおむね好ましい考えだよ――似たようなのは、この間の夜にも〈タイムズ〉で読んだじゃないか――あとは、大きな森はある種の〈集合的人格〉を持っているかもしれない、という話だね。ほら、彼は画家だし、詩心があるんだ」

「危険よ」彼女はきっぱりと言った。「火をもてあそんでいるような気分だわ。無分別で、安全じゃないし――」

「だが、すべて神の栄光のためだ」彼は優しく諭した。「耳や目を閉じて、知識を拒んではならない――どんな類の知識であってもだ。そうだろう?」

「あなたってひとは、デヴィッド、願いは考えを通さんって*わけね」彼女はやり返した。というのも、子どもが「ポンテオ・ピラトのもとで苦しみを受け」*を「菫の花束《バンチ・オブ・ヴァイオレット》のもとで苦しみを受け」と勘違いするように、ことわざを耳で覚えて、聞いた通りにくりかえすだけだったからだ。彼女は引用を通じて戒めようとしていた。「それに、いつだって、霊が神さまに遣わされたものか、たしかめてみないとだめでしょう」彼女はおずおずとつけくわえた。

「そうだとも。いつだってそうしていいんだよ」彼も賛成して、ベッドに入った。

だが、少し経って、彼女が灯を吹き消したのち、デヴィッド・ビタシーは心を静めて眠ろうとしていたのだが、血が興奮で沸き立ち、これまでにない、とまどわせられるほどのよろこびを感じた。そこでふと思った。もしかすると、たいしたことを言ってやれなかったから、彼女はまだ安心できていないのではないか。彼女は眠れぬままそばで横たわっていて、いまだに怯えていた。彼は暗闇で頭を起こした。

「ソフィー」彼はそっと話しかけた。「忘れていないだろうけど、どんなことがあっても、私たちと――いろいろなものとの間には――大きな淵*があるんだ。その淵はどうやっても越えられない――と

〈獣の数字〉 『新約聖書』ヨハネの黙示録第十三章より。子羊のような角をもつ獣が、自分に従う人々の額や手に刻印した、「六百六十六」の数字。

権天使 偽ディオニュシオス・アレオパギテス『天上位階論』（五〇〇年頃）に記された、天使九階級の第七階級。国家とその指導者の守護を司る。

能天使 前掲書、天使九階級の第六階級。宇宙のバランスや物理法則を維持する。

願いは考えを通さん 正しくは「願いは考えの父」（訳者）。

ポンテオ・ピラトのもとで苦しみを受け キリスト教の「使徒信条」の一節。

大きな淵 『新約聖書』ルカによる福音書、第十六章第二十六節より。

にかく――肉体があるうちはね」
返事は聞こえなかったので、彼は気が済んだ。彼女はもう寝ついていて、幸せなのだと考えた。だが、ビタシー夫人は眠っていなかった。警句も聞こえていた。ただ、なにも言わなかっただけだった。自分の考えは、口に出さないほうがよいと感じたのだ。暗闇で話を聞くのが怖かった。〈森〉は外で耳をすましているから、そうした話も聞いてしまうかもしれない――〈森〉は「ずっと奥でうなって」いた。

彼女が考えていたのは、こんなことだった。淵はたしかに存在するでしょうけど、サンダーソンがどういうわけか橋をかけてしまったのよ。

夜もだいぶ更けたころ、彼女は、心乱される、不穏な夢から目を覚ました。物音が聞こえて、神経が不安でねじ切れそうだった。その音は、すっかり目が開くとともに消えた。耳をすましてみたが、聞こえたのは、言葉にならぬ夜のつぶやきだけだった。物音は夢のなかで聞いたのだが、その夢もいっしょに消えてしまった。だが、その音には聞き覚えがあった。なにかが流れるような音で、芝生をわたってきたものと同じだったのだ。ただし、今回はずっと近かった。顔の真上で、彼女が眠っている間に、枝がそよいでいるようなつぶやきがこの部屋を漂っていたのだ。それは木の葉がささやく音だった。「バルサムの木の上に行進の音が聞こえたら」*という文言が頭をよぎった。夢のなかでは、どこかで枝を広げる木の下に横たわっていた。木は、無数の柔らかな緑の唇でささやいていた。夢は、目が覚めてから少し経ってもつづいていた。

彼女はベッドで起きあがり、あたりに目をこらした。窓のてっぺんは開けてある。星々が目に入った。扉は、そこで思い出したが、いつも通りに鍵をかけてある。当然ながら、部屋にはなにもいない。夏の夜の深い静寂がすべてを包んでいる。それを破る唯一の音が、ベッドのすぐそばの暗がりから聞こえた。人間が立てる音だが、不自然だ。その音は、目覚めたときの不安を乗っ取り、たちまち強めた。なじみ深い音なのはわかっていたが、名前が出てこない。少なくとも数秒が過ぎたのち――とても長い数秒だった――彼女は理解した。夫が眠りながらしゃべっていたのだ。

どこから声がしたのかははっきりせず、彼女はとまどった。しかも、はじめに考えていたのとは違い、そばで聞こえたのではなかった。距離があった。次の瞬間、弱々しい蠟燭の光で、彼の白い姿が見えた。部屋の真ん中に立っている。窓にほど近いところだ。蠟燭の光がゆっくりと強まった。彼女の目の前で、彼は窓へ近づいていった。両腕を前につき出している。しゃべる声は低くて、つぶやきのようだった。単語を立てつづけに発していて、はっきり聞き取れなかった。

彼女はからだを震わせた。彼女にとって、寝言は不気味で、ぞっとさせられるものだった。まるで死人がしゃべっているようだった。生者の声を猿まねしているにすぎない、不自然な声だった。

「デヴィッド！」と小声で言った。自分の声が恐ろしかった。彼を引きとめて、その顔を見るのも怖かった。大きく見開いた目と対面するのは、とても耐えられない。「デヴィッド、寝ながら歩いているわよ。どうか――ベッドにもどってちょうだい！　後生だから！」

バルサムの木の上に……　『旧約聖書』サムエル記下、第五章第二十四節より。

そのささやき声は、静まりかえった闇で恐ろしいほど大きく聞こえた。彼女の声がすると、彼は立ち止まった。じわじわとふりむいて、彼女と相対した。大きく見開いた目は、彼女の目をまじまじと見つめたが、相手がだれなのかわかっていなかった。彼女の向こうにあるなにかを見つめていた。まるで、音のする方向はわかるのに、彼女の姿が見えていないかのようだ。その目が輝いていることにも、彼女は気がついた。数時間前に、サンダーソンの目が輝いていたのと同じだった。夫は顔を紅潮させていて、取り乱していた。いたるところに不安が表れている。その瞬間、彼が熱病になりかけていると見て取ると、彼女はいっとき恐怖を忘れて、目の前の問題を考えた。彼は、目覚めることもなくベッドにもどった。彼女はまぶたを閉じさせた。やがて、彼は静かに姿勢を整えて、眠りについた。いや、より深い眠りというべきか。彼女は骨を折って、ベッドわきのタンブラーの薬を飲ませた。

それから、とても静かに立ちあがると、窓に近づいた。吹きこんでくる夜風は、あまりにさわやかで、肌を刺すほどに感じられた。蠟燭は彼の手が届かないところに置いた。その横に大きなバクスター版聖書*があるのを見ると、少し落ち着いたが、心の奥底では奇妙な胸騒ぎがしていた。留め具を片手で固定し、もう一方の手で日よけのひもを引っ張っていると、夫が再びベッドで起きあがって、しゃべりはじめた。今度ははっきり聞き取れる言葉だった。目はまたしても見開かれている。彼は指をさした。彼女は呆然と立ち尽くして、耳を傾けた。歪んだ影が日よけに映った。彼はベッドを出ず、近づいてきたりもしなかった。彼女は最初、そうなるのを恐れていた。

ささやく声はとても明瞭で、忌まわしくもあった。これほど忌まわしいものは、経験したことがなかった。

「彼らはずっと奥の〈森〉でうなっている……私は……見に行かなくては……」彼女の向こうを見つめながらそう言った。森を見つめていた。「私を必要としているんだ。私の助けを求めてやってきたんだ……」またしても目が泳いで、部屋にあるものに向けられると、彼は横になった。目的がいきなり変わったらしい。その変化も忌まわしかった。むしろ、いっそう忌まわしかった。というのも、もうひとつの精緻な世界が明らかになったからだ。彼はそこへ行ってしまった。遠く離れてしまった。

さきほどの奇妙な言葉を聞いて、彼女の血は凍りついた。束の間、心の底から震撼した。夢遊病者の口調は、いつも通りに起きているときのしゃべり方と、ごくわずかに、だが痛ましいほど異なるが、彼女にとってはどこか邪悪に思えた。その背後には、悪と危険の気配が濃厚に立ちこめていた。彼女は窓枠に寄りかかった。腕も脚も震えている。一瞬だけ、おぞましい予感がした。なにかがやってきて、彼を連れ去ろうとしている。

「まだそのときじゃない」ずっと低めた声がベッドから聞こえた。「もっとあとだ。そのほうがいい……。私はあとで行こう……」

この寝言は、完全ではないにせよ、昔から彼女につきまとっていた懸念を表していた。サンダーソンがやってきて泊まっているため、不安は頂点に達したようだが、そのことについては考える気にもなれなかった。あの言葉のせいで山場を迎えた。山場が早まった。あの言葉を耳にして、彼女は神に

バクスター版聖書　イギリスの印刷業者ジョン・バクスター（一七八一―一八五八）が出版した図版入りの聖書。

思いをはせ、わき目もふらず祈りに没頭し、助けと導きを求めた。というのも、眼前には、隠し立てもせず、無自覚のうちに、意図と主張を秘めた世界がさらけ出されていたからだ。夫はそれらを認めながらも、自分の胸にしまっていた。

彼のそばに行って、その感触にほっとしたときには、両目はまた閉じていた。今回は自然に閉じていた。頭は枕の上で安らいでいた。彼女はそっと寝具を直した。彼の様子を何分か見守った。蠟燭の明かりは、片手で注意深くさえぎった。彼の顔には、不思議なほど穏やかなほほえみが浮かんでいた。その後、蠟燭を吹き消し、跪《ひざまず》いて祈りをあげてから、ベッドにもどった。だが、眠りは訪れなかった。目を覚ましたまま、考えたり、疑問に思ったり、祈ったりしてひと晩を過ごした。やがて、鳥の合唱がはじまり、夜明けの光が緑の日よけできらめくと、彼女は疲れきってまどろみへ落ちた。だが、眠っている間も、風はずっと奥の〈森〉でうなりをあげていた。その音は近づいてきて――ときにはすぐそばまで迫ってきた。

V

サンダーソンが発つと、奇妙な出来事も重要とは思えなくなった。それらの源となっていた情緒が消えたからだ。ビタシー夫人は、ほどなくして見方を改め、そうした出来事を不均衡の表れだと考えた。つり合いを失っていたのは、おそらく、自分自身の精神だろう。変化が唐突だとは思わなかった。

ごく自然に変化したからだ。まず、夫はこの問題を口にしなくなった。次に、彼女はある事実を思い出した。つまり、人生では、はじめは説明がつかなかったり、奇怪に思えたりする出来事がたびたび起きるが、たいていは、あとになって、ごくありきたりなものだと判明するのだ。

たしかに、大部分は、あの画家と、彼の突飛で意味ありげな話のせいにできた。ありがたいことに、彼はいなくなったから、世界はまた正常にもどり、危険はなくなった。熱病はいつもなら短期間しかつづかないのだが、夫はベッドを離れられず、さようならも言えなかった。そのため、彼女がかわりに、遺憾の意と別れのあいさつを告げた。朝になると、サンダーソン氏におかしなところは見られなかった。彼はバケットハットに手袋という出で立ちで、彼女に見送られて発ったが、素直そうだったし、不安をかき立てるところなどどこにもなかった。

「やっぱりね」彼女はそう考えながら、小型の二輪馬車に揺られる彼を眺めた。「所詮はただの画家よ！」画家ではなかったらなんだと思っていたのか、彼女の乏しい想像力は明らかにしようとしなかった。気分が変わって元気になったし、せいせいした。自分の行いが少し恥ずかしくなった。彼に笑顔を向けると――本当のほほえみだったのは、本当にほっとしていたからだ――彼はかがんで、手に口づけしてくれたが、彼女はまたいらっしゃいとは言わなかった。夫も同様で、彼女が満足し、安心したことには、なにも言わなかった。

こぢんまりとした一家は、いつもの眠たげな日課を再開し、これまで親しんできた生活にもどった。アーサー・サンダーソンの名前は、めったに出てこなかった。彼女にしても、夫が眠りながら歩いたり、とんでもないことを口走った事件には触れなかった。だが、忘れるのもやはりできなかった。そのため、彼女の心の底に埋もれたままだった。まるで、未知の病気が巣くっているかのようで、その症状さえ謎に包まれていた。病魔は待ちかまえていて、好機が訪れるやいなや広がろうとしていた。彼女はそれに抗《あらが》おうとして、毎日、夜と朝に祈りをささげた。あの出来事を忘れられるように——神が夫を害悪から守ってくれるようにと祈った。

というのも、表向きは愚かそうで、多くのひとはそこに弱々しさを見て取るだろうが、ビタシー夫人はつり合いの取れた人物であり、分別があって、信心深かったからだ。自覚しているよりずっと偉大だった。夫と神への愛はひとつのものだった。これを成し遂げられるのは、一途で気高い魂だけなのだ。

その後、荒々しくも美しい夏が訪れた。美しかったのは、夜にさわやかな雨がふり、春の栄光を長引かせ、六月いっぱいまで広げて、木の葉を若々しく、柔らかに保ってくれたからだった。荒々しかったのは、風がイングランド南部で暴れまわり、地域一帯を駆け抜けて、激しく揺さぶったからだ。木々をなでていくさまは壮観だった。おかげで、木は、絶え間なく厳かなうなりをあげていた。その低い響きは、空にずっととどまっているかに思えた。木々はうたい、叫んだ。むしられた葉が宙を飛び、舞った。いつもなら、寿命を迎えるのはもっと先だった。多くの木が、何日もの間、うなったり、揺さぶられたりしたのちに、疲れきって大地に倒れた。芝地のレバノンスギも、二本の大枝を手放した。一本が折れた翌日にもう一本が落ちた。どちらも時間帯は同じで——夕暮れの直前だった。風というのは、しばしばその時間に荒れ狂うもので、日没とともに収まるのだ。二本の大きな枝は黒々とした残骸となって、芝生をほとんど覆っていた。芝地を横切るかたちで、家のほうを向いていた。枝が折れたせいで、木には醜いすき間ができてしまった。レバノンスギは不完全で、破壊されかけているかに見えた。かつての美貌と壮麗さを刈りとられた怪物だった。前よりも〈森〉がよく見えるようになっていた。痛めつけられた防壁の破れ目から覗いていた。いまでは家の窓からも〈森〉が見えた――客間と寝室の窓はとりわけそうだった――彼方にある空き地や深奥がまっすぐ見通せた。

そのときは、ビタシー夫人の姪と甥が泊りに来ていて、はしゃぎながら庭師を手伝い、ばらばらになったかけらを運んだ。これには二日かかった。ビタシー氏が、枝はすっかり片づけなければならんと言い張ったからだ。短く切るのも許さなかった。薪として使うのも認めなかった。彼の監督のもとで、かさばる塊は庭の端へ引きずられていき、〈森〉と芝地の境界線に並べられた。子どもたちは、この計画に大よろこびした。張り切って手伝った。〈森〉の進出を阻む防壁は、なんとしてでも強固にしなければならない。子どもたちは、おじが本気になっていることを察していた。なにか別の動機を隠しているのも感じていた。泊るのは、いつもなら思いのほか怖かったのだが、今回は最高に楽しかった。ソフィーおばさんのほうが、邪魔でつまらない人間に思えた。

「おばさんは歳を取ったせいで、ちょっとぼけてるんだよ」というのがスティーヴンの意見だった。だが、アリスは、おばが黙りこくっていやそうにしていたから、なんらかの表に出せない事情があって、少し不安になっているのだと思っていた。彼女はこう言った。

「たぶん森が怖いのよ。ほら、おばさんといっしょに森に入ったことなんてないでしょ」

「じゃあ、余計にこの壁を難攻――とても分厚くして、頑丈にしなくちゃね」彼は結論づけた。長い単語は言えなかった。「そしたら、どんなものも――本当にどんなものでも――通れないもんね。そうでしょう、デヴィッドおじさん？」

ビタシー氏は、上着を脱ぎ捨て、しみのついたチョッキ姿で作業していたのだが、息を切らしてふたりを助けにきた。レバノンスギのたくましい大枝を並べて、生け垣のようにした。

「さあ、行こう」と彼は言った。「なにがあっても、暗くなる前に終わらせなきゃだめなんだ。すでに、風がずっと奥の〈森〉でうなっている」アリスはその言いまわしを耳にして、すぐまねをした。「スティーヴィー」とひそひそ声で言った。「よく見てなさいよ、このなまけものさん。デヴィッドおじさんが言ったこと、聞こえなかったの？　終わらせる前にあれがやってきて、あたしたちは捕まっちゃうのよ！」

一同はトロイ人のように精いっぱいがんばった。フジの木が田舎家の南側の壁沿いに伸びており、その下でビタシー夫人は編み物をしながら彼らを眺めていた。ときどき声をあげて、ささいな忠告や助言をした。もちろん、その伝言に気を留める者はいなかった。それどころか、たいていは聞こえていなかった。すっかり没頭していたのだ。彼女は何度も注意した。夫には熱中しすぎないように、アリスにはドレスを破かないように、スティーヴンには引きずる作業で腰を痛めないようにとくぎを刺した。彼女の心は、上階にある同毒療法の薬箱と、作業が終わるのを見たい気持ちの間で揺れていた。

というのも、レバノンスギがばらばらになったせいで、眠りについていた不安がまた目覚めたのだ。サンダーソン氏が滞在していたときの記憶がよみがえった。いままでは忘却の彼方へ沈んでいた記憶だ。彼女が思い出したのは、彼の風変わりで奇妙な話し方だけではなかった。忘れたいと思っていたいろいろなことが、潜在意識の領域から頭をもたげた。識閾下ではすっかり忘れるなど不可能なのだ。それらは彼女を見つめ、頭を揺らした。実に生きいきとしていた。いつまでも脇に押しやられて、埋もれているつもりはないのだ。「ほら、ご覧！」とささやいた。「言った通りでしょう？」それらは、姿を現すのにふさわしい機会をうかがっていただけだった。以前の漠然とした心痛が全身に広がった。懸念と不安がぶり返した。同時に、心が恐ろしく沈んだ。

このレバノンスギがばらばらになった事件は、実際は取るに足りなかったが、夫はとても重く受け止めていた。なにか言ったり、やったり、やるのを忘れたりして彼女を震えあがらせたわけではないが、彼はどことなく真剣な空気を漂わせていた。しかも、そうすべき理由などないように思えた。彼女の印象からすると、彼はこの一件を重要だと考えているらしかった。ひどく頭を悩ませていた。こうして不意に気をもんだり、関心をひかれたりした証《あかし》は、夏の間ずっと、彼女の目も届かず、考えも及ばないところに埋もれていた。そして、彼女はいま、ようやく悟った。わざと埋めてあったのだ。彼は意図的にそれを隠していた。彼の奥底には、こうした別の考えや、望みや、願いが渦巻いている。その正体はいったいなにか？　いずこへつながっているのか？　あの木を見舞った不運がそれを露わにしたが、実に不愉快だった。まずまちがいなく、彼はそこまでさらけ出したとは気がついていなかった。

彼女が眺めている先では、彼が重々しく真剣な顔つきで、子どもたちと作業していた。そうして眺めていると、彼女は不安を覚えた。心が動揺したのは、子どもたちがやけに張り切って作業していたからだ。ふたりは無意識のうちに彼を手伝っていた。彼女は、自分が恐れているものを言い表すのにさえいやだった。だが、そいつは待ちかまえていた。

しかも、途方に暮れた頭を使い、ひどくあいまいで意味をなさない恐れと取り組んでみたかぎり、レバノンスギがばらばらになったせいで、どういうわけか、そいつを引き寄せてしまったらしい。うまく説明できず、とらえどころもないものが、いまだに自分の意識に巣くっており、手が届かないところで蠢《うごめ》き、息づいている。そう思うと、とまどいと恐れの入り混じった驚きが膨れあがった。それの存在が実感できた。その力は心をとらえて離さなかった。全貌が露わになっていないのもおぞましかった。そして、ぼんやりとした混乱から、彼女はある考えをつかみ取った。眼前にはっきりと浮き出ているのを目にした。言葉の衣を着せるのは難しかったが、大意はこうだ。あのレバノンスギは、自分たちの生活で味方になってくれている。そんな木がだめになったのは大惨事だ。田舎家のまわり、とりわけ夫のまわりには、なんらかの力に守られている感じが漂っていたが、それも弱まってしまった。

「強い風をそんなに怖がるなんて、どうしたんだね」彼は数日前にそう尋ねた。その日はとくに大荒れだった。彼女は答えたが、その答えは自分でも意外に思った。件の頭がひとつ、無意識のうちに伸びあがり、本音を漏らした。

「それはね、デヴィッド、あの風は――〈森〉も連れてきている気がするのよ」とつかえながら言った。「風が吹くと、木からなにかが飛ばされてくるのよ――頭のなかや――家のなかに」

一瞬、彼はまじまじと彼女を見た。

「だからこそ、私は風が好きなんだろうね」と答えた。「風は木々の魂を吹き飛ばし、空いっぱいにふりまくんだ。まるで雲のように」

会話はそこで途切れた。彼からこんな話を聞かされるのははじめてだった。またあるときは、彼に説得されて、近くにある森の空き地へ行く際に、なぜ小さな手斧を持っていくのか、なにに使うのかと訊いた。

「蔦《つた》を切るためだよ。蔦は幹に巻きついて、生命を奪うからね」彼は言った。

「でも、それは庭師にもやれるんじゃないかしら？」彼女は問うた。「そのために給料をもらっているんでしょう」

彼の説明によると、蔦は寄生植物であり、木は自分たちだけでどう戦えばいいかわからないのだという。また、庭師は気が利かないので、きっちりやってくれないらしい。あちこち断ち切って、木が大丈夫そうなら、あとは放っておくのだそうだ。

「それに、蔦を切ってやるのが好きなんだ。木を助けて、守りたいんだよ」とつけくわえた。しゃべっている間も、木の葉のそよぎが、彼の穏やかな言葉を縁取っていた。

このような本筋から外れた意見は、痛めつけられたレバノンスギに対する姿勢と同様、奇妙で、とらえがたい変化の現れだった。彼の人格はそうして変わりつつあった。ゆっくりと、着実に、ひと夏かけて、それは進行していった。

それは育っているのだ——そう考えて、彼女は恐ろしくぎょっとした——ちょうど木が育つのと同じだ。日ごとに外面に表れる部分はごくわずかで、目にも留まらないのだが、湧きあがる潮はとても根深く、抗う術がなかった。この変化は彼の内面にも外面にも広がった。精神も行動も、ときには顔つきまで変わった。ときおり、彼の外見にありありと表れて、彼女を震えあがらせた。彼の生命は、なんらかのかたちで、木と密接に結びついていた。それゆえに、木は重要だった。彼の関心事は、ますます木のそれと化した。彼の活動は木のそれと一体化した。彼の考えや気持ちも木と同じだった。彼の意図、願い、望み、運命も――

彼の運命！　定かならぬ、途方もない恐怖の闇が影を落としたのは、その運命を思ったときだった。心に備わる直感を、彼女は死よりもいっそう恐れていたのだが――死ぬことで彼の魂は甘やかな変容を遂げるからだ――その勘が働いて、彼を思っても、木のことを、とりわけ〈森〉の木のことを連想してしまうようになっていた。ときどき、その直感と相対し、理屈でねじ伏せて、黙ってくれるよう祈る間もないうちに、ふと気がつくと、彼への思いが頭のなかを走り抜けていて、まるで〈森〉そのものについて考えていたかのようだった。両者はとても密接につながって、結びついていた。一方は他方の一部であり、互いを補っていた。彼と木は一体だった。

この発想はあまりにおぼろげで、彼女は真っ向から見すえることができなかった。仮定として考えても、焦点を絞って背後にある真相をつき止めようとすると、溶けてなくなるのだ。きわめてとらえがたい上に常軌を逸していて、変幻自在だった。ほんの一分だけ集中して攻撃を仕掛けても、意味そのものが消えて、溶け去ってしまう。実のところ、その発想は、彼女が思いつける言葉の背後に隠れていて、はっきり考えるのは無理だった。彼女の頭では取り組めなかった。だが、それが消えてしまっても、近づいてきていなくなったときの跡は、彼女の震える視界でちらついていた。嫌悪感はまちがいなく残っていた。

単純で人間らしい言い方はないものかと、彼女は気性ゆえに本能で考えたが、そうした表現に落としこむなら、以下のようになる。つまり、夫は彼女を愛し、彼は木も愛している。だが、木がはじめに来て、彼女の知らない部分を求めている。彼女は神と彼を愛している。彼は木と彼女を愛している。

　こうして、気乗りしないまま、痛ましい妥協を装っているうちに、問題はかたちをなしはじめ、彼女の取り乱した頭はこれを争いとみなすようになった。静かで、外からは見えない戦いが激しくつづいていたが、まだ戦場ははるか彼方だった。レバノンスギが傷を負った事件は、氷山の一角に過ぎなかった。本体は、ずっと遠くの謎めいた戦いであり、日に日にふたりへ近づいていた。風は、ずっと奥の〈森〉でうなるのではなく、いまではもっと近くまで来ていた。気まぐれな突風となって、前線の縁で吹き荒れていた。

　その間に、夏は薄らいでいった。秋の風がため息をついて、木々を吹き抜けた。木の葉が輝くばかりに赤くなった。夜が長くなり、心地よい暗がりができるようになったのち、由々しき厄介ごとが立ちふさがった。それは現れると同時に、迷いなく猛威をふるったので、事前に策が練られていたのは明らかだった。はずみで起きたわけではなく、考え抜かれていた。ある意味では、予想されていた出来事ともいえた。それどころか、必然だった。というのも、一年に一度、ふたりは転地のために、サン＝ラファエルの北にある、セイヤン*の小さな村に行くのだが——ここ十年では毎年転地していたので、話しあうことさえしなかった——その二週間前になって、突然、デヴィッド・ビタシーが行くのを拒んだのだ。

セイヤン　フランス南東部、プロヴァンスの保養地。

トンプソンはティーテーブルを整えて、アルコール・ランプを湯の壺の下に用意した。いつものてきぱきとした静かな手つきで日よけをおろし、部屋を出た。ランプはまだつけていなかった。炉火の明かりがチンツ*の肘掛け椅子を照らしている。ボクサーは、黒い馬毛の敷物に寝そべって眠っている。壁には金色の額縁がいくつかかかっていて、ほのかにきらめいているが、絵は判別できない。ビタシー夫人はティーポットを暖めていた。湯を注いでカップを暖めようとしたとき、夫が暖炉の向かい側で顔をあげ、唐突に意見を述べた。

「なあ、ソフィー」彼はそう言った。考えをたどっているようだが、彼女が耳にしたのはこの最後の部分だけだった。「とてもじゃないが、行くのは無理だよ」

あまりに突然で、脈絡もないように聞こえたので、彼女ははじめ、誤解していた。彼が外に出て、庭か森に行こうとしているのだと思った。にもかかわらず、心臓が飛びあがった。声の調子が不穏だったのだ。

「あたりまえよ」彼女は答えた。「そんなのはとても無分別だもの。だって――?」彼女が言いたかったのは霧のことで、いつも秋の夜には芝生の上に広がるのだ。だが、言い終わらないうちに悟った。彼が言いたかったのは、もっと別のことだ。彼女の心臓は、またしても恐ろしく飛びあがった。

「デヴィッド！　それって海外に行く話かしら？」彼女は喘《あえ》ぐように言った。

「うん、海外に行く話だよ」

そこで彼女が思い出したのは、何年も前に、彼がさようならと言ったときの口調だった。密林の探索に出かける前のことで、彼女はとても不安だった。あのときの声は真剣そのもので、有無を言わさなかった。いまの声も真剣で、有無を言わさなかった。少しの間、なんと言えばいいのかわからなかった。ティーポットを扱うので忙しかった。一方のカップに湯を注いだものの、入れすぎてしまった。のろのろと茶こぼしに湯を捨てた。あらんかぎりの力をふりしぼり、手の震えを見られまいとした。暖炉の明かりと部屋の暗さが味方してくれた。だが、なんにしても、彼は気づきもしなかっただろう。彼の思いは、はるか彼方にあったのだから……。

Ⅵ

ビタシー夫人は、前からこの家が好きになれなかった。彼女の好みは、平らかで、もっとひらけている田舎だった。そこなら道が見通せる。彼女は、近づいてくるものを目に入れておきたかった。この田舎家が建っているのは、ウィリアム征服王の古い狩猟地の縁であり、彼女が理想とする、安全で心地よく、ほっとできる場所からはほど遠かった。海岸沿いで、うしろには木のない丘陵、眼前には目路のかぎり水平線が広がる、イーストボーン*のようなところが、家らしい家の理想だった。

奇妙なことに、彼女は閉じこめられるのを本能的にいやがった――木に囲まれるのはとくにいやだっ

チンツ　更紗模様を染めた光沢のある布生地。
イーストボーン　イングランド南部、海辺の保養地。

た。ある種の閉所恐怖症といってもいいかもしれない。おそらく、その原因は、さきにも述べた通り、インド時代にあり、森が夫を連れ去り、さまざまな危険で包囲していたせいだろう。何週間もひとりきりで過ごすうちに、その感情が育まれていった。彼女は自分なりにそれと戦ったが、倒すにはいたらなかった。どうやら根を張っているらしく、別のかたちを取って這いもどってくるのだ。今回にかぎっては、彼のたっての希望に折れて、この戦いに勝ったと思ったのだが、木の恐怖は一か月と経たずにもどってきた。木々は面と向かって彼女を嘲《あざけ》っていた。

彼女が常々思い知らされていたことだが、森は何リーグにもわたって田舎家を取り巻いており、強固な壁のように立ちはだかっていた。押し寄せ、見張り、耳をすます存在がふたりを閉じこめ、自由と脱出の道をさえぎっていた。憂鬱とは縁遠い性質だったから、彼女は全力を尽くして、その考えを退けた。とても素朴で、気取らない心の持ち主だったので、数週間は忘れていられた。それから、記憶が不意にもどってきて、黒々とした現実が押し寄せてきた。それは頭のなかだけにあるわけではなかった。単なる気分とは関係なく存在していた。独立した恐れであり、ひとり歩きしていた。やってきたかと思うと出ていった。だが、出ていくといっても――別の視点から彼女を見張るためだった。それは休眠していた――すぐそこに潜んでいた。

〈森〉は、彼女を決して手放そうとしなかった。いつでも侵食できるように身構えていた。彼女の気のせいかもしれないが、何度か、枝がすべて一方向に伸びてきたようだった――小さな田舎家と庭へ伸びてきた。まるで、すべてを引き寄せて、自分のうちに取りこもうとしているかのようだった。その偉大な、深く息づく魂は憤慨していた。門戸にあるこぎれいな庭に嘲笑《あざわら》われ、辱《はずかし》められて、いらだっていた。もしできるなら、そうしたものを吸収し、押さえこみたかった。風が吹くたびに、巨大な共鳴板である、無数の震える木々の上を伝言が響きわたり、それの意図が伝えられた。大いなる魂は怒りに燃えた。その深奥には、低くとどろく、絶え間ないうなりがあった。

どれも彼女は言葉にできなかった。繊細な表現などできそうになかった。だが、本能でそれを感じていた。いや、さらに多くを感じ取っていた。彼女は心をひどくかき乱された。しかも、夫を思ってのことだったら、単に自分のことだったら、悪夢を見てもひやりとするだけだったかもしれない。デヴィッドが不可解なほど木に関心を持っていたので、いつになく気にかかったのだ。

ここで嫉妬心が現れ、とても微妙なかたちで、反感と嫌悪を強めた。そのやり口は、分別のある妻だったら、反対しようがなかった。夫の情熱は生まれついての自然なものだ、と彼女は考えた。その想いが職業を決め、功名心をあおり、夢や、願いや、望みを育んだ。生きいきとした人生の最盛期はすべて、木をいたわり、守ることに費やされた。彼は木を知り尽くしていた。知られていない生態や性質を理解していた。本能に従って木を「扱う」ところは、ほかの人間が犬や馬を「扱う」のとそっくりだった。木から離れて生活していると、さほど時が経たないうちに、不思議な、胸を裂くかに思える郷愁の念が安らいだ精神に忍びこみ、しまいには体力にまで影響する。森があれば、彼は幸せで、心穏やかに暮らせた。森は、深いところにある情緒をいつくしみ、養い、なだめた。木は彼の生命の源に力を及ぼし、脈を遅らせたり、早めたりした。木から切り離されると、彼は気力を失った。ちょうど、海を愛する者が内陸でぐったりしたり、登山家が平らで単調な平原に悲嘆するようなものだった。

これは彼女にも理解できたし、少なくともある意味では、大目に見ることができた。思いやりを持って、にこにこしながら譲歩し、イングランドのわが家という彼の選択を尊重した。というのも、この小さな島で、自然がもっと残っている地域の森らしさを漂わせているのは、ニュー・フォレストだけだったからだ。この森にはまがいものらしいところが一切なく、謎を秘めていて、奥深く、堂々として孤独だった。そこかしこに、昔日の森が備えていた、力強くて手なずけがたい雰囲気があった。当局のビタシーが親しんでいた森も同じだった。

ひとつだけ、ささいな点だが、彼は譲歩して、彼女の希望を聞き入れた。田舎家を建てる場所を、森の中心ではなく、縁とすることに同意したのだ。ふたりは、平和で幸せな数十年をここで過ごした。目と鼻の先には、この大いなるものが広がっており、何リーグにもわたって、沼や荒野や壮麗ないにしえの木々が点在していた。

ほんの二年ほど前から――おそらく彼自身も高齢になって、からだが衰えてきたのと同時に――目に見えて強まってきたのが、〈森〉を幸せにしたいという、この激しい想いだった。彼女はそれが育っていくのを眺めていた。はじめは笑い飛ばした。それからうそにならない程度に話を合わせた。やがて控えめに言い争い、しまいにそれを論じるのは自分の手に余ると悟った。こうして、それを心底恐れるようになった。

一年に一度、イングランドのわが家を離れて六週間を過ごすのだが、ふたりの受け止め方は、無論異なっていた。夫にとっては、苦痛に満ちた異郷生活であり、健康にもよくなかった。いつもの木々が恋しくなった――木を見たり、その音を聞いたり、においをかぎたくてたまらなくなった。だが、彼女自身は、つきまとう恐れから解放されて――逃れられるように感じた。こうした六週間を、日がさんさんと照る、フランスの海辺で過ごすはずだったのに、それをあきらめるというのは、この小柄な女性がいくら無私の心を持っていたとはいえ、ほとんど耐えがたいことだった。

彼の意見を告げられて衝撃を受けたのち、彼女は自分にできる範囲で深く考え、祈り、ひそかに涙を流し――覚悟を決めた。義務が指し示すのはあきらめることだと、はっきり感じた。自分を厳しく律することになるが――当時はどれほど厳しいか夢にも思わなかった――この気高く、一途で小柄なキリスト教徒は、それもひと目で見て取った。そして、受け入れた。殉教者ぶったため息などつかなかったが、彼女が見せた勇気は、殉教者に列せられるのにふさわしかった。夫は、代償など知るよしもなかった。この熱情以外は、彼の無私の心も偉大であり、彼女に勝るとも劣らなかった。彼女が長の歳月にわたって抱いていた愛情は、人格神への愛と同様、深くに根差した、真の愛情だった。両者のためなら、よろこんで苦しみを受けた。それに、夫が苦を課した経緯も奇妙だった。ただわがままを言ったわけではなかった。対立するふたつの意志が妥協点を見出そうとしていただけでなく、はじめからそれ以上のなにかが関わっていた。

「思うんだがね、ソフィア、私には到底できそうにないんだ」彼はのろのろと言った。足を伸ばしていて、泥だらけのブーツのつま先越しに暖炉の火を見つめている。「私の義務も幸せもここにある。〈森〉とともに、そしてきみとともにある。私の命はこの場所に深く根を張っているんだ。自分でもわからないなにかが、私のなかにある存在と木々を結びつけているから、引き離されれば調子が悪くなるし——死んでしまうかもしれない。命の手綱がゆるんでしまうんだ。ここには私の生命の源がある。これ以上はうまく説明できないがね」彼は目をあげて、テーブルの向かいにいる彼女の顔をじっと見つめた。彼女が目にしたのは、真剣そのものの表情と、微動だにしない目のきらめきだった。

「デヴィッド、そこまではっきり感じていたのね」彼女は言った。お茶の道具などすっかり忘れていた。

「そうなんだ」彼は答えた。「はっきり感じてる。からだだけじゃなくて、魂でも感じるんだ」

彼がほのめかしたものの気配が、影に包まれた部屋に入りこんできた。まるでなんらかの〈存在〉が本当にいるかのようだ。それはふたりのそばに佇んでいた。窓や扉から入ってきたのではなく、壁と天井に囲まれた空間全体を満たした。彼女の顔から血の気が引いた。不意に寒気を感じて、少しぼうっとなり、震えあがった。木の葉が風になびくのが感じられそうだ。それはふたりの間に立っていた。

「世界には——この世界には」彼女はつかえながら言った。「知るべきでないこともあるんだと思うわ」その言葉が表していたのは、彼女の人生に対する姿勢で、今回の出来事だけを示していたわけではなかった。

数分の間をおいてから、異論にはなにも触れず、まるで聞こえなかったかのように——「これ以上はうまく説明できないんだよ」彼がまじめな声で答えた。「深くて、途方もないつながりがあるんだ——木々が秘密の力を発散しているからこそ、私は健康で、幸せだし——生きていられる。きみは理解できないとしても、きっと——許してくれると思う」その声音は、愛情深く、優しくて柔らかなものになった。「自分勝手なのは承知している。許せないと思っているだろう。でも、自分ではどうにもできないんだ。こうした木々やいにしえの〈森〉があってこそ、私は生きていられるようだし、私が行ってしまえば――」

彼は声にならない小さな声を出した。唐突に話をやめて、椅子にからだを預けた。それと同時に、彼女は喉がきつくしめつけられるように感じた。やっとの思いでそれに耐えながら、彼に歩み寄り、両腕をまわした。

「大丈夫よ」彼女はつぶやくように言った。「神さまが導いてくださるから。わたしたちはお導きを受け入れればいいの。神さまは、いつだって目の前に道を示してくださるわ」

「自分のわがままが心苦しくて――」彼が話し出したが、彼女はさきまで言わせようとしなかった。

「デヴィッド、神さまが導いてくださるわ。あなたに害をなすものなんてなにもない。あなたがわがままだったことなんて一度もない。そんなことを聞かされるなんて耐えられないわ。目の前に開ける道は、あなたにとって――わたしたちにとって最善の道よ」彼に口づけした。しゃべらせなかった。心臓が喉までせりあがってきた。彼女は、自分自身よりもずっと、彼に同情していた。

すると、彼はひとつ提案をした。もっと短期間になるかもしれないが、彼女がひとりで出かけてはどうか。彼女の弟の別荘に泊って、ふたりの子ども、アリスとスティーヴンといっしょに過ごすのだ。別荘には自由に出入りできたし、そのことは彼女もよくわかっていた。

「転地したほうがいい」と彼は言った。ランプがともされ、使用人が出ていったあとだった。「きみには転地が必要なんだ。私は同じくらいそれを恐れているがね。きみが帰ってくるまではどうにかできるだろうし、行ってくれたほうが私としてもうれしい。この愛する〈森〉を離れるわけにはいかないよ。それにね、ソフィー、私はこう思うんだ」――居ずまいを正し、彼女を真っ向から見すえて、ささやくように言った――「二度と〈森〉を離れることはできないんじゃないか、とね。ここでしか生きられないし、幸せになれないんだ」

彼をひとり残して、あたりに満ちる〈森の影響力〉のなすがままにさせるなどありえない、と考えながらも、彼女はかすかな嫉妬のうずきを覚えた。刺すように鋭く、間近に感じた。夫は自分よりずっと〈森〉を愛している。それを第一に考えているのだ。しかも、言葉の裏には、口には出されなかった考えが潜んでいて、彼女はとても不安になった。サンダーソンが呼び起こした恐怖が眼前でよみがえり、羽ばたいた。会話全体は、その一部がさきほどのやり取りなのだが、到底言い表せぬものをほのめかしていた。彼が木々なくしては生きられないように、木々も彼なしでは生きられないのだ。彼はあからさまにその事実を隠そうとしていたが、結局さらけ出してしまっており、彼女は心をひどく痛めた。その痛みは、虫の知らせや予兆という域を超えて、はっきりとした懸念となった。

彼は感覚として、木が自分を思い焦がれるとわかっていた――なにしろ、これらの木々は、彼がいたわり、守り、世話をし、愛した木々なのだ。

「デヴィッド、わたしもここで過ごすことにするわ。本当はわたしがいないとだめなんでしょ――そうじゃなくて？」せがむように、偽りのない愛情の響きを帯びて、言葉があふれ出した。

「いままで以上にそうだよ。きみの無私の心に祝福あれ。それに、きみの自己犠牲は」彼はつけくわえた。「本当に立派だよ。なぜ私がとどまらないといけないのか、きみは理解できていないのだから、なおのことだ」

「たぶん、春になったら――」彼女が言った。その声は震えていた。

「春になれば――たぶんね」彼は優しく答えた。やっと聞こえるくらいの声だ。「そのころには、木は私がいなくても大丈夫だろう。春には、この世のすべてが木を愛してくれる。問題なのは冬で、木は孤立し、見向きもされなくなる。私が木といっしょにいたいのは、とくにその時期なんだ。いっしょにいるべきだとさえ感じている――いや、いなければならないんだ」

こうして、それ以上話すこともなく、決定が下された。少なくともビタシー夫人は、もう質問しなかった。とはいえ、どんなにがんばっても、必要なだけの思いやりを見せることしかできなかった。彼女の受けた印象が理由のひとつで、共感してしまったら、彼は自由気ままにしゃべり出し、知るに堪えない話をしそうだった。そんな危険を冒す気にはなれなかった。

Ⅶ

もう夏も終わりだったが、秋はすぐにやってきた。この会話は、まさにふたつの季節の境目となった。また、夫の消極的な状態と活発な状態の境目でもあった。彼女は、譲歩したのはまちがいだったのではないかとさえ思った。彼はとても大胆になり、なにも隠さなくなった。つまり、堂々と森へ行くようになり、やらねばならないことも、以前の趣味もすべて忘れてしまったのだ。さらには、彼女を説得して、いっしょに行こうと言い出した。秘められていたものが、あからさまに燃えあがった。彼女はその活力に震えたが、彼が見せた、雄々しく激しい感情には敬服していた。嫉妬は、不安を前にしてとっくに引き下がっており、二の次の位に甘んじていた。いまのたったひとつの望みは、守ることだった。妻は母となっていた。

　彼は多くを語らなかったが――家に入るのをいやがっていた。朝から夜まで〈森〉をさまよった。夕食のあとにもしょっちゅう出かけた。彼の頭は木でいっぱいだった――その葉叢に、発育や成長のこと。木の驚異、美しさ、力強さ。ぽつりと佇んでいるときの孤独、群れをなしているときの迫力。彼は、風が木に及ぼす影響にも詳しかった。荒れ狂う北からは危険が、西からは栄光が、東からは乾燥がやってくる。そして、南風は、柔らかく、しっとりとした優しさを、やせ細っていく大枝に残していく。彼は一日中、木が感じていることを語った。木々は薄れゆく陽光を飲みこみ、月光を浴びて夢を見、星々の口づけに戦慄するのだ。露は夜の情熱をたっぷり与えてくれたが、霜が降りると、木は地面の下に潜って根に引きこもり、のちに訪れる穏やかな日々を待ち望んだ。木々はともに生きている命を――昆虫、幼虫、さなぎを――いつくしんだ。頭上で雲が雨になると、彼は木々の立ち姿を「微動だにせず、雨に恍惚としている」と表現し、昼下がりの陽光を浴びているときは「堂々たる立ち姿で、驚くべき影を投じている」＊と言った。

　一度、真夜中に、彼の声を聞いて目を覚ましたことがあった。耳にしたのは、彼が――すっかり目を覚ましており、寝言を言っているわけではなかった――窓に向かってしゃべる声だった。そこは、真昼にレバノンスギの影が落ちるところだった。

おお、汝はレバノンへため息をついているのか
その長き息吹きは汝の麗しき東洋へ流れゆくのか
レバノンへため息をついているのか
暗きレバノンスギよ＊

うっとりとしながらも震撼して、彼女はそちらを向き、名前で呼びかけたが、彼はこう言っただけだった――

「孤独を感じたんだ――ふと悟ったんだよ――あの木は異国の地で寂寥《せきりょう》を感じている。彼女はイングランドのちっぽけな芝地に立っているが、東洋にいる兄弟たちはみな、眠りながら彼女を呼んでいるんだ」その答えはあまりに突飛で、あまりに「反福音主義的」だったので、彼女は無言のまま、彼が眠りにつくのを待った。詩は受け流した。いま読みあげる理由もなかったし、場違いに思えた。詩のせいで、彼女は疑い、不安になり、嫉妬し、心を痛めた。

ところが、その不安は、どういうわけか干あがり、消えてしまった。それは、夫のほとばしるがご

堂々たる立ち姿で……　イギリスの詩人エリザベス・バレット・ブラウニング（一八〇六―六一）の長篇詩『オーロラ・リー』（一八五七）の一節。

おお、汝はレバノンへため息をついているのか　以下、テニスンの詩「モード」（一八五五）の一節。

とき輝きに、不承ながらも心打たれるようになってすぐのことだった。なんにせよ、懸念は、宗教面から医学面に移った。あくまで彼女の考えだが、彼の精神は少し不安定になっているようだった。祈るときには幾度となく、お導きのおかげで夫のそばにとどまり、助け、見守ることができていますと感謝をささげた。一日に二度は感謝していた。

彼女は一度、思い切った行動にも出た。牧師のモーティマー氏が訪ねてきて、そこそこ名の知れた医師を連れてきたので――この専門家に、夫の奇行についてこっそり打ち明けた。彼の答えは「処方できるものはなにもない」とのことで、彼女が感じていた、不浄なとまどいを少なからず深めた。サー・ジェイムズは、まちがいなく、こうした普通ではない「診察」をやったことがなかったのだ。当然ながら、常識人としての感覚が優勢になり、訓練を経て身につけた、人類を助ける高度な道具としての本能は引っこんでしまった。

「熱病ではないとお考えですか？」彼女は早口ながら、しつこく食い下がった。なにかしら引き出してやろうと心を決めていた。

「わたくしに処置できるものはなにもありません。さきほどお伝えしましたでしょう、奥さま」対症療法家の勲爵士は腹を立てて答えた。

彼は気に食わない様子だった。芝地でティーポットを前にしながら、患者に気づかれないように診察してくれと頼まれたうえ、代金がもらえるかも怪しいのだ。彼は舌を見たり、脈拍を手で確かめたりしたかった。依頼者の家系や銀行口座も知りたかった。異様だったし、ひどくいやな気分だった。無理もないことだった。それでも、この溺れかけている女性は、自分につかめる唯一の藁にすがった。

というのも、彼女は夫のはつらつとした姿勢に気おされて、問いかけるのも難しくなっていたのだ。もっとも、家のなかでは、彼は親切で優しかったし、彼女の自己犠牲をなるべく和らげようと手を尽くしてくれた。

「デヴィッド、いま出かけるのは本当に無分別よ。今夜は湿気があって、とても冷えてるもの。地面は露でびしょ濡れだし。風邪をひいて死んでしまうわ」

彼の顔が明るくなった。「いっしょに来ないか――一度だけでもいい。モチノキが生えている一角に行って、一本だけ寂しく生えているブナの様子を見るんだ」

彼女は前にも、短くて暗い昼下がりに彼と出かけたことがあった。そのとき通りかかったのが、あのモチノキの邪悪な群生で、ジプシーたちが野営していた。ほかにはなにも生えなかったが、モチノキは石だらけの土壌で生い茂っていた。

「デヴィッド、ブナにはなんの心配もないわ」彼女は、彼の言いまわしを少しだけ身につけていた。遅ればせながら、愛情のおかげでこつをつかんでいた。「今夜は無風だもの」

「いや、風は吹きはじめているよ」彼は答えた。「東で強まっている。裸で飢えているカラマツを吹き抜けるのが聞こえた。彼らは陽光と露を求めているんだ。それに、風が東から吹きつけると、必ず叫ぶんだよ」

そう聞かされて、彼女は、急いで無言の短い祈りを神にささげた。いまでは、彼が木の生活について、身近でなじみ深いもののように話すたび、寒気の衣が肌身に巻きつくのを感じた。からだを震わせた。彼は、いったいどうやってそんなことを知り得たのか？

だが、こうした出来事にもかかわらず、日常生活の面では、彼はまともで分別があった。愛情深く、親切で優しかった。木の話になったときだけ、錯乱し、おかしくなるようだった。ひどく奇妙に思えたのは、愛し方は違えども、ともに愛していたレバノンスギが深手を負って以来、彼の常軌を逸した言動がひどくなっていったことだった。木を見守るときに、病弱な子どもを見守るようなまなざしになるのはなぜなのか？　よりによって夕暮れ時に居残って、彼が呼ぶところの「夜の情緒」をとらえようとするのはなぜなのか？　霜が降りそうだったり、風が湧きおこりそうになると、なぜあれほど木を気づかうのか？

いまではしきりに自問していた――どうやってそんなことを知り得たのか？

彼は行ってしまった。そのあとで、彼女が玄関の扉を閉めると、〈森〉の奥からうなりが聞こえた……。

そこでふと思った。なぜ自分にもそれがわかったのだろう？

疑問がのしかかってきて、全身を一度に打ちのめされたように感じた。からだも、心も、精神も打撃を受けた。その発見は待ち伏せ場所から飛び出して、彼女を押しつぶした。あまりにも真に迫っていて、どんなに理屈をこねようが無意味になり、なにもできなくなった。だが、はじめこそ痺れたようになっていたものの、彼女はすぐに復活した。心を奮い立たせ、対抗心を燃やした。荒々しくも冷静な勇気は、すばらしくも勝ち目のない望みに賭ける者の原動力と同じで、彼女の小柄なからだのなかで燃えあがっていた――堂々たる、不屈の炎だった。自分はちっぽけな弱い人間だと承知していたが、自分の背後にある力が惑星を動かしていることもわかっていた。信仰は彼女を満たし、武器となって両手に握られた。当然の権利として、彼女はそれを求めた。だが、己を滅して他人に尽くす魂こそは、彼女の人生を際立たせ、かの武器をただちに使えるようにしてくれたものだった。汚れなき純真な直観に導かれて、彼女は攻勢に出た。その背後には、聖書と神がついていた。

　これほどまでに気高い霊感が訪れたのは、まったくもって驚くべきことだが、それをひもとく手がかりは、おそらく彼女の素朴な性質にあった。とにかく、彼女はさまざまな物事をはっきり見て取った。一瞬だけ見て取った――祈りをあげて、夜のしじまに包まれているときや、長い時間、家にひとり残されて、編み物か考えごとをするしかないときがそうだった――そして、導きが頭にひらめき、あとに残った。それがどのようにして訪れたのか忘れてしまっても、消えなかった。

　こうして訪れたもの、見て取ったものはかたちを持っておらず、言葉にもならなかった。彼女はどうやってもそれを言い表せなかった。だが、言葉に縛られていないがゆえに、ありのままの冴えざえとした力を保っていた。

　何時間も辛抱強く待っていると、最初のひらめきがやってきて、それからはほかのものもすいすいとつづいた。だんだんと、数日をかけて、少しずつやってきた。夫は朝早くから出かけていて、昼食も持参していた。彼女はお茶の道具のそばに座っていた。カップもティーポットも温まっている。マフィンは炉格子に置いて、冷めないようにしてある。彼がいつ帰ってきても大丈夫だったが、そのとき、彼女はだしぬけに悟った。彼を連れ去ったなにものか、毎日まいにち、何時間も彼を引きとめているなにものか、自分自身のちっぽけな意志や本能と対立しているなにものかは――途方もなく大きい、海のようなものではないのか。あれは、ひとつの森の美しさではない。群れ集う、山のようなにかだ。まわりでは、それの巨大な対抗意識が、壁となって空にそびえている。その規模は巨人のようで、その力はまさに桁外れだった。彼女がいままで知っていたのは、緑色の繊細な姿で、風に吹かれると、波打ったり、さらさらいったりするものだったが、それは、いってみれば、泡のしぶきが水際ではじけて、視界に入ってきただけだった。ずっとずっと彼方には、目の届かぬ深みが広がっているのだ。木々はむしろ、哨兵だった。目につくように配置されて、野営地の境界線を取り巻いているが、キャンプそのものは姿を隠している。遠くにいる本体のすさまじいうなりとつぶやきが、静まりかえった部屋に入りこみ、彼女を包んだ。そばには暖炉の光があり、やかんが甲高い音を立てている。彼方では——ずっと奥の〈森〉では——中心でいつもうなりをあげているなにかが、恐ろしく力を増していた。

同時に、これは明らかに戦いであり——彼の魂をめぐって、〈森〉と戦っているのだ——そんな風に感じた。あまりにはっきりと心に浮かんだので、あたかもトンプソンが部屋に入ってきて、田舎家が包囲されましたと冷静に告げたかのようだった。「奥さま、木が迫ってきて、家を取り囲んでいます」とだしぬけに言い出しそうだった。同様に、自分の答えも聞こえる気がした。「大丈夫よ、トンプソン。本体はまだずっと遠くだわ」

そのすぐあとに、別の真実が現れた。まざまざしい実感を伴っていて、衝撃を受けた。彼女が気づいたのは、嫉妬は人間や動物の世界にかぎらず、天地万物に共通しているということだった。植物界にも嫉妬があるのだ。不活発な性質だと言われていても、その点ではほかと変わらない。木々も嫉妬を感じるのだ。窓のすぐ外にある〈森〉は——秋の宵の静けさにひたって、こぢんまりとした芝生の向こうにそびえているが——この〈森〉も、やはりそれを理解している。情けを知らぬ、枝分かれした力は、己が愛し、必要とするものをひとり占めしようとして、ほとばしる願望のように広がり、無数の葉や幹や根にいきわたる。人間だったら、言うまでもなく、意識して対象を選ぶだろう。動物であれば、隠し立てもせず、本能のまま行動する。だが、木の場合、嫉妬は、抑えようのない潮となって湧きあがってくる。それは人間離れした、意志のない憤怒の怒涛であり、立ちふさがるものならなんでもなぎ倒す。ちょうど、風が氷の面から粉雪を吹き飛ばしていくようなものだ。木々は数の上では大群であり、いくらでも増援を呼べる。そして、己の激しい想いが報われたと知れば、その力はさらに増す……。夫は木々を愛している……。木々もそれに気がつきはじめている……。最後には彼を連れ去ってしまうだろう……。

そして、ホールに彼の足音が響き、玄関扉が閉まるのを聞きながら、彼女は三つめの事実を見て取った——彼との溝が広がっていると悟ったのだ。これはもう一方の愛のせいだった。夏の数週間はずっと、彼に寄り添っているように感じていた。いまはとりわけそうだった。なにしろ、人生で最大の犠牲を払って、彼のそばにとどまり、手助けしていたのだ。それなのに、彼はだんだんと、だが確実に——引き離されていった。別離はいまこの場で起きている——これは動かしがたい事実だった。いままでずっと進行しつづけていた。ふたりの間には、広く、深い空間が口を開けていた。虚空の向こうに、無慈悲なほどはっきりと変化が見て取れた。そこに現れていたのは、彼の容姿だった。深く愛され、かつては親しみを持って敬われてきた姿が、対岸のおぼめく彼方にあった。小さくて、背中を向けており、彼女が眺めている間も動いていた――遠ざかっていた。

ふたりは無言でお茶をした。彼女はなにも訊かず、彼も一日の出来事を話そうとしなかった。彼女の心は寛大だったが、老齢からくる恐ろしい孤独感が広がっており、凍てつく霧が湧きあがってきたかのようだった。彼を眺めながら、あれこれと世話を焼いた。彼の髪はぼさぼさで、ブーツには黒っぽい泥がこびりついている。身のこなしは落ち着きがなく、揺れているようだった。その動きを見ると、どういうわけか頬から血の気が引き、背筋にいやな震えが走った。木が思い浮かんだのだ。彼の目はきらきらと輝いていた。

彼とともに、大地と森のにおいが入ってきた。彼女は息が詰まり、呼吸できなくなりそうだった。しかも――あることを見て取って、ほとんど抑えようのない不安が頂点を迎えた――彼の顔はランプの光を浴びていたが、そこには、柔らかでかすかな光輝がきらめいていたのだ。頭に浮かんだのは、月の光が森にふりそそぎ、明暗の混じる影を落としている光景だった。新たに見出した幸せが、そこで輝いていた。その幸せの源は彼女ではなく、彼女はなんの役割も果たしていなかった。

彼のコートには、色あせた黄色い葉のついた、ブナの小枝が入っていた。「きみのために〈森〉から持ってきたんだ」と彼は言った。その様子は、ずっと昔、愛情をこめて、ちょっとしたことをやってくれたときと同じだった。彼女は、葉のついた小枝を意識せずに受け取り、ほほえみを浮かべて「ありがとう」とつぶやいた。まるで、彼が自分でも知らないうちに、彼女の手に破滅をもたらす武器を置き、彼女はそれを受け入れたかのようだった。

お茶が終わると、彼は部屋を出た。書斎にも行かなかったし、着替えもしなかった。彼女が耳にしたのは、玄関の扉が彼のうしろでそっと閉まる音だった。また出かけて、〈森〉へ向かったのだ。

そのすぐあと、彼女は上階の部屋にいた。ベッドのそばで跪き——彼が眠る側だった——あふれ出る涙もかまわず、一心に祈った。神さま、あのひとを救い、そばに引きとめてください。背後で、風が窓ガラスをなでても、彼女は跪いていた。

Ⅷ

十一月のある晴れた朝、緊張が極みに達して、ほとんど抑えこめなくなった。彼女は勢いこんでとある決断を下し、実行に移した。夫はその日も昼食を持って出かけていた。彼女は思い切って、彼をつけてみることにした。かの見通す力が強く働き、不自然なほど深く理解できた。家にとどまって、なにもせずに彼の帰りを待つのは無理だと、突然思い至った。彼が知っていることを知り、感じていることを感じ、同じ立場に身を置いてみるつもりだった。〈森〉の魅力に挑み——それをわかちあうのだ。大きな挑戦だった。だが、そうすれば、彼を救い出す方法について、さらに理解が深まるから、さらに大いなる〈力〉が得られる。まずは上階に行って、少しの間祈った。

厚手の暖かいスカートに、重いブーツを履き——散策用のブーツで、彼といっしょに、セイヤン近辺の山々を歩くのに使ったものだ——裏口から田舎家を出て、〈森〉のほうへまわった。実際に彼をつけることはかなわなかった。出発したのは一時間前だったし、どの方向へ行ったのかもよくわからなかったからだ。彼女をつき動かしていたのは、彼とともに森にいたいという思いだった。彼と同じように、葉を落とした枝の下を歩きたい。彼がいるときに、そこにいたい。たとえいっしょでなくてもよかった。というのも、ふと思いついたのだが、こうすれば、一度だけでも、彼が愛する木々の、恐ろしくも力強い生命や、息づかいをともに感じられそうだったのだ。冬はとくに必要とされると、彼は言っていた。いまや冬はすぐそこだった。愛があれば、彼自身が感じているものをいくばくか感じ取れるはずだ――大いなる魅力を、すべての木々の引き寄せる力を感じられるはずだ。こうすれば、まるでわがことのように、だが彼には知られぬまま、彼を連れ去ったものをわかちあえるかもしれない。さらには、彼にくわえられる攻撃も和らげられるかもしれない。

この衝動は直観のひらめきのようだった。彼女はいっさいためらわずに従った。より深い理解が、一連のいやな謎から得られるはずだった。たしかにそれは得られたが、彼女が思い描き、期待していた通りではなかった。

空気は微動だにしなかった。空は冷たい水色だが、雲はない。〈森〉全体は静かに立っていて、注意を向けていた。彼女が来たとはっきりわかっていた。入った瞬間から気づいていた。彼女を見張り、追っていた。うしろでなにかが音もなく落ち、彼女を閉じこめた。木々の合間には苔むした草地があり、足音はしなかった。オークやブナが列をなして通りすぎていき、背後に陣取った。いい気分はしなかった。通りすぎた途端に、木々がうしろに寄り集まるのだ。彼女も気がついていたように、木々は集結して、果てしなく膨れあがる軍勢をなしていた。巨塊となり、群れをなし、隊伍を組んで、彼女と田舎家の間に割りこみ、退路を断った。木々は簡単に通してくれたが、出ていくとなると、そうはいかないだろう——びっしりと生い茂った枝がいっぱいに伸びていて、敵意をむき出していた。木々がどんどん数を増していくので、彼女はすでにとまどっていた。前方の木々はまばらで、点在しているように見えた。空き地もあって、陽光が差しこんでいた。だが、向きを変えると、木はとても密集しているように思えた。ぎっしりと並んだ軍勢となって、陽光をかげらせている。日光を締め出し、ありとあらゆる影を集めて立っている。葉を落とした姿で、近づきがたい塁壁をそびえさせており、まるで夜のようだ。木々は、彼女が通った草地を飲みこんだ。というのも、うしろを見やると——めったに見なかったが——通ってきた道は影に沈んで、見わけられなかったのだ。

だが、頭上では朝日がきらめいていた。心躍る気配がひらめき、陽光を震わせて走り抜けた。これは、彼女が昔からなじんできた、「子ども日和」だった。晴れわたった、天真爛漫な天気で、危険などまったく感じられない。脅かしたり、不安をかき立てたりする、不穏な兆しもない。彼女は意志を曲げず、なるべくふりかえらないようにした。ソフィア・ビタシーは、ゆっくりと、慎重に進みつづけ、静まりかえった森の中心へ入っていった。奥へ、さらに奥へ……。

そのとき、突然、開けた場所に出た。陽光がさえぎられずに差しこんでいる。彼女は足を止めた。こうした息をつける場所が、森にはいくつかある。枯れてしなびたワラビが、灰色の不格好な塊をなしている。ヘザーも少し生えている。まわりには木が立っていて、下を見おろしていた——オーク、ブナ、モチノキ、トネリコ、松、カラマツといった木々で、ネズの小さな木立もちらほらある。この森の休息所の縁で、彼女は立ち止まり、ひと息ついた。本能に逆らったのは、これがはじめてだった。もう一方の本能は歩きつづけようとしていた。実のところ、休みたいとは思っていなかった。

このちょっとした行為がきっかけで届いたのが――途方もなく巨大な〈発信者〉からの伝言だった。

「足止めを食わされているんだわ」そう思うと、嫌悪感がこみあげてきた。

この静かな、いにしえの場所で、あたりを見まわした。動くものはない。生命も、生命の気配もない。さえずる鳥もいない。彼女がやってきて、兎が逃げ出すこともない。心を乱す静けさだ。厳粛な空気が重い幕のように垂れこめている。そのせいで、彼女の心臓も黙ってしまった。これは夫が感じているものの一部なのだろうか――幹や大枝や根や葉とからみあうのを感じているのか？

「ここは昔からずっとこうなんだわ」と思ったが、なぜそう思ったのかはわからなかった。「〈森〉ができて以来、ここで静かに隠れていた。一度だって変わっていないんだわ」そう言っている間も、静寂の幕は近づいてきた。彼女をどんどんくるんでいった。「千年の歳月が――いまここに千年の歳月がある。しかも、この場所の背後には、世界中のすべての森が控えている！」

彼女の気性からすると、あまりに異質な考えだった。あまりに異様で、〈自然〉から見出すように教えこまれたこととはまったく違っていた。彼女は打ち消そうとした。だが、こうした考えはやはりしがみついていて、頭から離れなかった。追いやられまいとしていた。幕はずしりと重々しく垂れており、まるで肌理が凝集したかのようだった。空気が通り抜けるのもやっとだった。

そのとき、幕が揺れたように思えた。どこかに動きがある。あの定かならぬおぼろげなものは、これまでずっと、目に見える木々の背後に隠れ潜んでいたが、いまやどんどん近づいてきていた。彼女は息を殺し、あたりを見つめた。じっと耳をすました。木々は、さきほどより細かいところまで目に入ったためだろうが、異なって見えた。とらえどころのない、かすかな変化が広がった。はじめはとても微妙だったので、彼女も認めようとしなかったが、着実に変わっていった。とはいえ、外見上はやはりはっきりしなかった。「彼らは震え、変貌する」頭のなかに、サンダーソンが引用した、忌まわしい一節がひらめいた。だが、その変貌は実に優美だった。もちろん、途方もなく大きな動きなので、荒々しさはあった。彼らはこちらを向いていた。それが真相だった。彼らに見られているのだ。

　こうして、その変化は、闇を探り、恐れおののく彼女の脳内に現れた。いままでは違っていた。彼女が自分の視点から木々を見ていた。いまでは、彼らが自分たちの視点から彼女を見ていた。顔と目を覗きこんでいた。全身を見つめていた。とげとげしく、怒りと敵意に満ちたまなざしで注視していた。これまで、彼女はさまざまな見方で木を眺めてきたが、うわべしか見ておらず、そこから読み取ったものは、自分の頭に浮かんだ連想でしかなかった。いま、木々が彼女から読み取っていたのは、まさしくその本性だった。ただの他者による解釈ではなかった。

　彼らは身動きもせず、音も立てなかったが、生命で満ちみちているように思えた。しかも、その生命は、彼女のまわりに、ある種の恐ろしくも柔らかな魔力を吹きかけ、魅惑した。枝分かれしながら全身に入りこみ、脳へ這いのぼった。〈森〉は、漠々たる巨大な魅力で彼女を虜にした。このひっそりとした休息所では、数世紀もの月日がそのまま残されていた。彼女はここで、木々の集合体全体の秘められた鼓動に近づいた。彼らは彼女に気がつき、無数の、果てしない視覚を向けて、この侵入者をにらんだ。無言のうちに叫んだ。彼女も見返そうとしたが、まるで群衆を見つめているようだった。視線はこちらの木からあちらへと、慌ただしく移ろうだけだった。探している木は見つからなかった。彼らはやすやすと彼女を目に収めた。一本いっぽんが、そして全体がそうだった。うしろで列をなす木々も見つめていた。だが、彼女は視線を返せなかった。夫はできるんだわ、と彼女は悟った。木々の揺るがぬまなざしに衝撃を受けた。まるで自分が裸だと知らされたような気分だった。あまりに多くを見られていた。それなのに、彼女に見えたのは——あまりにわずかだった。

　にらみ返そうという彼女の奮闘は、痛ましかった。絶え間なく移ろう動きのせいで、ますますとまどった。このすさまじく、とてつもない視線を全身に感じると、まず目を落として、地面を見た。それから、ぎゅっとつぶった。できるかぎりきつくまぶたを閉じた。

　だが、木々の視線は、閉じたまぶたの裏の内なる闇にまで入りこんできた。逃げ道などないのだ。外では、光を浴びて、モチノキの葉がてらてらときらめいている。彼女にもそれはわかっていた。オークの枯れ葉がかさかさと音を立てて、頭上でぶらさがっている。小さなネズの針葉はすべて一方向を指している。〈森〉の遍在する知覚は、彼女に焦点を合わせていた。目を閉じただけでは、そのまばらながら集中された凝視をさえぎれなかった——それは、大いなる森の、すべてを包みこむ視覚だった。

　風はなかったが、そこかしこで、乾ききった柄からぶらさがる、一枚きりの葉が激しく震えて——がさがさといっていた。これは番兵で、彼女がいるから注意するように呼びかけているのだ。そのとき、またしても、遠い過去となった数週間前のように、彼らの〈存在〉が潮として感じられた。潮目が変わっていた。子どものころの、砂浜の思い出がよみがえった。ばあやはこう言っていた。「潮が変わりましたね。なかに入らないとだめですわ」そこで目にしたのは、山のように盛りあがった水塊だった。緑色で、水平線まで累々《るいるい》と連なっている。彼女は、それがゆっくり近づいていることを悟った。その巨体は、あまりに大きいから急いだりしないし、どっしりとした意志を持っている。彼女はよくそんな風に感じた。自分のほうへ向かってくるように思った。大空のもとで、流動する海が這い進み、自分が遊んでいる、黄色い砂浜の一点へ押し寄せてくる。そんな光景を目にしたり、考えたりすると、いつも気おされて、畏怖を覚えた――まるで、ちっぽけな自分自身を目指して、海全体が進んでくるようだった。「潮が変わりましたね。なかに入ったほうがいいでしょう」

これがいま、まわりで起きていた――同じことが森でも起きていた――ゆっくりと、着実に、じわじわと進行していた。その動きは、海と同様、ほとんど目につかなかった。潮目は変わっていた。ちっぽけな人間が危険を冒して、緑なす山のような深みにわけいった結果、その潮の標的となったのだ。

こうしたすべてがはっきりしても、彼女は腰をおろして、まぶたをきつく閉じたまま待っていた。だが、次の瞬間、目を開いた。突然、さらなる理解がひらめいた。それが探し求めている存在は、やはり自分ではない。ほかのだれかだ。ようやくわかった。目がぱちりと開いたかに思えた。だが、音がしたのは、実際は彼女の外界だった。空き地には、陽光がとても穏やかに、しんしんと降り注いでいる。その向こうに、夫の姿が見えた。木々の合間を縫って――木のように歩いている。

彼は両手をうしろにまわして、顔をあげ、のんびりと歩いていた。もの思いにふけっているようだ。五十歩とは離れていなかったが、彼女がそれほど近くにいるとは夢にも思っていない。精神を集中し、感覚をすべて内に向けて、夢に出てくる人物のように、颯爽と通りすぎていった。そして、夢に出てくる人物のように、彼女は見送った。愛と、胸を焦がす思いと、哀れみが湧きあがって、彼女の内で猛り狂ったが、まるで悪夢を見ているかのように、なんの言葉も出ず、どんな動きも取れなかった。ただ座って、眺めていた。彼は行ってしまった――彼女から離れて――あたりを取り巻く、緑の木々のさらなる深みへ入っていった。彼を守りたい、立ち止まって引き返すように言いたいという想いが全身を荒々しく貫いたが、できることはなにもなかった。目の前で、彼は離れていった。自らすすんで通りすぎた。そうして見ていると、彼の足まわりに枝が落ちて、彼を隠してしまった。その姿は、木漏れ日にまぎれてぼやけていった。木々が彼を覆い隠した。潮が彼をとらえた。彼は抗いもせず、よろこんで行ってしまった。緑の柔らかな海に抱かれて、視界の外へ漂っていった。彼女の目はもはや追いかけられなかった。彼は行ってしまった。

そのとき、彼女ははじめて気がついた。距離はあったものの、彼の顔に浮かんでいるのが、ある種の安らぎと幸せの表情だとわかった——うっとりとして、よろこびに没頭しており、若々しく見えた。いまでは見せなくなった表情だ。だが、彼女は前に見たことがあった。ずっと昔、結婚して間もないころ、あの表情が彼の顔に浮かぶのを見た。いまでは、彼女がいっしょにいて、愛情を注いでも、それは現れなかった。森だけが、それを呼び出せた。その表情は木々に応えていた。〈森〉は彼のすべてを奪い去り——彼女から引き離した——心も魂も……。

彼女の目は内側に向けられて、色あせた記憶の領域に入りこんでいたが、ようやく外界に立ちもどった。あたりを見まわした。彼女の愛情は、なんの収穫もなく、不満を募らせて帰ってきた。彼女はなすすべもないまま、これまで経験したことがないほど陰惨な恐怖に襲われた。こんなことが現実に起きうるとなると、手も足も出なかった。恐怖の魔の手は、心のなかのとりわけ穏やかな一角にも伸びてきた。いままでおびえたことなどなかった部分だった。彼女は——一時的ではあったにせよ——聖書にも神にも手が届かなかった。不安のうつろな世界で、ひとり寂しく座っていた。目はあまりに乾いてほてっており、涙は出なかった。だが、氷のような冷たさもからだに感じた。目を見張った。見えないまま、あたりを見まわした。あの忌まわしい恐れが、白昼の静寂にまぎれてうろつき、不自然にぎらつく陽光が身動きもしない木々を照らすときの恐れが、あたりで蠢いていた。前にもうしろにも、それが感じられた。このひそやかな静けさの裏では、境界線のすぐ内側を、異界のものたちが動きまわっていた。だが、彼女にはそんなものなど知りようがなかった。夫は知っていた。その美しさと畏怖を知っていたが、彼女には手が届かなかった。わずかでもわかちあえなかった。あたかも、冬の真昼に、森の中心でぎらつくこの陽光の背後には、もうひとつの生命と激情の宇宙が広がっているかのようだったが、彼女の眼前には姿を見せなかった。沈黙がそれを覆い、静寂がそれを隠していた。だが、彼はそうしたすべてとともに歩み、理解していた。愛のおかげで、解き明かせたのだ。

彼女は立ちあがった。弱々しくよろめき、またしても苔の上にくずおれた。だが、自分の身を案じて恐怖したのではない。ちっぽけな一身上の不安など微塵も感じなかった。彼女の心痛や、深く胸を焦がす想いは、すべて彼に向けられていた。彼女はそれほど勇ましく彼を愛していた。このまったき滅私の瞬間、戦いに勝ち目はないと悟り、神にも見捨てられたと思ったとき、再び、神がそばにいると気がついた。この敵意をむき出した〈森〉の恐ろしい中心部で、小さな〈存在〉のように立っていた。だが、はじめはそこにいるとわからなかった。こんなに奇妙で、受け入れがたい装いをしているた。神は知らなかった。神はすぐそばに立っており、とても親身になって、優しくなだめてくれたが、理解しがたかった——神は〈諦念〉と化していたのだ。

もう一度、彼女は力をふりしぼって立ちあがった。今度はうまくいき、のろのろとした足取りで、もと来た苔だらけの草地をたどった。はじめは驚いたが、それも一瞬だけだった。簡単に小道が見つかったのだ。一瞬だけだったのは、ほとんどすぐに真相を見抜いたからだった。木々はよろこんで彼女を帰そうとしていた。帰途につけるよう手助けしていた。〈森〉が欲していたのは、彼女ではなかった。

たしかに、潮は押し寄せてきたが、目当ては彼女ではなかった。

最近は見通す力がひらめき、生命が並外れて高まっていたが、それが再び輝いて、彼女はこの恐ろしい出来事全体をすみずみまで見て取り、理解した。

いままで、考えたり言葉にしたりはしなかったものの、彼女が心配していたのは、夫の愛する森がどうにかして彼を連れ去るのではないか、ということだった――彼の生命を自分たちと融合させ――謎めいたやり方で殺すのではないか。今回は、自分の深刻なまちがいに気がついた。そして、気がついたために、いっそう激しい嫌悪にさいなまれた。彼らの嫉妬は、動物や人間のささいな嫉妬ではない。木々が彼を欲するのは愛しているからだが、死んでほしいとは思っていなかった。健やかな生命と熱意で満ちみちていてほしかった。彼には――生きていてほしかった。

彼女が自分たちの行く手を阻んだので、彼らは排除しようとした。

そのせいで、彼女はみじめな無力感に見舞われたのだ。彼女は砂浜に立って、海全体がゆっくり押し寄せてくるのと相対していた。ちょうど、ひとりの人間に宿るあらゆる力が、無意識のうちに結集し、肌の下に潜りこんで不快感を催している砂ひと粒を押し出そうとするように、サンダーソンが呼ぶところの〈森の集合意識〉の巨体全体は、望みの行く手に立ちふさがる、ちっぽけな人間を押し出そうとしていた。夫を愛するあまり、彼女はそれの肌の下に入りこんでしまったのだ。彼女こそは、木々が押し出し、追い払おうとしているものだった。木々が破滅させようとしているのは彼女であって、彼ではなかった。彼を愛し、必要としているがゆえに、生かそうとしていた。木々は、彼を生け捕りにするつもりなのだ。

彼女は何事もなく家にたどり着いたが、どうやって道筋を見つけたのかはまったく覚えていなかった。すべて彼女がやりやすいようにしてあった。枝に追い立てられたといってもいいかもしれない。だが、背後では、彼女が影に包まれた境界を出るとともに、雲衝くばかりの〈森の天使〉が、無数の葉の大群からなる燃える剣をふりおろし、門戸を閉ざしたかに思えた。葉叢はうしろで障壁をなしていた。緑色の、ほのかにきらめく、突破不可能の壁だ。彼女は、二度と〈森〉に足を踏み入れなかった。

＊　＊　＊　＊　＊

彼女はいつもの日課に取りかかった。取り乱しもせず、落ち着いており、自分でもずっと驚いていた。この世のものとは到底思えなかったのだ。彼女が夫に話しかけたのは、お茶をしに帰ってきたときで――暗くなったあとだった。あきらめることで、奇妙なほど大きな勇気が得られる場合もある――たとえば、失うものがないときだ。魂は危険を冒し、思い切った行動に出る。これは高みへの奇妙な近道になりうるのだろうか？

「デヴィッド、わたしも今朝、〈森〉に入ったのよ。あなたのすぐあとから行ったの。あそこで見かけたわ」

「すばらしかったろう？」彼はそう答えただけで、首を少し傾げた。意外そうな表情も見せず、不安そうな顔もしなかった。むしろ、ゆるやかで、穏やかな倦怠感が漂っていた。彼は本当に尋ねたわけではなかった。彼女が思い浮かべたのは、庭に生える木があまりに唐突な風の攻撃を受けて、曲がりたくないのに曲がっているところだった――控えめに抗いながら曲がっているのだ。いまでは、彼をこんな風に見ることがしょっちゅうだった。木にたとえて考えていた。

「ええ、とてもすてきだった」彼女はぼそぼそと答えた。その声は、力がないわけではなかったが、はっきりしなかった。「でも、わたしには、あまり――あまりなじめないし、大きすぎるわ」

涙のあふれそうな気配が静かな声のすぐ下に隠れていたが、表には出なかった。どうにか涙をこらえた。

少し間をおいてから、彼はつけくわえた。

「私も同感だ。毎日、ますますそんな気がしてくる」彼の声がランプのともった部屋を通り抜けるさまは、風が枝を吹き抜けてつぶやいているかのようだった。外にいたときは、若々しくて幸せそうな表情を浮かべていたが、いまはすっかり消えていた。かわりに疲れ切った顔をしていた。まるで、気がついたら、好きになれないところにいて、かすかに居心地が悪く、なんとなく困っているようだった。彼は家を嫌っていた――部屋や壁や家具のあるところにもどりたくないのだ。天井や閉め切った窓は、自由を奪ってしまう。とはいえ、彼女にいらだっているわけではなさそうだった。彼女はいてもいなくても同じらしい。それどころか、ほとんど気に留めていなかった。長きにわたって、彼女を見失っており、そこにいるのもわかっていなかった。彼女に用はなかった。彼はひとりで暮らしていた。ふたりともひとりで暮らしていた。

彼女はあからさまな証拠をつきつけられて、この酷い戦いが自分に不利だと認め、降伏条件が受諾されたと知ったのだが、その証はどれも痛ましかった。彼女は薬箱を棚にしまった。頼まれる前に、弁当をつくるよう指示した。ひとりで、早々とベッドに入った。玄関には鍵をかけず、ミルクとバターを塗ったパンをホールのランプ脇に置いておいた――こうした譲歩を迫られているように感じていた。というのも、これまでにも増して、天気が大荒れでないかぎりだが、彼は夕食のあとに出かけ、森で何時間も過ごすようになっていたのだ。だが、彼女が寝つくのは、下で玄関の扉が閉まるのを聞き、それから間もなくして、彼がそろそろと階段をのぼり、部屋にそっと入ってきたのをたしかめてからだった。規則正しい、深々とした息づかいを聞くまでは、目を覚ましたまま横になっていた。抗う力も、抗おうという気持ちも永久に消えた。相手はあまりに大きく、強かった。降伏は決定的となり、覆せぬ事実と化した。彼女の考えでは、降伏したのは、彼を追って〈森〉に入った日だった。

しかも、撤退のときが――彼女自身が撤退するときが――迫っているように思えた。気づかない間に近づいていた。確実に、じわじわと、恐れていた上げ潮のように迫っていた。彼女は高潮線のところに立っていて、冷静に待っていた――押し流されるのを待っていた。芝生の向こうでは、この初冬の恐ろしい日々の間、あたりを取り巻く〈森〉が迫りくる潮を眺め、静かなうねりと海流を彼女の足元に導いていた。ただ、彼女は、決して聖書を手放さなかったし、祈るのもやめなかった。しかも、こうしてすっかりあきらめたことで、どういうわけか、不思議な大いなる理解が得られた。夫が自身以外の力に身をゆだねているのはおぞましく、共感できなかったが、たとえそうだとしても、彼女にはできることがあったし、実際にやってのけた。手探りするようにして、とらえどころのない真意を見抜こうとしたのだ。事情がわかれば、彼が身を任せたことも――受け入れられるかもしれない。いや、ただ受け入れるだけにはとどまらない――尋常ならざる視点でみれば、邪悪ではないかもしれないのだ。

これまでは、彼方の世界をきっちりふたつにわけていた――善の霊と悪の霊だ。だが、いまではさまざまな考えが浮かんだ。柔らかく、ためらいがちな足取りで、まるで神々が羊毛の上を歩んでいるかのようにやってきた。こうしてはっきりわけられる存在以外にも、ほかの〈力〉があるのではないか。それらは、どちらにも属していないのではないか。思考はそこで止まってしまった。だが、この壮大な考えは、彼女の小さな頭に住み着いた。彼女の心が広かったおかげで、追い出されなかったのだ。この考えは、ある種のなぐさめにもなった。

神は手を差し伸べたり、助けたりできなかった――そうしようとしなかった、という言い方を彼女は好んでいた――わけだが、これについても、いくぶんか理解できるようになった。というのも、気がついたら、ますますありえそうに思えてきたのだが、ここで活動しているのは、おそらく、まったき邪悪ではないのだ。そのなにかは、ふつうは人類と距離を取っている。異質で、広くは知られていないものだった。両者の間には溝があった。サンダーソン氏がそこに橋をかけてしまったのだ。その原因となったのが、彼の話や、説明や、考え方だった。これらを通じて、彼女の夫はわけいる道を見つけた。彼の気質や、生まれついての森への情熱のおかげで、魂は準備ができていた。だから、道を目にするやいなや、それを使った――いちばん楽な方法だったからだ。人生は、もちろん、だれに対しても開かれており、夫には自由に選ぶ権利があった。彼が選んだのは――彼女から離れ、ほかの人間から離れることだったが、必ずしも神から離れるわけではない。このようにかなり譲歩して、彼女は問題を避け、正視しようとしなかった。あまりに斬新なので、正視できなかった。だが、そうしてみてはどうかという考えが、途方に暮れた頭にちらりと現れた。進行を遅らせることができるかもしれない。はたまた促進してしまうかもしれない。知りようがないではないか？　それに、神は、あらゆる物事を微に入り細を穿って統べ、太陽の行く道から、地に落ちる燕まで律するのだから、夫が自分で選んだことに口出ししたり、彼を引きとめたりするはずがないではないか？

彼女は、いってみれば、別の面であきらめの境地に達した。安らぎは得られなかったが、なぐさめにはなった。神から軽んじられてもめげなかった。おそらく、いまのままで満足すべきなのだ。少なくとも、神は――知っているのだから。

「木に囲まれていても、ひとりぼっちじゃないのよね？」彼女は、ある夜、思い切って訊いてみた。彼がつま先立ちで部屋に入ってきたときで、間もなく真夜中というころあいだった。「神さまがいっしょですものね？」

「実にすばらしいことだよ」すぐさま答えが返ってきた。熱がこもった口調だ。「神さまはあらゆるところにいらっしゃるからね。きみにもぜひ――」

だが、彼女は寝具で耳をふさいでしまった。彼の口から出てきた誘いの言葉は、聞くに堪えなかった。処刑の場へせかされているように思えた。彼女は敷布と毛布で顔を覆った。全身が震えていて、まるで木の葉のようだった。

IX

こうして、自分はいなくなったほうがいいという考えが彼女の頭に残り、大きくなっていった。おそらく、精神衰弱の最初の兆候であり、その先に待っているのは、世にも奇妙なやり方で追い出される未来だった。というのも、彼女が精神面で抗っているのを木々は感じており、邪魔だと思っていたからだ。それに打ち勝ち、抑えこんでしまえば、肉体が生きていても問題ではない。彼女は無害になる。

彼女が敗北を受け入れたのは、彼の取りつかれたような熱意が、実際は邪悪ではないと思うようになったからだが、それと同時に、残酷なほど孤独な境遇も受け入れていた。いまの夫は月よりも遠くにいた。泊まりに来る者はいなかった。訪問客はごくまれで、招くことも減った。冬のうつろな暗闇が目の前に広がっていた。近所に住む者で、夫を裏切らずに秘密を打ち明けられる人物は、ひとりもいなかった。モーティマー氏は、独身だったら、彼女に手を差し伸べて、精神を餌食にした孤独の砂漠から救い出してくれたかもしれないが、その妻が障害となった。モーティマー夫人は、サンダルを履き、木の実こそは人間にとって完璧な食べ物だと信じていたのだ。ほかにもいろいろと突飛な考えを持っていたので、「終末のしるし」を持つものとみなさざるをえなかった。ビタシー夫人が、危険だから恐れるようにと教えこまれた類の人間だ。彼女は頼る者もなく、ひとりぼっちだった。

孤独になると、精神は己の生み出した妄想をいくらでも増幅してしまう。つまり、ひとりきりにされたせいで、彼女の精神はだんだんと蝕まれ、崩壊していったのだ。

いよいよ本格的に寒くなってくると、夫は宵の散策をやめた。夜は暖炉のそばでいっしょに過ごした。彼は〈タイムズ〉紙を読んだ。ふたりは、来春に延期した海外旅行についても話した。彼は習慣を変えても、そわそわしたりしなかった。満ち足りて、くつろいでいるように見えた。木や森についてはほとんど話さなかった。転地したとしても、これほど健康にはなれなかっただろう。彼女に対しても優しく、親切で、ささいなことまで気づかってくれた。まるで、はじめて新婚旅行に出た、遠い昔の日々がもどってきたかのようだった。

だが、落ち着き払った態度も、彼女の目は欺《あざむ》けなかった。その様子からすると、彼女がすっかり見抜いていた通り、自分のことは大丈夫だと思っているのだ。彼女や木々のことも大丈夫だと思っている。すべては、彼の奥深くに埋もれているからだ。あまりにもしっかりと、深くに埋もれており、彼の核をなす存在と絡みあっていたから、動揺が外に表れて、内部の不調和をさらすようなことはなかった。彼の生命は木々とともに隠れてしまった。熱病が冬の湿った寒気でぶり返すのではないかと心配されていたが、そんなこともなかった。いまではなぜかもわかっていた。発熱していたのは、木々が彼を手に入れようとし、彼がそれに応えて出ていこうとしていたからだった――激しい不満がからだに現れていたのだ。彼がその不満をはじめて理解したのは、サンダーソンがやってきて、邪《よこしま》な理屈をふりまわしたときだった。いまでは事情が違っていた。橋がかけられた。そして——彼は行ってしまった。

彼女は勇ましく、誠実な人物で、揺るぎない信念を持っていたから、自分がひとりぼっちだと気がついてもなお、彼が出ていきやすいように努めた。頭のなかに巨大な山峡がひらけていて、その谷底にいるような気分だった。両脇にそびえているのは、岩壁ではなく、途方もない巨木で、空へ伸びあがり、彼女を飲みこもうとしていた。神だけは、彼女がそこにいると知っていた。神は眺め、なにも手を下さず、黙認さえしているようだった。とにかく——神は知っていた。

その上、家で静かな宵を過ごし、暖炉のそばに座って、風が家のまわりをさまよっているのに耳を傾けていても、夫は常に別世界とつながっているのを自覚していた。それは、異質な愛ゆえに授かった世界だった。片時たりと切り離されはしなかった。彼女は、夫の顔とひざを隠している新聞をじっと見つめた。両切り葉巻の煙が、新聞紙の端から渦を巻いて立ちのぼるのを目にした。夜用の靴下に小さな穴が開いているのに気がついた。彼が昔のように文章を読みあげるのを聞いた。だが、これはすべて、彼が自分のまわりに広げた帳《とばり》に過ぎなかった。そのうしろに——逃げこんでいた。手品師が奇術でやるように、ささいなことに目を向けさせて、重要なことを気づかれずに進めるのだ。彼は見事にやってのけた。彼女は夫を愛おしく思った。骨を折って自分の苦悩を和らげようとしてくれたからだ。だが、頭の片隅では、目の前で肘掛け椅子にぐったり座っている肉体には、真の自己のかけらしか入っていないとわかっていた。死体も同然だった。抜け殻だった。彼の本質をなす魂は、彼方で〈森〉とともにあった——ずっと奥の、絶えずうなりをあげている中心近くで。

しかも、暗くなると、〈森〉はずかずかと近づいてきて、壁や窓にへばりついた。なかを覗きこみ、ふたりを眺め、スレートふきの屋根と煙突の上で手を組んだ。風たちはいつも、芝生や砂利敷きの小道を歩いていた。足音が近づいては遠のき、また近づいた。いつもだれかが森で話しているように思えた。屋内にもだれかがいた。彼女はそうしたものたちと階段ですれ違った。夕闇が訪れると、それらは柔らかなくぐもった音を立てて、走っていた。とても大きくて、穏やかなものたちが、通路や廊下にいた。まるで、〈昼〉のかけらがはがれ落ち、暗がりにとらわれて、外へ出ようともがいているかのようだった。彼らは、家のまわりを音もなくうろついた。彼女がいなくなるのを待ってから、飛びかかるつもりなのだ。夫はずっとわかっていた。彼女も一度ならず目撃していたのだが、彼はそうしたものたちをわざと避けていた――彼女がその場にいたからだ。一度ならず目にしていた光景はほかにもあった。彼は、妻が近くにいないと思っているときに、立ったまま耳をすましていた。すると、彼女自身の耳に、大股の弾むような足取りが聞こえてきた。彼らが、沈黙した庭を闊歩して、近づいてきたのだ。彼にはもっと前から聞こえていた。夜に風が吹き荒れる、はるか彼方から聞こえたのだ。彼女にはぴんときた。彼らが走り抜けているのは、あの苔むした草地だ。この間、外へ出るときに通ったところだ。草地が足音を吸いこんでいた。ちょうど、彼女の足音を吸いこんだのと同じだった。

彼女の受けた印象だが、木々は屋内にも入ってきて、彼といつもいっしょにいるようだった。寝室にも入ってきた。彼は木々を歓迎し、彼女が気づいているとも知らずに、からだを震わせた。

ある夜、寝室で、彼女は不意を打たれた。深い眠りから覚めると、それがのしかかってきた。体勢を整えて、心を落ち着けるひまさえなかった。

その日は大荒れだったが、風はもうやんでいた。切れ端がはためきながら、夜空をわたっているだけだった。満月の光が枝の合間からふりそそいでいる。頭上では、ちぎれて残骸となった雲がいまも駆けていて、怪物が走っているように見える。だが、その下の地上は静かだ。身動きもせずに、滴をしたたらせているのは、木の大群だった。幹は湿っててらてらしており、月の光が差すときらめいた。土と落ち葉の強いにおいが濃厚に立ちこめている。空気は新鮮で――においが満ちている。

彼女がこうしたすべてを知ったのは、目を覚ましたのと同時だった。というのも、どこか別の場所にいたような気がしたのだ――夫を追って――外に出ていたかのようだった！　夢など見なかった。はっきりとした、頭から離れぬ確信があるだけだった。それは沈みこみ、姿を消し、夜にまぎれた。彼女はからだを起こした。もどってきたのだ。

部屋はおぼろげに輝いている。反射した月光が窓から入ってきている。日よけをあげてあるからだ。夫の姿がそばに見えた。深く眠っていて、身動きもしない。だが、彼女を不意打ちしたのは、忌まわしい事実だった。だしぬけに、思いがけず目を覚ましたせいで、部屋にいる、自分たち以外のものたちをびくりとさせたのだ。それらはベッドのすぐそばにいた。眠っている彼を取り巻き、ひしめいていた。恐ろしいほどずうずうしく――彼女など眼中にないかのようで――彼女は戦慄のあまり悲鳴をあげた。心を落ち着かせて、こらえるひまもなかった。なにをしているのか悟る間もなく叫んでいた――長く、甲高い恐怖の絶叫が部屋を満たしたが、実際にはほとんど音はしなかった。湿り気を帯びて、きらめくものたちが、ベッドを取り囲んでいたからだ。その輪郭が天井の下に見えた。緑の巨体が広がっている。ぼんやりと伸び広がり、壁や家具を覆っている。あちらからこちらへと身動きしている。群れているが、透き通っている。控えめだが、生い茂っている。内部で蠢いたり、よじれたりして、さらさらという無数の柔らかな音を静かに立てている。その音には、とても甘やかで、心を引きつける響きがあった。それがからだにしみこんでいくうちに、彼女は忌まわしい魅力にとらわれた。彼らはとても穏やかだった。各々《おのおの》は穏やかだったが、寄り集まるとすさまじかった。彼女は寒気を感じた。からだを包む敷布は氷と化した。

彼女は再び悲鳴をあげたが、声は喉からほとんど出なかった。魔力がますます深く浸透し、心に触れた。その力は全身の血流をゆるめた。生命力を奪い――彼らのほうへ流出させた。その瞬間、抗うのは不可能に思えた。

すると、眠っていた夫がもぞもぞ動いて、目を覚ました。途端に、定かならぬものたちは縮まり、身を起こし、集まった。驚くべき光景だった。嵩《かさ》が減って――虚空に散っていった。まるで、光が影に飲みこまれるときのようだった。凄絶でありながら、この上なく美しかった。淡い緑の影は薄く広がっていたが、まだかたちと実体を保っていて、部屋を満たしていた。音もなく駆け抜ける気配がして、その〈存在〉は彼女のそばをすり抜け――いなくなった。

だが、なによりも鮮明に見えたのは、彼らが出ていくときの様子だった。というのも、てっぺんを開けた窓から慌ただしく逃げるところには、見覚えがあったのだ。やはり大きく「ぐるぐると輪を描いて」おり――螺旋のように見えた――数週間前、サンダーソンが話していたとき、芝生の上に目撃したものと同じだった。部屋はまたからっぽになった。

そのあとでぐったりしていると、夫の声が聞こえてきた。ずっと遠くから聞こえるような気がした。

自分の答えも耳に入った。両方とも奇妙で、いつもの話しぶりとは似ても似つかなかった。言葉づかいもぎこちなかった。

「いったいなんだ？　どうしていま起こした？」彼の声はため息をつくようにささやいた。風が松の大枝を吹き抜けるときのようだった。

「ついさっき、なにかが空中を通り抜けていったのよ。外の夜闇にもどっていったわ」彼女の声にも同じような響きがあり、あまりに多すぎる木の葉に風が絡みついているようだった。

「風だよ」

「でも、あれは呼びかけていたわ、デヴィッド。あなたを呼んでいたのよ――それも名前で！」

「枝がざわざわしているのを聞いたんだよ。さあ、寝よう。後生だから寝ておくれ」

「全身にびっしりと目がついていたよ――前にもうしろにも――」彼女は声を高めた。だが、それに応える彼の声はどんどん低くなって遠ざかった。妙にひそやかな声だった。

「月の光だよ。雨を浴びた、たくさんの葉や大枝に月光が当たっていたんだ。きみはそれを見ただけさ」

「でも、ぞっとしたわ。わたしには、もう神さまもいない――あなたもいない――寒くて死んでしまいそう」

「寒いのは夜中だからだよ。全世界が眠っている。だから、きみも寝るんだ」

彼はすぐ耳元でささやいた。彼女は手をさすられるのを感じた。彼の声は柔らかで、なだめるような響きがあった。だが、彼のほんの一部しか、そこにはいなかった。ほんの一部しかしゃべっていなかった。からっぽになりかけた肉体がそばに横たわっていて、こうした不思議な話をしたり、彼女に奇抜な言葉を使わせたりしていた。木々が持つ、忌まわしく、おぼろげな魔力が部屋に立ちこめ、ふたりにまとわりついた――ねじくれて年古りた、冬の孤独な木々が、愛する人間の生活の場を取り囲み、ささやいていた。

「頼むから寝かせておくれ」彼がつぶやくのが聞こえた。彼は敷布の間にからだを落ち着けた。「また眠りに落ちて、あの深く、心地よい安らぎにもどりたいんだ。さっきはきみに呼び出されてしまったから……」

夢見ごこちの、幸せそうな口調だった。しかも、若々しくて楽しそうな表情が、すき間越しに差す月光でも、彼の顔にはっきりと見て取れたので、彼女はまたしても心を揺さぶられ、きらきらと輝く、淡い緑の存在たちのまじないにとらわれたようになった。その呪縛は彼女の奥へ沈みこんでいった。眠気が手探りで近づいてくるのを感じた。まどろみの瀬戸際で、不思議なさまよう声がした。意識を失ったせいで解き放たれ、心のうちでかすかな叫びをあげた――

「〈森〉には大いなるよろこびがある。もし、ひとりの罪人が――*」

そこで眠りにとらえられてしまったので、自分がいちばん大切にしている文章を下劣にもじったことには気がつかなかった。胸がむかつくほど不敬なことにも気がつかなかった……。

〈森〉には大いなるよろこびがある……　『新約聖書』ルカによる福音書に類似の文章があるが（第十五章第七節）、そちらは「森」ではなく「天」となっている（訳者）。

あっという間に眠りについたが、いつもとは異なり、夢を見ずには済まなかった。森や木々は夢に出てこなかったが、短くて不可解な夢が何度もやってきた。海にある、小さなむき出しの岩に立っていると、潮があがってくるのだ。水は最初に足を濡らした。それから膝を、さらには腰を浸した。夢がもどってくるたびに、潮位はあがっているようだった。一度は首まで来て、今度は口まであがった。束の間、唇をふさがれて、息ができなくなった。夢の合間でも目は覚めなかった。間にあるのは、単調で夢のないまどろみだった。だが、ついには、水が目や顔の上まで来て、頭をすっかり覆った。

そこで、意味が明らかになった――もっとも、夢ならではの意味だった。彼女は理解した。というのも、水面下で、海藻の世界を目にしたのだ。海底から伸びあがるさまは、深緑の森のようだった――長くてしなやかな茎や、ものすごく密集した枝や、無数の触手が、仄暗い水の深みで、海の葉叢の力をふりまいていた。植物界は海にも広がっていた。いたるところにいた。土も空気も水も味方をしていた。逃げ道はどこにもなかった。

海のなかでも、あの恐ろしいうなりが聞こえた――あれは波なのか、風なのか、それとも声なのか?――ずっと遠くだが、着実に近づいてきていた。

こうして、イングランドの単調な冬の孤独に浸されて、ビタシー夫人の精神は、自らを蝕み、絶え間なく恐れを膨らませ、均衡を失っていった。荒涼とした日々が何週間もつづいた。陰鬱な空には太陽も覗かず、まとわりつく湿気には、健全で冴えざえとした霜の気配もない。ひたすら考えごとをするしかなく、夫も神も遠ざかってしまったので、彼女は春までの日数をかぞえた。道を手探りして、長く暗いトンネルをつまずきながら進んでいった。彼方には出口のアーチがあり、その向こうには、光輝く景色が広がっていた。濃紺の海がフランスの海岸できらめいていた。そこに行けば安全で、ふたりとも逃げおおせるのだ。彼女はとにかく持ちこたえればよい。背後では、木々がもう一方の入口をふさいでいた。彼女は決してふりかえらなかった。

彼女は萎えていった。生命力が失われていった。引きずり出されて消えてしまい、なにかに着々と吸いこまれているかのようだった。自分の活力が抜き取られる感覚は強烈で、やむことがなかった。蛇口はすべて開いていた。彼女の人格は、いってみれば、どんどん流れ出していた。外へ誘導されていた。黒幕はこの〈力〉であり、飽くことを知らず、尽きることもないようだった。それは彼女をわがものとした。満月が潮をわがものとするのと同じだった。彼女は衰え、弱り、服従した。

はじめのうちはその過程を眺めていて、なにが起きているのかもしっかり把握していた。物質面での生活や、その豊かさに左右される精神のつり合いは、ゆっくりと崩れていった。彼女にもはっきり見て取れた。魂だけは、星のように超然として、なににも関わらず、どこかで安らかに鎮座していた――遠ざかってしまった神とともにあった。それはわかっていた――穏やかに受け止めていた。魂の愛は彼女と夫を結びつけており、どんな攻撃からも守られている。あとになって、神の都合がよくなれば、その愛ゆえに、ふたりはまたひとつになれる。だが、その間に、彼女のうちで地上とつながりのあるものはすべて、じわじわと消えていった。この分離は情け容赦なく進行していた。木々に触れられる部分はすべて、着実に抜き取られていった。彼女は――排除されかけていた。

ところが、しばらくすると、理解力さえなくなってしまい、もはや「その過程を眺める」こともできず、なにが起きているのかもわからなくなった。彼女が知っていた唯一の充足感――彼のために苦しむのはよろこばしいという感覚――も同時に消えた。彼女とともにあるのは、木々の恐怖だけだった……あたりに広がっているのは、破壊されて崩れ去った、精神の廃墟だった。

彼女はよく眠れなかった。朝になって起きると、目は熱を帯びてくたびれていた。頭は鈍く痛んだ。考えが混乱して、日常生活の筋道を見失った。この上なく弱々しいありさまだった。それと同時に見失ったのが、トンネルの出口で輝いていた光景だった。だんだんと薄れていって、おぼろげな光の小さな半円と化した。濃紺の海と陽光は、ただの白い点だった。星のように遠く、手が届かなかった。そのとき、彼女は悟った。どうやってもあそこには行けないのだ。背後に伸びる暗闇から、木々の力が迫ってきて、彼女をとらえた。足や腕に巻きつき、からだを這いのぼって唇に触れた。彼女は夜中に目を覚ました。気がつくと、息ができなかった。まるで、湿った木の葉が口に押し当てられ、柔らかな緑の蔓が首に巻きついているかのようだった。足は重く、あたかも、深くて厚い土壌に根をおろしているかのようだった。ものすごく大きな匍匐植物が、あの暗いトンネル全体に広がっていた。彼女のからだをまさぐって、しがみつける箇所を探していた。ちょうど、蔦や、植物界の巨大な寄生植物が木々に住みつき、生命を吸いあげて、殺すようなものだった。

ゆっくりと、確実に、病魔は彼女の生命を乗っ取り、自由を奪った。彼女は風にも怯えた。それらは冬の森を走りまわっていた。森と結託していた。いたるところで森を手助けしていた。

「どうして寝ないんだね」いまでは夫が看護する役を担っていた。彼女のこまごまとした頼みを聞き、真摯に面倒を見た。少なくとも、うわべは愛情深い奉仕に見えた。彼は自分が引き起こした激しい戦いなど意識していなかった。「どうして眠らずにそわそわしているんだね」

「風のせいよ」彼女は暗闇でささやいた。何時間も横になったまま、日よけもない窓の向こうで、木々の枝が揺れ騒ぐのを眺めていた。「今夜は風があちこちで歩きまわったり、しゃべったりしているから、眠れないの。それに、いつだってあなたに大声で呼びかけているわ」

すると、彼がささやき声で奇妙な答えを言ったので、彼女は一瞬ぎょっとした。その意味がぼやけていくと、頭のなかは影に閉ざされ、ぼうっとした。いまでは、ほとんどいつもそんなありさまだった。

「夜になると、木々は風を巻き起すんだ。風は大いなる早足の伝令だよ。彼らに従いなさい――逆らってはいけないよ。そうすれば、また眠れるようになる」

「嵐がはじまってるわ」彼女はしゃべり出したが、自分がなにを言ったのかよくわかっていなかった。

「それならなおさらだ――彼らに従いなさい。立ち向かってはいけない。彼らは木々のところへ連れていってくれる。それだけさ」

立ち向かう！　その言葉がきっかけとなり、かつて支えとしていた文章がひらめいた。

「悪魔に立ち向かいなさい。そうすれば、彼はあなたがたから逃げていくだろう*」自分が小声で答えるのが聞こえた。同時に、彼女は敷布の下に顔を埋め、狂乱したように、とめどなく涙を流した。

だが、夫は胸を痛めた様子も見せなかった。おそらく聞こえなかったのだろう。というのも、ちょ

***悪魔に立ち向かいなさい……**『新約聖書』ヤコブの手紙　第四章第七節より。

うど風が窓にぶつかって、怒声を響かせ、ずっと奥の〈森〉のうなりがその打撃につづき、部屋になだれこんだからだ。おそらく、彼はすでに眠っていたのだろう。彼女はどんよりとした落ち着きを少しずつ取りもどした。もつれあう敷布や毛布から顔を覗かせた。いや増す恐怖に襲われながら——耳をすました。嵐がはじまっている。嵐が訪れて、だしぬけに、勢いよく突風が吹き、彼女は眠れなくなった。

震えているかに思える世界にひとり取り残されて、彼女は横たわったまま、耳をすました。あの嵐は絶頂の到来を告げているように思えた。〈森〉は、風たちに向けて勝鬨をあげた。風たちはそれを〈夜〉に布告した。全世界が彼女の完全なる敗北を知った。彼女の喪失感を、ちっぽけなひとの身の苦痛を知った。この凱歌と勝利の雄たけびに、彼女は耳を傾けた。

というのも、たしかに、木々は暗闇で叫んでいたからだ。ほかにも、大きな帆がはためくような音もしていた。それも千枚の帆が一度にはためいていた。ときどき鋭い音もしていて、ばかでかい太鼓が遠くでどろどろ鳴っているとしか思えなかった。木々は立ちあがっていた——あたりを包囲する大群が総立ちになっていた——無数の枝で喝采を送り、夜闇に伝言を響きわたらせた。あたかも、全員が解き放たれたかのようだった。彼らの根は、野原や垣根や屋根をなぎ払った。葉を茂らせた頭を雲の下で揺らした。荒々しい歓喜のうちに、堂々たる大枝を震わせた。幹をまっすぐ立て、空へ飛びあがった。天変地異や大変動を思わせる、すさまじい音を立てた。彼らの叫びは、まるで海鳴りだった。門を破り、世界に押し寄せようとしていた……。

その間もずっと、夫は安らかに眠っていた。まるで耳に入っていないようだった。それは、彼女もよくわかっていた通り、死にかけている者の眠りだった。彼は外にいて、あのどよめく騒乱とともにあるからだ。彼女が失った彼の一部は、そこにいる。そばでとても穏やかに眠っている人影は抜け殻にすぎず、ほとんどうつろなのだ……。

ようやく、冬の曙が姿を現しはじめ、遠ざかってゆく大嵐につづいて、淡くにじんだ陽光が差したとき、まっさきに彼女の目に入ったものがあった。窓に恐るおそる近づいて外を覗くと、満身創痍のレバノンスギが芝生に横たわっていた。痩せこけ、深手を負った幹だけになっていた。これまでは立派な大枝が一本だけ残っていたが、それも黒ずんで芝地に転がっていた。端が〈森〉のほうを向いているのは、すさまじい風に巻きこまれたのだろう。そこに横たわるさまは、まるで難破船のなれの果ての、巨大な流木だった。大潮に運ばれて、砂浜に打ちあげられたようだった——残骸となる前は、親しみのもてる、すばらしい船舶であり、人間を危険から守っていたのだ。

遠くから聞こえてきたのは、ずっと奥で〈森〉がうなっている音だった。そこには夫の声もあった。

ホルムスリーにて*

ホルムスリーにて　イングランド南部ハンプシャーに位置しており、ニュー・フォレスト内にある。かつてはホルムスリー・ロッジという田舎家があり、本作の執筆はそこではじまった（訳者）。

顔

E・F・ベンスン

圷香織 訳

The Face

E. F. Benson

その六月の暑い午後、ヘスター・ワードは開け放たれた窓辺に腰を下ろし、朝から胸につきまとっていた嫌な予感と気鬱について、真剣に自分と対話をはじめた。思慮深い彼女らしく、いまの恵まれた人生を彩っている幸せをひとつひとつ数え上げながら。若さ、飛び抜けた美貌、何不自由ない生活、素晴らしく健康な体。そしてなにより、魅力的な夫と、可愛いふたりの子ども。彼女を包み込んでいる繁栄の輪にはどこにも欠けたところがなく、たとえばいまこの瞬間に、どこかの慈悲深い妖精から願い事の叶う魔法の帽子を渡されたとしても、ヘスターはその申し出にふさわしい願いなど思いつけないまま、帽子をかぶることをためらってしまうだろう。それに彼女としては、恵まれた境遇に対する感謝の念が足りないといって自分を責めることもできなかった。なにしろ大いに感謝し、大いに享受したうえで、自分の幸せに惜しみなく貢献してくれている人々と、そのすべてを分かち合いたいと心の底から思っていたのだから。

彼女はこういったことを、胸のなかでひとつひとつ慎重に確認していった。なにしろ本当に気がかりで、じつは自分で認めている以上に不安だったからこそ、悲劇が近づいているという不吉な予感のもとになっている具体的な原因を見つけたくてたまらなかったのだ。天気のせいかもしれないとも思った。先週のロンドンは息苦しいほどの暑さだったもの、と。けれどそれが原因なのだとしたら、どうしてこれまでは平気だったのだろう？　ひょっとすると、うだるような蒸し暑さの続いた影響が一気に出てきたのかもしれない。それもひとつの考え方ではあったものの、正直なところ、説得力はあまりなかった。なにしろ彼女は暑さに強い。暑さを大の苦手にしているディックから、こんなぼくが火の精《サラマンダー》と恋に落ちるんだから不思議なこともあったもんさ、と言われるほどに。

ヘスターは低い窓腰掛けの上で尻をずらし、背筋を伸ばした。ようやく勇気を出す気になったのだ。本当はその朝、目を覚ました瞬間から、胸に重たくのしかかっているものの正体には気づいていた。そしていま、気鬱の原因をどこかに見出そうとして完全に失敗すると、今度はしっかり向き合うことにした。だが、そうするのが恥ずかしくもあった。なにしろ自分を捉えている重たい恐怖のもとというのが、ほんとうに取るに足らない、なんとも異様で、どこまでもばかげたものであったから。

「そうよ、こんなにばかばかしいことってないわ」彼女は独りごちた。「正面から向き合って、どんなに愚かであるか自分に納得させてしまいなさい」彼女は両手を握り締めながら、一瞬ためらった。

「さあ、やるのよ」

昨夜、夢を見たのだ。もう何年も前、子どものころに繰り返し見た夢を。その夢自体はどうということもない。だが当時、彼女が昨夜見た夢を見たときには、次の夜に必ず決まった夢が続いた。その夢こそが恐怖の原因であり核であり、彼女は常に悪夢に飲み込まれて、叫び、もだえながら目を覚ますのだった。もうかれこれ十年ほど見ていなかったし、忘れてこそいなかったものの、記憶は薄らいで遠いものになっていた。ところが昨晩、その警告夢を見てしまったのだ。かつて、悪夢の先触れだったあの夢を。そしていま思い返してみると、明るく美しいものだけで埋め尽くされていたはずの記憶の倉にも、あの夢ほどに生々しいものは見つからなかった。

警告夢は翌晩に向けての幕開けであり、彼女が恐れている光景を見せはするものの、それ自体はどうということのない無害な夢だ。彼女がいるのは、どうやらそそり立つ砂岩の崖の上らしく、あたりは倒れた短い草に覆われている。左に二十ヤードほど離れたところに斜面があって、険しい崖が海へと落ちている。歩いている道は、低い生垣で囲われた野原を通っており、緩やかな上りになっている。生垣についた木の踏み越し段を使って野原を六つほど通り過ぎるのだが、羊が草を食《は》んでいるだけで、人の気配はまったくない。あたりは常に黄昏時《たそがれどき》で、いまにも宵闇が降りてきそうななかを彼女は急ぐ。というのも誰かが（誰だかはわからないものの）彼女を待っているのだ。しかも数分の話ではなく、もう何年も。傾斜を上っていくと、やがて、発育不良の木々の林が見えてくる。木は、海から絶え間なく吹きつける風の影響でどれも曲がっている。それを見て、彼女は目的地が近いことを知る。名前さえ知らない、彼女を長いこと待ち続けている誰かが、近くにいることを感じながら。歩いてきた道は林へと続き、海側に生えている木々の枝が屋根のように道を覆っていて、まるでトンネルのなかを歩いているかのようだ。まもなく前方の木々がまばらになったかと思うと、その向こうに、寂しげな教会の灰色の塔が見えてくる。そこは長いこと打ち捨てられた墓地で、塔と崖のきわのなかほどに立っている教会そのものも、朽ち果て、屋根はなく、ガラスのない窓の周りは蔦でびっしりと覆われている。

序章の夢は、必ずここで終わる。黄昏の雰囲気と、自分を長いあいだ待ち続けている男の存在によって、すでに不安な落ち着かない夢ではある。だが決して悪夢ではない。それでも子どものころに繰り返し見たものだから、おそらくはその次に必ず続く夜のことを無意識に知覚し、それが心をかき乱すのだ。そして大人になった彼女は、昨晩、またその夢を見た。何もかもが同じだったが、一点だけ違うところがあった。最後に見たときからの十年の年月を感じさせるかのように、教会とその墓地の様子が変わっていたのだ。崖のきわが、塔からほんの一、二ヤードにまで近づいており、教会の廃墟については、崩れかけたアーチ状の開口部が残っているだけで消え失せていた。海が十年のあいだに着々と崖を浸食し、迫っていたのだ。

ヘスターにはわかっていた。自分の一日を暗くしているのは、ほかでもない、悪夢を約束する夢を見たせいなのだと。そして分別のある女らしく、いったんこの事実と向き合うと、夢の連続性を意識することを頭のなかで拒んだ。考えてしまえば、おそらくは考えたことによって、見てしまう可能性が高まるばかりだと思ったのだ。そしてこれだけははっきりしていたが、なんとしてもあの夢を見たくはなかった。ごたごたと混乱した普通の悪夢ではない。非常にあっさりした夢で、確か、彼女を待っている、名前も知らない誰かと関係があるのだけれど——いや、そのことを考えてはいけない。彼女は意思の全てを振り絞って、なんとか考えまいとした。その決意を支えるかのように玄関の鍵を開ける音がしたかと思うと、彼女を呼ぶディックの声が聞こえてきた。

彼女は小さな正方形の玄関ホールに向かった。そこには大柄でたくましく、ありがたいまでに現実的なディックの姿があった。

「この暑さときたらあんまりじゃないか。ひどいもんだ、うんざりするよ」ディックは顔をしきりにぬぐいながら叫んだ。「なんの因果があって、こんなフライパンで焼かれるような目にあうんだろう？　でも神様の裏をかいてやろうよ、ヘスター！　この地獄から車で抜け出して――神様に聞かれるとマズいから小声で言うけど――ハンプトン・コート*でディナーといかないか！」

彼女は笑った。いまの彼女にぴったりの計画だった。場所が変われば気も晴れるだろうし、うっとりするような美味を楽しんでから帰ってくるころにはすっかり遅くなっているはずだ。

「大賛成よ」彼女は言った。「それに、神様だって聞いてやしないわ。さあ、すぐに出発しましょう！」

「いいね。僕に手紙は来ているかな？」

ディックがテーブルに近づくと、そこには半ペニー切手の貼られた、あまり面白くもなさそうな封筒が何通か置かれていた。

「ああ、領収書か」ディックが言った。「こうしてわざわざ愚かしい散財を思い出させてくれるってわけだ。それから案内状――助言を頼んでもいないのに、ドイツマルクへの投資を勧めてきたぞ――しかもこんなふうにはじまっている。『親愛なる紳士または淑女へ』。性別もわからない相手に投資を頼んでくるなんて、まったく厚かましい話じゃないか――ウォルトン・ギャラリーで肖像画の内覧会があるってさ――行けないな。一日中会議が入っているし。だが、きみは行ってみてもいいかもしれないぞ、ヘスター。あそこの画廊は、素晴らしいヴァン・ダイク*を何点か持っているらしいから。これで全部だ。さあ、出かけよう」

ヘスターはその夜を過ごすうちにすっかり元気づけられていた。一日中意識にこびりついていたあの夢のことを、ディックに話してしまおうかとも思った。きっと、ばかなことで悩むなよと、明るい声で笑い飛ばしてくれるだろう。だがやめにした。どんな言葉もかなわないほど、ディックの持つゆるぎない安定感が、彼女の奇妙な恐怖を吹き飛ばしてくれていたから。それに打ち明けるとなると、夢のもたらす嫌な思いについても触れなければならないし、それが昔よく見た夢であることや、続く悪夢についても話すしかないだろう。彼女は話題にするどころか、考えるのもやめにしようと思った。ディックの素晴らしい健全さで自分を満たし、彼の愛情に包まれているほうがよっぽどいいと――。ふたりは川沿いのレストランのテラス席で食事をしてから散歩を楽しみ、帰宅するころにはもう深夜が近かった。ディックがガレージに車をしまいにいくなか、ヘスターはひんやりしたすがすがしい空気と、心強い夫の存在に安らぎを覚えながら家に入った。一日中あんなに鬱々としていたのが、いまでは嘘のように、なんだか遠い昔のことに思える。まるで海で難破する夢を見たあとに、嵐も荒波も存在しない、雨風から守られた安全な庭で目を覚ましたかのようだった。それでいて、どこか遠いところからぼんやりと、かすかに波の砕ける音が聞こえてくるような気もしていて――。

ディックはいつも、ヘスターの寝室とつながっている化粧室《ドレッシングルーム》で寝ていた。少しでも涼しく、空気が通るようにと、ドアは開けっ放しになっている。ディックのいる部屋はまだ明るかったが、彼女のほうは電気を消すと、あっという間に眠りに落ちた。そしてすぐに夢を見はじめた。

ハンプトン・コート　ロンドン南西部。旧王宮のハンプトン・コート宮殿は観光名所で、周辺にはレストランも多い。
ヴァン・ダイク　フランドル出身の画家、アンソニー・ヴァン・ダイク（一五九九―一六四一）。イングランドの上流階級の肖像画で知られるが、歴史画、宗教画も手がけた。

海岸に立っていた。干潮時の滑らかな砂浜に打ち寄せられたものたちが、夜へと深まる黄昏のなかに煌《きら》めきながら散らばっている。見たことはないはずなのに、自分はこの場所を知っているという強烈な感覚があった。浜辺の先が険しい砂岩の崖になっており、そのきわには灰色の教会の塔が立っている。海が崖を浸食し、教会の土台を崩してしまったのだろう。崖の下の、彼女の足元からほど近い場所に、建物を組んでいた石材が転がっていた。そこにはいくつかの墓石も混ざっているが、崖の上にも、空を背景に白っぽい墓が見えている。教会の塔の右手には発育不良の木々の林があり、吹き渡る海風を受け、横ざまに櫛《くし》ですいたように傾いている。そして彼女には、崖から数ヤード向こうに行けば、踏み越し段のついた野原を抜ける道があり、木々のトンネルのなかを教会墓地まで続いているのがわかっていた。彼女はそのすべてをひと目で見て取ると、塔のある崖を見上げて、恐怖が姿を現すのを待った。その正体もすでにわかっていて、これまでの夢でも常にそうだったように、彼女は逃げようとした。だがもう、悪夢の魔手に捕らえられており、必死に動こうと力を振り絞っても、砂から足を上げることさえできなかった。彼女は半狂乱になって、目の前にある崖から目を背けようとした。あそこには、間もなく恐ろしいものがやってくる――。

来た。人間の顔くらいの大きさの、青白い、楕円形の光が、目の前の、彼女の目線よりも何インチか高いところにぼんやり浮いている。そこへ輪郭が現れてくる。額にかかる短い赤毛の下からは、極端に間隔の狭い灰色の目が彼女をじっと見据えている。耳は異様に突き出しており、顎は小さく尖っている。筋の通った鼻はかなり長く、口髭はたくわえていない。それから最後に唇の形と色が見えてくるのだが、そこにこそ最大の恐怖が宿っていた。片側は美しく滑らかな曲線を見せて、かすかに震えながら笑みを作っているのに、反対側の唇は厚く、なんらかの奇形のように結ばれており、欲情をたたえた冷笑を浮かべているのだ。

最所はぼんやりしていた顔が、次第にくっきりと像を結びはじめる。青白く、かなり痩せた、若い男の顔だ。そこで下唇がわずかに下がり、キラリと光る歯がのぞいたかと思うと、声が聞こえてきた。

「もうすぐ迎えにいくからな」顔が言い、少し彼女に近づきながら笑みを大きくした。その瞬間、熱波のような悪夢が一気に彼女を飲み込んだ。またしても、逃げよう、叫ぼうともがきながら、恐ろしい口から漏れる息が自分にかかるのを感じた。それから、身も心も引きちぎらんばかりの力を振り絞ってようやく呪縛を振りほどくと、自分の叫び声を聞きながら電気のスイッチを探った。だが、そもそも部屋は暗くなかった。隣の部屋への扉が開いていて、次の瞬間には、まだ着替えを済ませていないディックがそばに駆けつけていた。

「大丈夫か？」ディックが言った。「いったいどうしたんだい？」

彼女はまだ恐怖に取り憑かれたまま、ディックにひたとすがりついた。

「ああ、あの人がまたここに」彼女は叫んだ。「もうすぐ迎えにくるって。あの男を近づけないでちょうだい、ディック」

一瞬ではあったが彼女の恐怖に影響されて、ディックは気づくと部屋のなかを見回していた。

「何を言っているんだい？」ディックは言った。「誰もいやしないじゃないか」

彼女は夫の肩から顔を上げた。

「そうね、ただの夢なんだわ」彼女は言った。「でも、昔よく見た、とても怖い夢で。どうしてまだ着替えていないの？　いま何時？」

「きみがベッドに入ってから、まだ十分とはたっていないよ」ディックは言った。「部屋の電気が消えたかと思ったら、すぐに叫び声が聞こえてきたんだ」

彼女は身震いした。

「ああ、怖いわ。それにまた来るって――」

ディックが彼女のそばに腰を下ろした。

「すっかり話してごらん」

彼女はかぶりを振った。

「いいえ、話したってしかたがないわ」彼女は言った。「おまけに、ますます信じてしまいそうだもの。子どもたちは大丈夫よね？」

「もちろんさ。二階に上がるときに確認しておいた」

「よかった。もう大丈夫だから、ディック。夢は、しょせん夢なのよね？　現実とは関係ないんでしょ？」

ディックがもちろんだと言って慰めているうちに、やがて彼女も落ち着いた。それから寝る前にもう一度妻を確認しにいくと、すでにヘスターは眠っていた。

翌朝、ディックが仕事に出かけると、ヘスターは自分と対峙し、言い聞かせた。あなたは自分の影に怯えているだけなのよ。あの不吉な顔なら何度も夢に見てきたけれど、何かしらの意味を感じたことがあった？　あなたが勝手に怯えていることを除けば、そんなものは何ひとつなかったはず。あなたは恐れる必要のないものを恐れているの。あなたは守られ、大事にされ、幸せに包まれている。子どものころの悪夢が戻ってきたからといって、それがなんだというの？　夢にはこれまで通り、意味なんてない。それに子どものころにあの夢を見ていたことなんか、これまですっかり忘れていたじゃないの——だがここで、彼女は我にもなく、また夢のことを思い返していた。何もかもが、昔見たときそのままだった。ただし——そこでふいにあることが頭に浮かび、彼女は心臓が縮み上がるのを感じた。これまでの夢だと、あの震える唇が口にするのは、「おまえがもっと大人になったら迎えにいくからな」という言葉だったのだが、昨晩は「もうすぐ迎えにいくからな」に変わっていた。さらには、先触れの夢のなかで見た海が、以前よりも崖の浸食を進めていたことも思い出された。それにより、教会の本体がすでに崩れ落ちていたことも。同一の夢におけるそのふたつの変化には、ぞっとするような一貫性があった。年月に伴う変化だ。ひとつには浸食する海により教会が崩れたことを、もうひとつには時が近づいていることを告げている——。

いくら自分を叱り、たしなめても無駄だった。あの夢の景色を思い出しただけで、恐怖が彼女を飲み込んでしまう。それならば忙しくしているにかぎる。考えないようにすれば、恐怖も糧《かて》を得られないまましなびてしまうだろう。そこで彼女は家事に集中した。子どもたちに運動をさせようと公園に連れていき、それからも暇な時間を作るまいと、ウォルトン・ギャラリーで行なわれる内覧会の招待状を手に外出した。彼女の一日は充実していた。ランチを楽しみ、マチネーを観た。家に帰るころには、ディックも仕事から戻っているだろう。そのあとはライ＊にある小さな別荘までドライブし、週末を向こうで過ごすつもりだった。土曜と日曜はゴルフを楽しもう。田舎の新鮮な空気とほどよい疲労感が、夢に伴う架空の恐怖を振り払ってくれるだろう。

内覧会に行ってみると、会場はかなり混み合っていた。観にきた人々のなかには、友人の顔もいくつかあった。絵に対しても、さまざまな視点から活発に会話が交わされた。ヘンリー・レイバーン*による秀作が数点、ジョシュア・レノルズ*のものも何点かあったが、ヘスターの見るかぎり、最高の目玉は、そのために特別な小部屋が用意されていた三点のヴァン・ダイクのようだ。ヘスターはカタログを眺めながら、その部屋に入った。カタログによると、一点目の作品はサー・ロジャー・ワイバーンの肖像画だ。彼女は友だちと話を続けながら、その絵のほうに目を上げた――。

とたんに心臓が喉から飛び出しそうになり、そのまま止まったかに思えた。魂を蝕《むしば》まれたかのように、めまいがした。というのも、目の前には、彼女を迎えにくるという、あの男の顔があったのだ。その赤い髪、突き出た耳、間隔の狭い貪欲そうな目、そして片側では微笑み、もう片側には恐ろしげな冷笑をたたえている口元を、彼女はあまりにもよく知っていた。画家の描いたのが、生きた人間ではなく、彼女の悪夢だったのではないかとさえ思われた。

「まあ、なんて絵なの。見るからに鬼畜だわ！」彼女の連れが言った。「見て、ヘスター、見事だと思わない？」

彼女はやっとのことで自分を取り戻した。この圧倒するような恐怖に負けてしまえば、あの悪夢に、目覚めている時間までも侵《おか》されることになるだろう。そこに待っているのは狂気しかない。彼女は自分に強いて、もう一度絵のほうに目を上げた。すると、揺るぎない瞳が熱っぽいまなざしで彼女を見つめていた。彼女には、その唇の動くところが見えるような気さえした。周りは人々でにぎわっているというのに、まるで、ロジャー・ワイバーンとふたりきりにされたような気分だった。

だがそこで彼女は自分に言い聞かせた。これがあの男の絵だとすると――その点は否定のしようもないのだし――自分は安心してもいいはずだと。なにしろヴァン・ダイクの手で描かれた人物であれば、二百年近く前に死んでいるはず。どうして彼女の脅威になるわけがあるだろう？　子どものころに、たまたまこの肖像画をどこかで見て、恐ろしい印象を彼女に植え付けたのだろうか？　その記憶はほかの記憶に埋もれながらも、暗い地下河川のように人間の意識の底を永遠に流れ続ける、不可思議な無意識のなかで生き続けていたのかもしれない。心理学者によれば、こういった幼少期の印象というのは目には見えない膿《うみ》のようにはびこり、心を毒するという。このいまや名前を得、彼女を待っているという男に対する恐怖も、それで説明がつくのかもしれない。

ライの別荘で過ごしたその夜に、彼女はまた、あの悪夢の前触れとなる夢を見た。夫にしがみつきながら、ようやく恐怖が鎮まってくると、これまでは胸にとどめていたことをはじめて口にした。打ち明けただけでも、いくらか気持ちが落ち着いた。なにしろ荒唐無稽な話だし、どこまでも常識的な夫の存在が彼女を支えてくれた。だがロンドンに戻ると、またしても夢が戻ってきた。ディックはためらう妻をあっさり説き伏せ、かかりつけ医に連れていった。

ライ　イングランド、イースト・サセックスの海辺の町。
ヘンリー・レイバーン　イギリスの肖像画家（一七五六―一八二三）。一千点にのぼる肖像画を手がけた。
ジョシュア・レノルズ　イギリスの画家（一七二三―九二）。古典絵画の様式を重んじ、歴史画に傾注した。

「何もかも話してしまうんだ」ディックは言った。「きみが嫌だと言うなら僕が話す。いまみたいに悩んでいるのをほってはおけないからね。要はばかげた想像に過ぎないんだし、医者ってのは、そういうのを治すのが得意なんだから」

彼女は夫に顔を向けた。

「ディック、あなた怖いのね」彼女は静かな声で言った。

ディックは笑った。

「僕はそういうタイプじゃないよ。ただ、きみの悲鳴で起こされるのはあんまりいい気分じゃなくてね。穏やかな夜の過ごし方だとはとても思えない。さあ、着いたぞ」

診断ははっきりとした、有無を言わせぬものだった。心身ともに健康そのもので、何も心配な点は見当たらない。ただし全体的に消耗している。彼女を悩ませている夢は、その原因ではなく、それに伴う症状だと思われる。そこでベアリング医師は、ためらうことなく気分転換のための転地を勧めた。この熱暑で息苦しいロンドンから、どこか、はじめての静かな土地に移るのがいいでしょうと。完璧な変化こそが望ましいというのだ。そういうわけだから、ご主人は付き添わないほうがいいでしょうな。奥様をひとりで、そう、東部の海岸沿いにでも送り出してください。海辺の空気と涼しさを味わいながら、ひたすらぶらぶらして過ごすのです。長い散歩も、長い水浴びもいけません。軽く水につかったら、あとは浜辺のデッキチェアにでも寝転んでいるのがいい。何もしないでぼうっとしていること。ラシュトンなどはいかがです？　あそこに行けば、きっと元気になられると思いますよ。一週間ほどしたところで、ご主人も会いにいかれるといい。たくさん眠り――悪夢のことは忘れて――新鮮な空気をたっぷりと吸うことです。

ヘスターは、夫にとってはいささか意外なほど、すぐさまこの提案に同意すると、翌日には、ひとりきりで穏やかな夕べを過ごしていた。夏の観光客が押し寄せるにはまだ早く、小さなホテルは静かで、ほとんど空っぽだった。彼女はひたすら浜辺で過ごしながら、ひとつの闘争が終わったような気分を味わっていた。もう、恐怖と闘う必要はなかった。どことなく、夢の持つ悪い影響は薄らいでいるような気がした。彼女はなんらかの形で夢に屈服し、その秘かな命令を聞き入れていたのだろうか？ ともかく、あの夜ごとの悪夢を見ることはなくなった。夢も見ずにぐっすりと眠り、目覚めると、また静かな一日を迎えた。毎朝、ディックからの短信が届いていた。そこには夫や子どもに関する楽しい知らせがつづられていたが、彼女にとっては家族がどこか自分とはかけ離れた、遠い昔の記憶のように感じられた。何かが彼女と家族のあいだに入り込んでしまい、まるでガラスの壁越しに彼らを見ているようなのだ。だが同様に、ロジャー・ワイバーンの、巨匠の手でキャンバスに描かれたものにせよ、崩れかけた崖を背景にして目の前に浮かび上がっているものにせよ、あの顔の記憶もぼやけて不鮮明になり、さらには、あの夜ごとの恐怖が彼女を訪れることもなかった。あらゆる感情の闘いがやんだことで、彼女は不安のない穏やかな心持ちを手に入れただけでなく、肉体的にも、ひがな一日何もしないでいることに退屈を覚えはじめた。

その村は、海を埋め立てた土地の端に位置していた。北側には滑らかな湿地が、咲きはじめたスターチスの淡い色に輝きながら、これといった特徴もなく、遠くのほうにまで広がっている。だが南に目をやると、丘が浜辺のほうへと突き出し、木々に包まれた岬で終わっていた。体に元気が戻ってくるにつれて、彼女は、あの、視界を遮っている丘の向こうには何があるのだろうと思いはじめた。そこである日の午後、手前の平地を横切ってから、木々の茂る傾斜を上りはじめた。大気はむっとこもっていて、先ほどまでは暑さをやわらげていたピリッと爽やかな潮風もいまはやんでいる。ヘスターは、丘の上まで行けば風があるのではないかと期待した。南の水平線に沿って黒っぽい雲がかたまっているものの、すぐに嵐が来る気配はない。傾斜は歩きやすく、しばらくすると彼女は丘のてっぺんに立っており、そのすぐ向こうには、ところどころに木々の茂る台地が広がっていた。崖から近いところにある道をたどっていくと、さらに開けた場所に出た。がらんとした野原では何頭かの羊が草を食《は》み、全体が緩やかな上りになっている。野原を区切っている生垣は、踏み越し段で行き来ができるようになっていた。そこから一マイルとはない前方に、林が見える。吹き渡る海風にあおられて傾いだ木々が緩やかな丘を縁取っているのだが、その上には、灰色の教会の塔が突き出していた。

恐ろしくもなじみのある景色が姿を現したとき、ヘスターの心臓は凍りついた。だが次の瞬間には、勇気と決意の波が胸に押し寄せてきた。ついに、あの先触れの夢の景色が目の前に現れた。これは夢の正体を突きとめ、払いのけるチャンスでもある。すぐさま覚悟を決めると、不気味な黄昏の広がるどんよりした空の下を、キビキビと歩きはじめた。何度も夢のなかで歩いた野原を抜け、あの男がその向こうで待っているかもしれない林への傾斜を上がった。耳の奥で鳴り響く恐怖の鐘の音《ね》を無視し、これを最後にこの音を完全に鎮めてしまうのだと、揺るぎない気持ちで木々の作る暗いトンネルに入っていった。まもなく、前に見える木々がまばらになりはじめたかと思うと、その向こうの、手を伸ばせば届きそうなところに、教会の塔が現れた。さらに数ヤードも進むと林の外に出ており、周りには、打ち捨てられた教会墓地の跡が広がっていた。崖が、塔のすぐそばから下へと落ちている。以前はそのあいだにあったはずの教会は、蔦の厚く這う、朽ちかけたアーチ形の構造物しか残っていない。そこを周り込んで崖の下をのぞき込むと、石壁のなれの果てが落ちていた。滑らかな砂浜には、墓石や瓦礫《がれき》が転がり、崖のきわに残っている墓のほうも、ヒビが入ったり倒れたりしている。だが、人気《ひとけ》はなかった。彼女を待っている人もいない。何度もあの男の姿を見た教会墓地には、これまでに通り抜けてきた野原と同じように、人の気配がみじんも感じられなかった。

ヘスターの胸が喜びに大きくふくらんだ。勇気が報われたのだ。ずっと自分を苦しめてきた恐怖を、今度こそ意味のない幻として片付けることができるはず。だがぐずぐずしている余裕はない。嵐が近づいており、水平線に稲妻が閃いたかと思うと、砕けるような轟音が響き渡った。立ち去ろうと振り返った瞬間、崖ぎわにかろうじて立っている墓石が目にとまった。するとそこには、『ロジャー・ワイバーンここに眠る』という文字が。

恐怖と悪夢に縛られて、彼女はそのまま動けなくなった。あまりの驚きに放心しながら、苔むした文字を見つめた。あの恐ろしい顔が、いまにも墓から浮かび上がるのではないかとさえ思った。そのとき、それまでは彼女を凍りつかせていた恐怖が翼を与えたかのように、彼女は全速力で木々のトンネルを抜けると野原に出た。村へとつながる尾根の部分に着くまで、ちらとも振り返りはしなかったし、牧草地に生き物の姿を見ることもなかった。追いかけてくるものもない。ただし羊だけが、近づく嵐に備えて草を食むのをやめ、低木の生垣の下に、隠れるようにしながら身を寄せ合っていた。

彼女はパニックのなかで、咄嗟《とっさ》にこの土地を離れようと思った。だがロンドンへの最終列車は一時間前に出たあとだ。おまけに相手がとうの昔に死んだ男の霊である以上、この土地から逃げたところでどうなるというのだろう？　あの男の骨が埋まっている場所から、いくら離れたところで安全は得られない。問題は心のなかにあるのだ。それでも彼女は、ディックがそばにいて、あの頼もしさで自分を守ってくれたらと思わずにはいられなかった。どちらにしろ、明日には来てくれる。だがその前には、何時間も続く暗い夜が待っているのだ。そこに、何かしらの危険が潜んでいないともかぎらない。翌朝ではなく、この夕べのうちに車で出発してくれれば四時間ほどで来られるのだから、十時か十一時には到着できるはず。彼女は「スグニキテ」と差し迫った電報を送った。「イッコクモハヤク」

南のほうで光を明滅させていた嵐が急激に近づいてきたかと思うと、恐ろしいほどの猛威をふるいはじめた。その前にポツポツと降りはじめた大きな雨粒は、郵便局からの帰り道ではすぐに道路の上で乾いてしまったが、彼女がちょうどホテルに戻ったところで、近づいてくるすさまじい雨の音が聞こえてきたかと思うと、空の水門が開け放たれた。土砂降りのなかで稲妻が閃き、雷が炸裂しては頭上で轟《とどろ》き、やがて村の通りが土砂混じりの激流となるなか、暗闇に腰を下ろしていたヘスターの目の前に、ひとつの映像がパッと浮かび上がった。教会の塔のある崖のきわで、いまにも落ちそうに傾いているロジャー・ワイバーンの墓石が見えたのだ。この雨では、崖の地盤も広範囲にわたり緩んでいるはず。彼女には、砂がささやくように滑りながら、朽ちた墓とそのなかに眠るものを、下の浜へと突き落とす音が聞こえるかのようだった。

八時ごろには嵐もおさまり、食事をしているところへディックからの電報が入った。すでに出発済みで、電報はその途中で打っているという。だとすると、何事もなければ十時半には到着して、恐怖の前に立ちふさがってくれるだろう。この数日間、夢への恐怖や夫への思いが、ああもぼんやりと遠く感じられたのが不思議でしかなかった。いまやどちらも鮮明に蘇っていて、彼女はじりじりと時間を数えるようにしながら夫の到着を待った。やがて、雨は上がった。彼女は自室で腰を下ろし、なかなか進まない時計の針の動きを見つめていたのだが、カーテンのかかった窓から外に目をやると、黄褐色の月が海にかかっているのが見えた。あの月が空を昇り切る前に、時計がこれから三度目の時を告げる前に、ディックがそばに来てくれるはず。

時計がちょうど十時を打ったときに扉をノックする音がして、ホテルのボーイが入ってくると、紳士が会いにきていると告げた。彼女の胸は喜びに高鳴った。まだあと三十分は待たされると思っていたけれど、もう、ひとりぼっちで耐える時間は終わったのだ。階段を駆け下りたところで、表のステップに立っている人影が見えた。背を向けており、顔は見えない。おそらくは、運転手に指示を出しているのだろう。彼のシルエットは白い月光に縁取られていたが、それとは対照的に、頭のすぐ上にある玄関のガス灯によって、髪は赤みがかった温かな色彩を帯びていた。

彼女は玄関ホールを駆け抜けた。

「ああ、あなた、来てくれたのね」彼女は言った。「嬉しいわ。こんなに早く来てくれるなんて！」彼女が肩に手を置いた瞬間、彼が振り返り、腕を彼女の体に回した。彼女はその顔を見つめた。極端に間隔の狭い目と、片側では微笑んでいるのに、片側だけが厚く、なんらかの奇形のように結ばれて、欲情をたたえながら冷笑している唇を。

彼女は悪夢につかまれていた。逃げることも、叫ぶこともできないまま、男に支えられ、ステップを引きずられるようにしながら、夜のなかへと連れ出された。

その三十分後にディックが到着した。すると驚いたことに、しばらく前に妻を訪ねてきた男があり、彼女を連れて出かけたという。男はよそ者のようだった。なにしろ伝言を届けたボーイが、一度も見たことのない男だというのだから。それから驚きが、不安へと凝縮していった。ホテルの周囲でも捜索が行なわれた。すると何人かが、ホテルに滞在中のご婦人が、帽子もかぶらずに、男と腕をからめながら浜辺を歩いているところを目撃していた。男に見覚えのある人はいなかったが、ひとりが顔を見ていて、その容姿を説明することができた。

こうして捜索の幅も狭まり、ランタンに月明りの助けも借りて、ヘスターのものらしき足跡が発見されたものの、一緒に歩いていたという人物のものは見当たらなかった。だが一マイルほど先まで足跡をたどっていくと、崖が大きな地すべりを起こしている場所で終わっていた。崖の上にある古い教会墓地から、塔の半分に加えて、墓石がひとつ、その下に眠っていた遺体もろとも浜辺に落ちていた。

ロジャー・ワイバーンの墓石であり、そのかたわらに転がる遺体には腐敗のひとつも見当たらなかった。埋葬からは、すでに二百年がたっているはずなのだが。そののち一週間をかけて地すべりのなかの捜索が続けられた。満ちた潮の助けもあって、崖の砂は次第に押し流されていったが、それ以上のものは、何ひとつ発見されなかった。

丘からの眺め

M・R・ジェイムズ
紀田順一郎訳

A View from a Hill
M. R. James

かなりたっぷりある休暇がこれからはじまろうという日に、各駅停車の一等車に一人腰かけ、英国の未知の地方をのんびり旅するのは、何と愉しいことだろう。膝の上に地図をひろげて、車窓の左右に流れていく村々の名を、教会の塔を目じるしに見当をつける。どの駅も森閑と静まり返っていて、そこでひと休みしようと降りてみると、自分の足元でザクッ、ザクッと砂利を踏みしめる音のするほか、何ひとつ聞こえないのが怖いような気さえする。日暮れになると、このような気配がひとしお色濃く感じられよう。——で、私がこれからご紹介しようとする旅行者も、六月中旬の、とある晴れた日の午後、暇にまかせてのんびりと汽車にゆられていたというわけだ。

彼がやって来たところはかなり辺鄙な地方だが、イングランドの地図をひろげたさい、その南西部にあたるということ以外は、あまりくわしく述べる必要もあるまい。

彼は学者で、ちょうど学期が終了したおりから、年長の知人をたずねていく途中だった。二人はロンドンで行われたある研究会の席上ではじめて顔をあわせた仲だったが、お互いの気質や嗜好に相通ずるところがあって、すっかり意気投合し、結局ファンショウ氏が、この地方の地主であるリチャーズ氏の招きにあずかって、いまやかくなる遠出の仕儀と相なったのである。

旅は五時ごろに終りを告げた。田舎の陽気な赤帽*の話では、邸《やしき》からの車がいったんは駅まで来たのだが、半マイルほど先に用件があるとかで、引き返してくるまで少々お待ち願えないだろうかとの伝言を残していった、という。

「けど、旦那」と、赤帽は続けた。「自転車に乗ってお邸へ行きなさるのも、なかなかおつなもんですぜ。この道をまっすぐ行きなすって、はじめの角を左へ曲がったらいいんで――二マイルそこそこでさあ――お荷物は、あっしが車にちゃんとおのせしますで。おせっかいかもしれねえが、こんな夕方は自転車乗りにはおあつらえむきですぜ。へえ、ここのところ、干し草づくりにはねがってもない日和で、ええと、自転車のチケットはこれですだ。ありがとうございます、旦那。道は間違いっこねえですだ……」

邸への二マイルの道は、汽車旅のあとにはまさに快適で、眠気はふっとぶし、一服の茶でも所望したいような気分にさえなってきた。彼方に見えてきた邸も、毎日大学の委員会だの集会だのといった俗事に追われつづけてきた者の目には、まさに静かな憩いの場を約束してくれているかのようだった。建物は、彼をぞくぞくさせるほど古めかしいものでもなく、さりとて気の滅入るような新奇な造りでもなかった。邸に通じる車道をたどりながら、ファンショウの目に映じたものは、漆喰《しっくい》の壁と上げ下げ式の窓であり、それに年経りた樹々やよく刈りこまれた芝生などが注意をひいた。六十の坂を越えてなお堂々たる体軀のリチャーズが、相好をくずしながらポーチに出迎えていた。

赤帽　鉄道駅構内で客の荷物を運ぶ職業。ポーター。

「まずお茶かな。それとも酒でもやりますかな？　酒はおきらいか？　よろしい、庭にお茶の支度が出来てるんですよ。さあ、どうぞ。自転車は片づけさせますから。こんな日にはいつも小川のほとりの菩提樹の陰で、お茶にすることにしてるんですよ」

これ以上望むべくもない絶好の環境だった。夏もたけなわの午後、鬱蒼たる菩提樹《ぼだいじゅ》の木陰にただよう緑の香り。五ヤードと離れぬところに渦まいている清流。二人はしばらくそこを動かなかった。六時近くになってようやくリチャーズが腰をあげ、パイプの吸殻をたたいていった。

「さてと、やっと涼しい風も立ちはじめたようですな。いかがです、そのへんをひとまわりしませんか？　よろしい、では庭園を抜けて丘へ登るとしましょう。そこからこの辺一帯を見渡せるんですよ。地図を持っていって、あちこちをご案内しましょう。運動がてら自転車でいらしたらいかがです？　それとも車でご一緒しましょうか？　いますぐ出かけたら八時前には楽に戻れますよ」

「いいでしょう。私のステッキはどこにありますか？　それに、双眼鏡をお持ちですか？　私のは先週ある男に貸したところ、そいつがまたフラリとどこかへ出かけてしまいましてね」

リチャーズは考えこんだが、「ああ、持ってますが、自分用ではないんですよ。お気に入るかどうか。旧式のやつで、重さが今時のものの倍もあるんですよ。どうぞお使いください。重いので、持ち歩くのはいやですがね。ところで、夕食後の飲物は何にします？」

なんでも結構というのを、まあご遠慮せずにと説き伏せられて、これも玄関の広間に着くまでには満足すべき意見の一致を見た。ファンショウは自分のステッキを見つけ、リチャーズの方は下唇を噛んで考えこんでいたが、やおら広間のテーブルの抽斗《ひきだし》から鍵を一つ取り出すと、羽目板の中の戸棚を開き、棚から箱を取り出してテーブルの上に置いた。

「双眼鏡はこの中なんですよ。あけるのに何か細工があるんですが、どうやったらいいのか忘れてしまったんです。やってみてください」

ファンショウはそれに応じたが、鍵穴はなく、箱全体が堅固でずっしりと重く、しかもすべすべしていた。押し所さえわかれば何とかなりそうである。「たぶん隅っこにあるんだろうな。こいつはおそろしく尖っているな」と、彼はつぶやきながら角のところを力をこめて押したが、とつぜんその親指を自分の口にもっていった。

「どうしたんです？」と、リチャーズが訊ねた。

「いやなに、このいやらしいボルジアの箱*にひっ掻かれたんですよ。いまいましい」

リチャーズは不人情にもクスクス笑った。

「まあ、とにかく開いたじゃないですか」

「どうにか！　大義あらば一滴の血も惜しまずですかね。ほら双眼鏡です。おっしゃる通り、じつに重いですね。でも、私なら持っていけるでしょう」

「よろしいかな？　では出発しましょう、庭の方からね」

大庭園は丘の方へ向かって登りになっていた。その丘はファンショウが汽車の窓から眺めたように、

ボルジアの箱　開けづらい細工があり、怪我をさせるような形をした箱に、権謀術数と暗殺が伝えられる十五―十六世紀のイタリア貴族、ボルジア家をかけている。

あたり一帯を見おろすように聳《そび》え、背後に横たわる広大な山脈からも突出しているようだった。

遺跡発掘についてくわしいリチャーズは、道すがら、彼の発見にかかる、あるいはそう推測している古戦場の壕のあとを指し示した。

「そして、ここはね」と、彼は、巨木で円形に囲まれ、やや平坦になったところに立ち止まっていった。「バクスターの掘った古代ローマの別荘跡なんですよ」

「バクスター？」

「これはうっかりしました、あなたのご存じない人でして。この双眼鏡の元の持主ですよ。たぶん造り主でもあるんでしょうがね。村はずれの時計屋のじいさんでね。たいした好古家でしたよ。私の父は、彼が好き放題に発掘する許可を与えていたので、何か目ぼしいものでも掘り出そうという時なんぞは、穴掘り作業員の一人や二人は、いつも助っ人に貸してたもんです。値打ちものをしこたま貯めこんでましてね。死んだ時――およそ十年か十五年ほど昔の話になりますが――私が全部買いとって、町の博物館へ寄付したのです。いずれそういったものも、ご覧いただきましょう。双眼鏡は、その残りものの中にあったんで、そのままにしまっておいたんです。ごらんなさい。どこか素人くさい出来でしょうが――とくに本体がね。無論、レンズは彼が作ったものじゃありませんがね」

「器用だけど、畑ちがいの職人が作ったようですね。それにしても、どうしてこんなに重くしたんでしょうね。で、バクスターがローマ人の遺跡を見つけたっていうのは本当ですか？」

「そう、いま私たちが立っているところに舗道がありましてね。芝生で蔽《おお》われた状態になっていました。荒れ果てていて、掘り起こす値打ちもないようなところでしたがね。発掘前のスケッチはとってありますよ。ところが、出土した小物や陶器などは当時の逸品揃いでしたな。バクスターという人は天才とでもいうんでしょうか。こういうことに関してはまったく異常な才能の持主でしたよ。われわれ考古学をやってる者には、無類の貴重な存在でしたな。よく何日も店を閉めきって放浪の旅に出かけ、遺跡のありかを嗅ぎつけては陸地測量部*の地図に書きこんでいたもんです。そんな場所について、なにやらびっしり書きこんだ本もしまいこんでました。彼の死後、それをもとに随分あちこち発掘が行われたのですが、いずれもいいかげんなものではないことがはっきりしたんですよ」

「ご立派な人物ですな！」

「ご立派ですって？」と、リチャーズはとがめるように、いささかそっけなくいった。

「役に立つ、という意味ですよ」と、ファンショウはいった。「それとも、悪漢だったんですか？」

「さあ、どうともわからんが、私にいえることは、もし彼が立派な人間だったのなら、運が悪かった、ということですよ。人によくいわれなかったし……」リチャーズは一息ついたあと、「私もきらいでした」と、つけ加えた。

「ほう？」と、ファンショウは不審そうな目を向けた。

「ええ、どうも虫が好かなくてね。まあ、バクスターの話はもういいとして、それにしても骨が折れますね。この道はまったく口をきくのも大儀になるし、歩くのも億劫になります」

たしかにいまだ暑さの去りやらぬ夕方、ツルツル滑る草の生えた斜面をよじ登るのは、いささかこ

陸地測量部　イギリスの測量地図機関。一七九一年に設立。元は陸軍に属した。

たえる作業だった。

「近道を教えてさしあげようと思ったんですがね」と、リチャーズは喘ぎながらいった。「こちらの道の方がよかろうと思ってね。まあしかし、帰ってから一風呂浴びるのも悪くなかろうて。やれやれ、ここへ座りましょうか」

丘の頂《いただき》は年経りた赤松でこんもりと蔽われ、そのきわに、景色を眺めるための大きくて頑丈な椅子が据えられていた。二人はそれに腰かけると額の汗を拭い、呼吸を整えた。

「それでね」リチャーズは、なんとか口がきけるようになると、すぐに喋《しゃべ》りだした。「ここで、その双眼鏡が役に立ちますよ。いや、まずひとわたり眺めてください。しかし、これはすごいな！　私としてもこんな美景は初めて見ましたよ」

いまこれを書き綴っている私の耳もとでは、冬の風が小暗い窓をたたき、百ヤードの近きにせまる海原の寄せては崩れる波音のみ高くて、読者諸兄の脳裏にリチャーズの語る美しいイギリスの景観や、六月の宵のたたずまいを思い描くにふさわしい表現は、とても浮かんできそうにないのが残念でならない。

広漠たる平原の彼方には大いなる丘陵が連なり、その頃は――緑の草に蔽われ、あるいは木立に縁どられて――西に傾きながらも、なお沈みかねている陽の光をいっぱいに浴びていた。野面を流れる川が見あたらないのに、平原はどこまでも肥沃だった。雑木林や青々とした小麦、垣根、牧草地、裳裾を引くかのように小ぢんまりとした白雲、赤やグレイに彩られた農場や家々、散在する小屋――そしてさきほどの邸が、丘の麓《ふもと》に抱かれるようにして建っていた。青い煙突から煙が立ちのぼり、あたりには干し草のにおいがたちこめ、すぐ傍らの繁みには、野薔薇のあざやかな色が見えた。夏が、ここではひとつの極みに達していた。

このような風景をじっと眺めると、リチャーズは主だった丘陵や渓谷の名をあげ、町や村々の所在などを指し示した。

「双眼鏡でファルネイカー修道院が見えますよ。それ、あの広い草原を横切る道の向うの森を越えて、小さい塚の上にある農場の先にね」

「ええ、見えましたよ」と、ファンショウはいった。「なんて見事な塔なんだろう！」

「そりゃ方角違いでしょう。たしかその辺には、たいした塔などありゃしませんよ。でなけりゃ、君の見てるのは、オルドボーン教会でしょう。あんなのを見事だなんていうのは、ちょっとどうかしてますね」

「いや、やっぱり見事なものは見事ですよ」と、ファンショウは、双眼鏡を目にあてたままいった。「オルドボーンであろうがなかろうが、大きな教会のようですね——採光塔のあたりでしょうか、四隅に尖塔があって、その間にはやや小ぶりの塔が四つ立ってますよ。是非あそこへ行ってみたいですね。遠いんですか？」

「オルドボーン教会なら九マイルかそこらだが、だいぶ前に行ったことがあるきりでね。それほどたいしたものとは思えませんでしたが。さあ、ほかのところを教えてあげましょう」

双眼鏡をおろしたファンショウは、まだオルドボーンの方向を見つめていた。「だめだ、肉眼では何も見えない。ほかのところってどこですか？」

「左手の方にいろいろとありますよ――わかりやすいところです。頂上が丸く盛りあがって、木が生い繁った丘が見えますかな？　尾根の天辺に生えてる木立が尽きるあたりですがね」

「見えますよ。なんていわれてるところかも、どうやら見当がつきそうです」

「見当がつく？　ご存じですかな」

「縛り首の丘《ギャロウズ・ヒル》、でしょうが」

「どうしてわかりますか？」

「先まわりされたくなければ、あんな人間がぶらさがってる絞首台まがいのしろものなんぞ、教えてくださらなければよかったのに」

「何ですって？」はじかれたようにリチャーズがいった。「丘の上には森があるだけですよ」

「とんでもない。頂には広々とした草っ原があって、真中にちゃんと絞首台のようなものがありますよ。さっき見た時は何かぶらさがってたんだが、いまは何も見えないな――どうしたんだろう？　わかりませんね」

「ばかな、くだらん。ファンショウ君、あの丘には絞首台どころか何にもありゃしませんよ。深い森なんです――一帯が新しい植林地でしてね。私自身、行ってみた時からまだ一年ほどしか経っていません。双眼鏡を貸してください。何も見えんとは思いますがね」ややあってから彼は、「やはり何も見えませんね」といった。

その間ファンショウは、丘をじっと見つめていた――二、三マイルほどの距離である。

「どうもおかしい。双眼鏡なしでは、森としか見えない」彼は再び双眼鏡を手にとった。

「奇っ怪至極な現象ですね。絞首台はとてもはっきり見えるし、野原や何人かの人間も見えるじゃありませんか。馬車も数台、いや一台かな。人が乗っているぞ。ところが双眼鏡をはずすと何も見えない。夕日のいたずらかも知れないな。もっと午後早くやって来てみよう」

「人や馬車が見えるって？」リチャーズは腑に落ちないという顔で訊ねた。「こんな時間にいったい何をやってるっていうんです？　よしんば森が伐り倒されてるとしてもですよ。わけのわからん話です。——もう一度見てください」

「それが、たしかに見えたと思うんです。そう、二、三人はいたんですが、もういなくなってしまいました。いまは——神に誓って何か絞首台にぶらさがっています。しかしこの双眼鏡はやけに重いですね。とても長いこと持っていられませんよ。とにかく森なんかありませんね。道を教えていただければ、明日にでも私が行ってみます」

リチャーズはムッとしたように考えこんでいたが、やがて、腰をあげた。「まあ、それがいちばんいいでしょう。そろそろ帰るとしましょうかね。風呂と夕食がお待ちかねですよ」帰る道すがら、彼はいかにも言葉すくなだった。

庭を通りぬけ、大広間に入り、ステッキなどを片づけると、そこに老執事のパッテンが、何やら気がかりな様子で待っていた。

「申しわけありませんが、ヘンリーさま。ここへ悪さをしに入った者があるようでして」彼はあけたままの、双眼鏡が入っていた箱を指さした。

「なんだ、そんなことかい？」と、主人はいった。「私が自分の双眼鏡を出して、友人に貸してはならんのかね？　いつか私が買ったものだ。思い出したかい？　バクスターじいさんの競売のときにさ」

パッテンは、それでも納得しかねるといったように頭をさげた。「ああ、さようで、ヘンリーさま。ご存じでしたらよろしいのですが。ただ申し上げた方がよいと存じまして。それというのも、旦那さまがそこへしまいなすっていらい、棚から取り出されたことはないと思いますんで。どうぞお許しを。あんなことがあってから……」声は低くなり、あとはファンショウに聞きとれなくなってしまった。リチャーズは二言三言答えてから大きな笑い声をあげると、ファンショウに声をかけ、彼の泊まる部屋へと案内した。

その夜は、ほかにこれといって記すようなことは起こらなかったようである。だが、現れてはならない何ものかが、漆黒の闇にまぎれてファンショウを窺《うかが》い、その夢路のなかに忍びこんだ。彼は、おぼろ気に見知っている庭を歩いており、ときおり細工した古い石や、教会の窓飾りや、彫像の前に立ち止まっていた。そのうちの一つが、いたく彼の好奇心をそそった。何かの風景を彫り込んだ柱頭のようなものである。こいつを引き抜かなければと思って力をこめると、意外にも覆いかぶさっていた石塊がたやすくとり除かれ、くだんの石柱が簡単に抜けてきた。そのとき、カチンと音がして、錫《すず》のラベルが足元に落ちた。拾い上げて読むと「ゆめゆめこの石を動かすことなかれ。J・パッテン」と、あった。夢の中でよくあるように、彼にはこの戒告がきわめて重大なものに感じられた。身震いするほどの不安に襲われた彼は、本当に石が動いたかどうか見直したところ、やはり間違いはなかった。その本体はもうどこにもなく、跡には穴が一つ、ポッカリと口をあけているばかりだった。彼は身をかがめて中を覗きこんだ。暗い底の方に何やら蠢《うごめ》いているものがある、と思う暇《いとま》もなく、いきなり一本の手がニューッと——思わずたじろぐ彼の眼前に伸びてきた。きちんとした袖口《カフス》とコートの袖に包まれたきれいな手で、それがちょうど握手を求めているかのように突き出てきたのである。彼はそれを握り返さないのも礼を失するかしらん、などと迷っていた。そのうちに、そいつは毛むくじゃらの汚らしい痩せ細った手に一変したかと思うと、いきなり彼の脚に摑みかかってきた。事ここにおよんでは、礼儀を云々するような段ではなく、彼は悲鳴をあげながら一目散に逃げ出し、結局その声で目が覚めたのである。

彼の記憶にある夢は以上のようなものだった。同じような夢は過去に何度も見たことはあるが、それほど後味のわるいものではなかった。彼はしばらくのあいだ目を開いて、先刻の夢の細部を心の中に刻みつけた。とりわけ訝《いぶか》しく思われたのは、例の彫刻がほどこされた柱頭のことだった。夢うつつの中に見たあの図柄はいったい何だったのか。どうにも解釈のつかぬ奇妙なものだったが、それ以上のことはどうしても思い出せなかった。

その夢のせいか、はたまた休暇の最初の日であったせいか、彼はなかなか起き出そうとはせず、すぐさま探検に飛び出そうともしなかった。朝のうちは、暇つぶしと実益をかねて、州考古学会の会報に目を通すことで過ごした。そこには石器類や、ローマ人の遺跡や、修道院の廃墟やらの発見に関する、バクスターの寄稿が掲載されていた。事実上、考古学の殆《ほとん》どの分野に亙《わた》っていたが、いずれも妙に勿体《もったい》ぶった、あまり教養の感じられない文体で書かれていた。もしこの男が、もっと早くに学校教育を受けていたなら、そして、へそ曲がりの論争好きなどではなく、あるいは、どうにも鼻持ちならない印象を残すような、識者ぶった横柄な性格を持ち合わせていなかったとしたら、おそらくすぐれた好古家として名を成していたことだろう。いや、そうなっていたにちがいない（と、ファンショウは自分の見解に手ごころを加えた）。いや、もしかしたら、秀でた画家になっていたかも知れない。というのは、卓抜な想像力をもって描かれた、ある小修道院の復元図と立面図があったからだ。とくに目を奪われたのは、小塔で飾られた見事な採光塔で、ファンショウは、あの丘から遠望した教会を思い起した。リチャーズが、オルドボーン教会だと教えてくれたものである。しかしそれはオルドボーンではなくて、ファルネカー修道院だった。

「ああ、そうか」と、彼はひとりごちた。「オルドボーン教会は、ファルネイカーの僧侶たちが建てたものなんだろう。で、バクスターはオルドボーンの塔を模写したというわけか。何か説明はないかしら？　ああ、なるほど、彼の死後に公表されたものか——書類のあいだから発見された、とある」

昼食が済むと、リチャーズはファンショウに、今日の予定を訊ねた。

「そうですね、四時ごろ出て、自転車でオルドボーンから縛り首の丘《ギャロウズ・ヒル》を廻ってこようと思うんですが。およそ十五マイルほどになりますかね？」

「まあそんなところですね。してみると、ラムズフィールドとウオンストーンを通りますね。どちらも一見の価値ありですよ。ラムズフィールドには少しばかりステンドグラスがあるし、ウオンストーンには石柱がありますからね」

「それはいい、お茶はどこかで飲めるでしょう。また双眼鏡をお貸しいただけますか？　自転車の荷台に括《くく》りつけていきますから」

「どうぞ、ご自由に。本当はもっといいのがあるといいのですがね。今日、町へ出ることでもあったら探してみましょう」

「それは手間でしょう。使い勝手がよくないからですか？」

「ああ、使い勝手はともかく、みっともないんでね。それに――あのパッテンのやつが、これを使ってはいかんというんですよ」

「彼はそんなことにまで口を出すんですか？」

「いや、何か事情を知ってるらしいんですよ。私にはわからないが、バクスターじいさんについての話をね。打ち明けてくれるように約束はさせました。やつはどうも、昨晩から気になって仕方がない様子なんです」

「何ですって？　では私と同じように悪い夢でも見たのかな？」

「何かあったんですね。けさはめっきり老けこんじまってね。一晩眠れなかったそうです」

「そうですか。とにかく私が戻るまで、彼の話はおあずけにしてもらいたいんですが」

「わかりました、そうしましょう。さあ、もう遅いんじゃありませんか？　もし八マイルも行ってからパンクでもして、歩いて帰らねばならんことになったらどうしますか？　自転車はあてになりませんからね。とにかく冷たい夕食を用意させときましょう」

「なんでも結構ですよ。遅く戻ろうが早く戻ろうが、食事はおまかせします。もっともパンク修理の道具は持っていきますけどね。じゃあ、行ってきます」

リチャーズが本当に冷たい夕食を手配してくれていれば文句なしにありがたいんだが――。九時ごろになってもまだ、自転車をころがしながら歩き続けていたファンショウの脳裏には、そんな思いが幾度となく去来した。リチャーズの方も、広間に入ってきた彼を迎えるなり、その思いつきが壺にはまったことを口に出して、自画自賛した。そして暑さにうだり、疲れ果て、渇きの果てにげっそりとやつれて帰還したファンショウに同情するよりも、むしろ彼の顔に自転車への不信感がありありと読みとれることに満足した。

さしあたって、真情のこもったもてなしといえば、「今夜は一杯やらなきゃなりませんね？　シードルはいかがですかな？　よろしい。パッテン、聞こえたかい？　よく冷えたシードルをたっぷりな」

——そしてファンショウには「長湯は身体に毒ですよ」といった。

九時半ごろには夜食の席で、ファンショウは成果を報告していた。もっとも、それが成果と呼べるものならば、の話だが。

「ラムズフィールドへは難なく着きましてね、ステンドグラスを見たんです。なかなか興味をそそられるものだったんですが、文字は、とても読めませんでした」

「双眼鏡でも？」

「この双眼鏡は、教会の内部——と限らず、およそ屋内では全然何の役にもたたないようですよ。私が持ちこんだのは教会の中だけですけどね」

「ふむ、それから？」

「でも窓の写真をいろいろ撮って来ましたから、引き伸ばせばなんとかわかるんじゃないかと思っています。それから、ウオンストーンへ廻りました。あの石柱はおそろしく風変りなしろものですね。遺物としての値打ちはわかりませんが、石柱が建っている場所は、もう発掘されてるんですか？」

「バクスターがやろうとしたんだが、そこの農場主がうんといわなかったんです」

「ああなるほど。やってみる価値はあると思うんですけどね。それはともかく、お次がファルネイカーとオルドボーンです。私が丘から見た塔にはどうも奇妙な節《ふし》があって、オルドボーン教会にはそんなものはないし、無論ファルネイカーにも三十フィートを越すようなものはないんです。採光塔の跡はありましたけどね。あのバクスターが描いたファルネイカーの想像画の塔が、私が見たものとそっくりなんです。この話は申しましたっけ？」

「君がそっくりだと思いこんでいるだけですよ」と、リチャーズは口を挿んだ。

「いいえ、思いこむとか、そういうことではないんですよ。現にその絵は、私が見たものを思い出させたんです。で、私はそれがオルドボーンときめてかかったんですよ。図面の題を見るまではね」

「まあ、バクスターは建築学に通じていましたからね。遺跡から類推して、然るべき本来の姿が描けたんでしょう」

「無論そういうこともあるでしょうが、専門家でもあんなに正確無比な絵は描けないんじゃないかと思います。ファルネイカーには、それを支えていた塔の土台のほかには、まったく何一つ残っていないんですから。おかしなことは、それだけじゃありません」

「縛り首の丘《ギャロウズ・ヒル》はどうだったですか？」と、リチャーズはいった。「さあパッテン、よく聞いておくんだ。丘からファンショウ君が見なすったことは話しておいたね」

「はい、ヘンリーさま。けど、考えてみると、べつにおどろくことじゃございません」

「わかった、わかった。あとでまた聞かせてくれ。ファンショウ君の今日の話が先だ。どうぞ続けてください。アクフォードとソーフィールドへは廻ったのですか?」

「ええ、両方の教会を見てから、縛り首の丘《ギャロウズ・ヒル》の頂上へおもむく曲り道にやってきました。私は、自転車で頂上の野原を越えれば、こちら側の帰り道に入れるだろうと考えたんです。頂上にたどりついた時にはもう六時半ごろで、右の方には植林された緑地帯へと通ずる門がありました」

「パッテン、聞いたかね? 緑地帯だよ」

「そう思ったんです——緑地帯、と。じつは、そうではなかった。あなたがいわれた通りで、私が間違ってたんです。いまだに理由がわかりませんがね。頂上全体はびっしりと樹木で覆いつくされていました。私はその森の中を、自転車をころがしたり引きずったりしながら、いまにも開けた場所に出られるかと思って歩き続けたわけですが、だんだん具合の悪い状態になってきたんです。自転車の前輪が、茨《いばら》にでも刺されたんでしょうか。空気が抜けてきたなと思う間もなく、後輪までやられるという始末で、パンクの個所を探して目印をつけましたが、どうなるものでもありません。それどころか、奥の方へ分け入っていくほどに、気色の悪さがつのってきたんです」

「あの森には密猟者なんかいるのかね、パッテン?」と、リチャーズがいった。

「とんでもないことで、ヘンリーさま。あんなところへ行きたいと思う者なんか滅多におりません——」

「そうだったな。続けてください、ファンショウ君」

「行きたがらないのも無理はありません。私は、およそありとあらゆる無気味な幻覚に襲われました。

小枝を踏みしだく足音が背後に聞こえたり朦朧《もうろう》とした人影が目の前の木立のあいだに見え隠れしたり――。そうです、掌のようなものが私の肩にふれてきたことさえありました。必死に振り払って周囲を見廻したんですが、それらしき枝も繁みもありません。しかも森の真中あたりにさしかかったときは、何ものかが上の方からじっと私を見おろしているのをはっきりと感じました――それには邪悪な意志がこめられているようでした。私は立ち止まって、というよりも上を見上げようとして歩調をゆるめたという程度ですが、そのとたんにひっくり返って、向う脛《ずね》をひどくすりむいてしまったんです。何があったと思います？　四角い大きな穴のあいた石があったんですよ。ほんの少し離れたところに同じような石がもう二つほどあって、この三つがそれぞれ三角形の頂点を作っているんです。さあ、これはいったいどういうことなんでしょう？」

「説明できると思いますね」と、リチャーズはいった。彼はいまやこの話にすっかり心を奪われているらしく、厳しい表情になっていた。「パッテン、いいから座りなさい」

片手で自分の身体を支えながら、辛うじて立っていた老人にとって、これは救いの声だった。彼は椅子にペタリと座りこむと、震える声でいった。「あなたさまは、その石のあいだにはお入りにならなかったので？」

「入らなかったとも」ファンショウは力をこめていった。「けど、われながら阿呆だったと思いますよ。自分がどんなところにいるのかということが、咄嗟《とっさ》にひらめくやいなや、私は自転車をひっかつぎ、夢中で駆け出したんです。まるで、けがれた悪霊の墓場の中に迷いこんだような気分でした。夏なのでまだ日が長く、暗くなるには間があったことがこんなにありがたいと思ったことはありません。距離にすれば、ほんの数百ヤードってところでしょうが、走るそばから総毛立ってくるんです。あらゆるものにものの怪《け》が取り憑いたようでした。ハンドルも、スポークも、荷台も、ペダルも――邪悪な力にがっしりと押さえこまれていました。あるいは、そう思いこんだだけだったのかも知れませんがね。すくなくとも五回はころびました。やっとのことで植林地の垣根が見えて来たんです。門を探す余裕もありませんでした」

「あそこには、門などありませんよ」と、リチャーズが口を挿んだ。

「もたもたしている時間がなかったということです。自転車をどうにか向う側へ投げ下すと、自分も大急ぎで続きました。最後の瞬間に、なんだか枝のようなものが私の 踝《くるぶし》 にからみついてきましたが、とにかく森から逃れることは出来たんです。いままでこんなにありがたかったことはありません。しかし、これほど身体じゅうの痛みに往生したこともありませんね。それにパンクの修理が残っていました。用具も揃っていたし、修理の心得もある筈なんですが、このときばかりは完全にお手あげでした。森から逃れ出たのは七時ごろでしたが、タイヤ一本に五十分もかかってしまったんです。穴を見つける、すぐゴムを貼る、空気を入れる、また失敗するという調子でした。とうとう歩くことにしたんです。あの丘からここまでは三マイルと離れていませんね？」

「野原を横切ってくればね。道をたどってくれば六マイルはあるでしょう」

「道理で。いくら自転車を引きずっているにしても、五マイル以下なら、それほど時間はかからない筈だと思いました。さあ、これでおしまいです。あなたやパッテンのお話というのは？」

「私の話ですか？　とくに話ということもないんですがね」と、リチャーズはいった。「私は君が墓場にいたように思うんですが、まんざら見当はずれでもなさそうだな。あそこには、やつらがまだかなりいるんだね、パッテン。そう思わんかね？　いくら叩き潰しても、やつらは残っているんだ」

パッテンは頷いた。もう喋りたくてうずうずしている様子だった。

「どうぞ、遠慮なく」と、ファンショウがうながした。

「じゃあパッテン。ファンショウ君の体験はわかったね。どう思う？　バクスターに関係あるかね？　さあ、自分のグラスにもワインをついで、話したらいい」

「ああ、やっと人心地がつきました」目の前のものを飲みほすと、パッテンはいった。「手前の本音をお訊ねなら、いかにもその通り関係ありということでして」と、彼は熱っぽい調子で話しだした。「ファンショウさまの今日の経験は、まさしく旦那さまが申された名前の持主に、大かたの原因がありますようで。それにつきましては、ヘンリーさま、手前にも少々喋る資格があるのではないかと存じておりますす。やつとは永年、言葉をかわした仲でしたし、おまけに十年前のちょうどいまごろ、検死裁判のおりに陪審員に宣誓をいたしておりますので。ヘンリーさま、覚えておいでなさいますか。当時、海外へご旅行中で、この家には責任者となるものがおりませせなんだ」

「検死？」と、ファンショウが遮った。「検死が行われたんですか。バクスターが死んだとき？」

「へえ、さようで。バクスター本人にでございますよ。みなのみるところ、どうやら真相ってのはこんな風でしたようで。故人は、あなたさまもうご存じでしょうが、えらく変った人間でした——すくなくとも手前はそう思っておりましたが、他の連中もあれこれ申しておったようで。やつは一人ぼっちで生活しとりました。よくいう、ひよこも餓鬼の気もないというやつでして。いったいどんな風に暮らしておったか、だれにもわからないことなのでして」

「彼は隠遁生活を送っていましてね、最期をみとった者もいないほどなんですよ」と、リチャーズは、自分のパイプに語りかけるようにつぶやいた。

「お言葉ですが、ヘンリーさま。手前は一つそこのところをこれからお話し申し上げようとしとりますんで。やつがひとりでどんな風に過ごしておったかについては――この近辺の歴史を調べることにつきましては、そりゃもう熱心と申しますか、徹底的に漁りまくって、首尾よく蒐集したものはたいした量でございまして――これはバクスター博物館などといわれて、近在にも知れわたっておりました。ときおり手前に暇が出来て、やつの方もその気になったような時には、壺のかけらやら何やら見せてもらえたもんでして。やつの話では、古代ローマの時代に遡るものだということでした。が、そんなことにかけては旦那さまの方が、手前などよりよっぽどお詳しくおいでで。ただ手前が申し上げたいことは、やつが何に興味を持ち、何をしたいと思っておったかということでして。それは言葉の端々から窺えました。甚《はなは》だ奇怪なことでございますが――へえ、まず第一にやつは教会はおろか、礼拝堂にさえ出かけたことがなかったということでございます。これは噂の種になりましてな。ここの教区牧師が、一度だけ家へ行ってみたそうですが、その後だれに訊ねられても『あの男がなんていったかなんて、二度と聞かないでくれ』の一点ばりでした。それからやつが夜、何をしていたか、とりわけこんな夏の夜にはどうしていたのかということでございますが、よく働きに出かける連中などが行きがけに、やつがどこからか帰ってくるのに出くわしたそうで。連中の話では、むっつり黙りこくったまま白眼をギョロリと剝きだして、まるで、病院からぬけ出てきたみたいな風体をしとったということでございます。魚籠《びく》をさげながら、いつも同じ道をやってきたそうで、やつは何かやってる、それも、胡散《うさん》臭い仕事だろうなどと噂されとりました――へえ、あなたさまが今夜七時ごろにいなすったあたりから、あんまり遠くない場所でね。

さて、そんな晩のあとは、きまってやつは店を閉めきり、家政婦のばあさんの出入りも断わっちまうんで。この命令は絶対ということでございました。ところがある日のことでございます。午後の三時ごろでしたが、店は先刻申し上げたように閉まっとりました。そこへえらい騒動が家の中でもちあがったんでございます。窓から煙がもうもうと吹き出し、バクスターの絶叫が聞こえてきました。隣の家の男が裏口へ廻ってドアを蹴破り、ほかにも何人か駆けつけました。さて、その男のいうことには、生まれてこの方あんな物凄い――そう、においは嗅いだことがねえっていうんですよ。そのにおいが台所いっぱいにたちこめておりましたんです。バクスターが壺の中で何かを煮ていて、そいつを自分の脚の上へひっくり返しちまったんです。やつは床にぶっ倒れ、声を出すまいと歯を喰いしばっておるようでしたが、しょせんそれは無理というものでした。みなが入っていった時には――まったくやつは最低の状態におったわけでして。やつの舌が、脚と同じように火脹《ぶく》れを起こしておっても、ふしぎじゃありません。連中はやつを抱き上げて椅子へ運び、医者を呼びにやりました。連中のひとりがその壺を拾い上げようとすると、バクスターに放っとけとどなられたもんで、そのままにしときましたが、なんでも茶色になった古い骨が二、三本ちらと覗いておったということでございました。それからみんなは『ローレンス先生がすぐ来なさるで、あんばいよくしてもらえるさ』って申したんですが、これがまたやつを逆上させてしまい、居間へ連れていけ、医者をここへ入れるな、この騒ぎを見せちゃならん――それに布をかぶせろ――なんでもいい、居間のテーブルかけを持ってこいと、こんな調子だったそうです。まあ、連中はその通りにやりましたが。しかしあの壺の中には、きっと毒のあるものが入っておりましたんでしょう。バクスターが全快するのに、たっぷり二か月もかかりましたんですからね。はあ、相すみません、ヘンリーさま。何か?」

「うん、おまえはいままでそんなことを話したことはなかったな。まあいい、私の話というのは、ローレンスがバクスターを診察した折のことだ。おかしなやつだといっておった。というのはある日、患者の寝室で黒いビロードで覆われた小さな仮面を見つけたので、面白半分にそれをつけて鏡に映してみようとした。ところが鏡を覗く間もあらばこそ、ベッドからバクスターがどなった。『はずすんだ、このばか者めが！　死人の目で覗いてみたいのか？』とね。度肝を抜かれた彼は、それをはずすと、いったいどういう意味なのかとバクスターに訊ねた。ところがあの男は、ただそれを返せというだけで、あとは買った相手が死んだとか、支離滅裂なことをボソボソつぶやくだけなのだ。しかし、その仮面を返す時にローレンスにはピンときた。あれはきっと頭蓋骨で造られたものに相違ないとね。彼はバクスターが死んだあと、競売で蒸溜用の器具を買ったんだが、とても使う気になれなかったそうだ。いくらきれいに洗っても、中身がけがれているような気がしたということだ。いや、パッテン、あとを続けなさい」

「へえ、旦那さま。もう少しでおしまいにいたします。それに、あまり手間どると召使たちがどう思うか知れませんので。ところで、この火傷の一件はバクスターがやられる数年前の出来事で、その後はまた以前と同じような調子でございました。と申しますのは、やつの最後の仕事の一つが、旦那さまがたがゆうべ持ち出された双眼鏡を仕上げることにございましたもので。本体は大分前から作ってあったようで、レンズも手に入れとりましたが、何かが不足しておりましたんでしょうな。手前にはよくわかりませんが。あるとき、手前は双眼鏡を手にとりながら聞いてみたのでございます。『なかなか思うようにはいかんようだね？』するとやつは『ああ、こいつが仕上がりゃ評判になるぞ。こんな双眼鏡は、世に二つとありゃしねえからな。中にいっぱいつめて、封をしたらな』などと申しましてから、それっきり口をつぐんでしまったのでございます。手前が『なんだって？　まるでワインの瓶みたいな話じゃないか。いっぱいにして封をして？——何のためにだね？』と申しますと、『おれがそんなことといったかな？　いやなに、こっちの話さ』などとはぐらかされてしまったのでございます。さてそれから、ちょうどいまごろの季節がやってまいりまして、ある晴れた日の夕方、手前が家へ戻る途中、やつの店の前を通りかかりましたところ、やつが階段のところにいて、えらくご機嫌だったのでございます。『よしよし、これでぴたりだ。われながらいい仕事だ。あしたはこれを持って出かけよう』『とうとう出来上がったんだね？　ちょっと見せてくれないかな？』『だめだめ。今夜は抱いて寝るんだよ。いっとくがね、あんたに見せる時には金を払ってもらわんことには』それが、手前の聞いた、やつの最後のことばでございました。

これが六月十七日のことでございました。その一週間後に妙なことが起こりました。それは手前が審問に答えて〝精神異常〟と答申したことと関係がございますので。無論、生前はだれひとりとしてそんなことを公言する者もおらなんだのですが。当時から隣に住んでおりましたジョージ・ウィリアムズが、その晩バクスターの家の中で、ぶつかったり倒れたりするような音がするので目を覚ましたのでございます。ベッドから出て道路に向かった窓から、だれか乱暴な客でもあるのかと覗いてみましたのですが、明るい夜でしたので人っ子一人いないことがわかりました。けれどもそのまま耳をすませておりますと、バクスターが表の階段を一段一段、おそろしくゆっくりと降りてくる足音が聞こえてまいったのです。そのとたんウィリアムズは、だれかに押されるか、それとも前から引きずられるような感じがしたため、慌ててそこらにしがみついたという話でございます。そのうちに表のドアが開く音がして、バクスターが帽子やら何やらを身につけたままの服装で、通りへ出てまいりました。腕をダラリとさげ、何やらぶつぶつつぶやきながら頭を左右に振って、まるで自分の意志に反して歩いているような具合だったそうでございます。ジョージ・ウィリアムズが窓をあけて『やあ、どうしただね?』と声をかけましたのですが、そのとたん口をつぐんでしまいました。いきなりだれかに口のあたりをひっぱたかれたような気がしたんだそうで。するとバクスターが振りかえり、帽子が落ちました。やつの顔つきが何ともいえず哀れっぽいものでしたので、ウィリアムズにしてみればまたもや声をかけずにはいられなかったそうでございます。『どっか具合でも悪いのかね?』ローレンス先生を呼んでこようか、といいかけたとき、返事が返ってまいりました。『おせっかいはごめんということた。わかったかね』けど、それがいやに嗄《か》れた弱々しい声だったもので、いったいバクスターがそういったのかどうかも、はっきりわからなかったそうでございます。無論、通りにゃやつのほかにはだれもおりません。ウィリアムズはすっかり動顚してしまい、窓から引っこむとベッドに座りこんで、バクスターの足音が遠ざかっていくのを聞いとりましたが、辛抱できずにまたすぐ外を眺めやると、やつは先刻と同じ奇妙な格好で歩き続けておりました。ウィリアムズの記憶では、バクスターは落ちた帽子を拾おうと立ち止まったりしなかったのに、帽子はちゃんと頭に載っていたということでございます。さて、ヘンリーさま、これがバクスターの姿が人目にふれた最後でございまして、その後一週間あまり行方がわからない始末でございました。やつは商売から手を引いたんだとか、あれこれ取沙汰されました。けど、この辺で知らぬ者とてないやつの姿を、鉄道の係員たちも、居酒屋の連中も見かけなかったのはおかしなことでございました。池も浚ってみたのでございますが、何にも見つかりません。そうこうするうち、ある夕方、番人のフェイクスが丘を越えて村へやってくると縛り首の丘《ギャロウズ・ヒル》が鳥どもで真黒になってるっていうんでございます。これはけったいなこと、あそこでは生き物のいの字も見たためしはないので、みなは顔を見あわせました。一人が『行ってみようぜ』と申しますと、もう一人が『おまえが行くんなら、わしもよ』というわけで、そのうちの六人ほどがローレンス先生と一緒に宵のうちに出発しました。そして、ヘンリーさま、やつは三つの石のあいだで、首根っこをへし折られておったという次第でございます」

この先は、パッテンにいくら思い出させようとしても無駄だった。すっかり忘れてしまっていたのだ。しかし彼は引き下がる前に、ファンショウにいった。

「失礼でございますが、今日双眼鏡を持ってお出かけだったと存じますが、お使いになられましたので？」

「ああ、教会のいろんなものを見ようと思ってね」

「ああ、さようでございますか、教会の中へお持ちになったんで？」

「そう、ラムズフィールド教会だったね。ところで、あれは自転車に括りつけたままになってるよ。

厩《うまや》の中じゃないかな」

「ご心配ご無用で。明日一番に取りにまいりますから、またごらんになれますよ」

翌朝穏やかな眠りを貪ったファンショウは、朝食の前に双眼鏡を手にして庭へ出ると、遙かな丘を望んだ。が、すぐそれをおろすと上から下までためつすがめつ、ネジを調節したり、また覗いてみたりしていたが、やがて肩をすくめると、広間のテーブルの上に戻してしまった。

「パッテン、すっかりだめになってるよ。何も見えやしない。だれかがレンズに黒い聖餅《せいへい》*でも貼りつけたみたいだ」

「双眼鏡をこわしたって？」と、リチャーズがいった。「これはどうも。一つしかないもんだからね」

「覗いてみてください」と、ファンショウはいった。「私がこわしたわけじゃありませんよ」

朝食が済むと、リチャーズはそれを持ってテラスの石段の上に立った。あれこれ試していたが、とうとうじれったくなって「まったく、なんてしろものなんだろう！」と叫んだ。そのとたん双眼鏡は石の上に落ちた。レンズはこなごなに砕け、筒は大きくひび割れ、少量の液体が流れ出てきた。しかし、その真黒な澱《よど》みから立ちのぼる臭気といったら、およそ筆舌に尽くしがたいものがあった。

「いっぱいに《フィルド》して、封じこめて《シールド》、とかいいましたな？」と、リチャーズはいった。「その気になれば、謎が解けそうな気がしますね。やつが煮沸したり、蒸溜したりしていたものの正体がわかりましたよ。死体盗っ人めが！」

「いったい全体、どういうことなんですか？」

「わかりませんか？　あの男が『死人の目で覗く』と、医者にいったことを覚えているでしょう？　まあ、この双眼鏡がもう一つのやり方だったんでしょうね。しかし、やつらにすれば、自分たちの骨が煮られるなんてことは我慢ならないので、とうとう強引にあの男を拉致していったんでしょうね。さあ、鍬をとってきて、こいつを完全に埋めてしまおうじゃありませんか」

掘ったあとを芝で蔽いつくしてしまうと、リチャーズは、そのあいだじゅう敬虔な態度で見ていたパッテンに鍬を返してから、ファンショウにいった。

「君があれを教会へ持っていったのは、残念でしたね。いろいろ有益なものを見られたかも知れないのに。もっともバクスターにしたって、わずか一週間ぐらいしか持っていられなかったわけだから、それほどたくさんのものを見てはいないと思いますが」

「それはどうかわかりませんが」と、ファンショウは答えた。「さいわいファルネイカー修道院の絵だけは、どうにか残っていますからね」

聖餅　キリスト教のミサに用いる聖別されたパン。

怪船マインツ詩篇号

ジャン・レー

池畑奈央子 訳

Le psautier de Mayence

Jean Ray

死が迫りつつある時、多くの人は体裁の整った言葉を口にしたりはしない。残された時間でそれまでの自分の人生を総括しようと急ぐあまり、いたって単純な表現を使うものだ。

そして、今まさに、バリスターという船乗りがグリムスビー*港に停泊中のトロール船ノース・ケイパー号の船首楼で、最期を迎えようとしていた。

私たちは何とか出血を止めようと、大きな傷口に幾重にも布を巻いたが、命はそこからすり抜けていくようだった。船乗りは熱に浮かされているわけではない。淡々と、早口で話す。傍に置かれた血に染まった布切れにも、血まみれの洗面器にも目もくれない。むしろずっと遠くの何か恐ろしいものでも見ているようだった。

そんな船乗りの末期の言葉を、電信技士のレインズが書きとった。

レインズは少しでも暇があると小説や随筆を書き、いつ廃刊になるとも知れない文芸誌に投稿する。パターノスター・ロウ*でそんな雑誌を見かけたら、寄稿者の中にアーチャイル・レインズの名前がないかどうか是非とも確かめていただきたい。

そういうわけで、瀕死の重傷を負ったこの船乗りの独白が少し変わっていても驚いてはいけない。そして、その責任は、彼の最期の言葉を書きとめた三文文士レインズにある。

それでも、書かれていることは全て、嘘偽りなく、ノース・ケイパー号の乗組員四人の前で、バリスターの口から語られたことである。四人の乗組員とは、船長のベンジャミン・コールマン、この私、副船長にして漁撈長《ぎょろうちょう》のジョン・コープランド、機関士エフライム・ローズ、そして、くだんのアーチャイル・レインズである。

バリスターはこのように語った。


その教師に出会ったのは、メリー・ハートという酒場だった。金の話に折り合いがついたので、俺は教師の雇われ船長となった。メリー・ハートは船乗りよりも川船の船頭たちの溜まり場で、みすぼらしい店構えがリバプール*の港の船溜まりに平底の運搬船と並んで映っている。

実に良くできた小さなスクーナー*の設計図を眺めて、俺は言った。

「この船はヨットも同然だ。これなら悪天候で波が荒れても航行を続けられるにちがいない。それに船尾が十分広いから、向かい風でも問題なく操縦できるというものだ」

グリムスビー　イングランド東部、リンカーンシャーの港町。
パターノスター・ロウ　一八世紀から第二次世界大戦まで出版社や書店が集まっていたロンドン中心街の通り。
リバプール　イングランド北西部の貿易・港湾都市。
スクーナー　二本以上のマストを具えた縦帆船。

「補助エンジンもついている」と教師が言った。

その言葉に俺は思わず顔を顰《しか》めた。海をこよなく愛する船乗りとしては、帆船は風だけで走らせたいからだ。

「ハレット&ハレット造船所、グラスゴー＊」俺は声に出して仕様を読んだ。「一九〇九年建造。見事な艤装《ぎそう》だ。容積六〇トン、乗組員数六人。大型客船よりもよほど気持ちよく航海できそうだ」

教師は喜色満面で、上等な酒を注文した。

「それにしても」と俺は言った。「何でまた、元々の船名〈牝鸚鵡《ヘン・パロット》〉を消したのです？　いい名前じゃないですか。俺は昔から鸚鵡《おうむ》が好きなんですよ」

「それは……」教師が少し間を置いて言った。「気持ちの問題なのだよ。まあ、強いて言えば、感謝の気持ちとでも言おうか」

「なるほど、それで〈マインツ詩篇号〉ですか。実に変わっている……。独創的な名前をつけたかったというわけですか」

アルコールは少しばかり人を饒舌《じょうぜつ》にする。

「いや、実は……」と教師が切り出した。「一年前に亡くなった大叔父から、私は古書の詰まったトランクケースを引き継いだ」

「おやおや」

「まあ、いいから聞きなさい。その大量の古書をあれこれと、何とはなしに手に取っていた時だ。一冊の本が目に留まった。何と、〈インキュナブラ〉があったのだ」

「何ですか、それは?」

「インキュナブラとは……」何だか勿体《もったい》ぶった口調だった。「初期の活版印刷物のことだ。そこにFUST《フスト》とSCHAEFFER《シェファー》の紋章らしきものを認めた時には、それこそ腰を抜かさんばかりに驚いた。フストとシェファー*と聞いても、君には何のことかわかるまい。この二人は活版印刷の発明者グーテンベルクと一緒に仕事をしたのだ。つまり、私が手にした古書は、十五世紀末にグーテンベルク印刷所で印刷された、伝説の稀覯本《きこう》『マインツ詩篇』*だったのだよ」

俺は「なるほど」と相槌《あいづち》を打ち、いかにもわかったような顔をしてみせた。

「しかし、この古書で一財産を手にすることができると知れば……」そこで、教師はじらすように言葉を切った。「さすがに君だって驚くだろう」

「何ですって?」確かに、俄然《がぜん》、興味が湧いた。

「ああ、そうだとも。おかげで私はスターリング・ポンドの分厚い札束を手にすることができたのだから。牝鸚鵡号を買い取り、航海に必要な六人の船乗りを雇って給金を払えるほどの大金を……。これで、およそ海とは関係のない名前をこの船につけた理由がわかってもらえたかな?」

グラスゴー　スコットランド西部の港湾都市。十八世紀から貿易と造船が盛んだった。
フストとシェファー　ヨハネス・グーテンベルク(一三九八?—一四六八)の印刷所への出資者ヨハネス・フスト(不詳—一四六六)と、そこに勤めていた印刷技術者ペーター・シェファー(一四二五?—一五〇三)。グーテンベルクの破産後、二人でマインツに印刷所を経営した。
『マインツ詩篇』　一四五五年の初の活版印刷聖書に続き、五七年に出版された。

なるほど、そういう経緯があったのなら納得だ。俺は教師の粋な計らいに感心した。が、そのいっぽうで、むしろ、そんな高価な稀覯本を遺してくれた大叔父さんの名前をつけるべきじゃないのか……？　そう思った俺は、思わず口に出した。

すると、教師はいきなり笑い出した。嫌な笑い方だった。およそ教育者とは思えない品のない振る舞いに驚き、俺は口をつぐんだ。

「グラスゴーから出港したら、ミンチ海峡を通って、ラス岬*に向かってくれ」教師は言った。

「つまり、呪われた海路を行けと？」俺は言った。

「その難所を知っているからこそ、バリスター君、私は君を船長に選んだのだよ」

ミンチ海峡、通称〈北ミンチ〉と呼ばれるスコットランド北西岸の難所を知っていると言われることほど、船乗りの自尊心をくすぐってくれるものはない。俺の心は誇らしさに震えた。

「まあ、否定はしませんよ」俺は胸を張った。「チキンとティアンパン・ヘッド*の間で命拾いしたこともあるぐらいですからね」

「ラス岬の南側に……」教師は俺の言葉に構わずに続けた。「人目につかない小さな湾がある。よほど勇敢な船乗りでもなければ行かないような所だ。地図にも載っていない。ビッグ・トゥーという湾だ」

これには驚いた。俺は教師に称賛の眼差しを向けた。

「ビッグ・トゥーを知っているとは、恐れ入った」俺は率直に言った。「そういうことなら、税関の役人たちに目をつけられてもやむを得ない。さらには、近辺の難破船荒らしの悪党どもに襲われても文句は言えませんよ」

だが、教師は気にしないという素振りを見せる。

「私はビッグ・トゥーで君たちに合流する」

「その後は?」

教師は真西を指した。

「ううむ」俺は思わずうなった。「嫌な海域だ。所々に岩峰が突き出ている以外何もない。まさに広大な海の砂漠だ。水平線上に煙を見ることは滅多にない」

「だからこそ向かうのだ」教師が言った。

なるほど……。俺はこの航海の目的がわかったような気がして、教師に目配せをしてみせた。

「払うと言った金額をちゃんと払ってくれれば、あんたが何をしようと俺は構わない」

「バリスター君、勘違いしないでもらいたい。私がしようとしていることは、何と言うか……科学的なことなのだ。しかし、私は自分が発見したことを嫉妬深い連中に横取りされたくはない。それだけだよ。それ以外はどうでもよろしい。もちろん、払うと言った金額はちゃんと払う。心配には及ばない」

それから、俺と教師はしばし、酒を酌み交わした。

メリー・ハートは、川船の船頭相手の安酒場にしては、なかなか美味《うま》い酒を出した。海の男として、

ラス岬　スコットランド北端の岬。
ティアンパン・ヘッド　スコットランド、ルイス島のポイント半島北端にある岬。

俺はいささか情けない気持ちになった。さて、そろそろ、乗組員を決めようという段になって、話が妙な方向にそれていった

「私は船乗りではない」突然、教師が言い出したのだ。「だから、船の操縦に関しては一切、私を当てにしないでもらいたい。もちろん、全てを決定するのは私だがね。なにしろ、私は教師なのだから」

雇い主の職業が教師だと知ったのはその時だ。「俺だって知識に対しては並々ならぬ敬意を抱いていますよ」俺はまずそう言った。「俺自身、学がないわけじゃない。そうか、あんたは教師だったのか？なるほど、結構なことだ！」

「そうだ。ヨークシャー*で教師をしている」

そう聞いて、俺は急に愉快な気分になった。そして、思わず口にした。

「そういえば、スクィアーズという奴がいたな。『ニコラス・ニックルビー』*の登場人物ですよ。ヨークシャーにあるグレタ・ブリッジ寄宿学校の教師。もっとも、あんたはスクィアーズほど意地悪な人間でもなさそうだ。むしろ、どちらかと言えば……、いや、ちょっと待てよ……」

俺は教師の頑固そうな、骨ばった小さな顔をじっくり眺めた。剛毛の髪に猿を思わせる左右の色が異なる瞳、そして、清潔ではあるがあまりに粗末な服装……。

「わかった！」俺は思わず、声をあげた。「『互いの友』のブラドリー・ヘッドストーン*だ！」

「冗談じゃない」怒気を含んだ声だった。「ここで、自分の人格についてそんな不愉快なことを聞きたくはない。昔読んだ小説の話なら自分一人の胸にしまっておきたまえ、バリスター君。私に必要なのは船乗りだ。読書家ではない。それに、本の話なら私のほうが適任だと思うがね」

「気に障ったのならお詫びしますがね」俺もむっとして言い返した。「俺も、仕事柄、本を読まないわけにはいかないんでね。だから、無学というわけじゃない。教育を受けたのはあんただけじゃないんだ。俺は沿岸船舶の船長の免許を取得しているんだから」

「それは見上げたものだ」俺をからかうような口調で教師が言った。

「だいたい、ロープと油脂の盗難事件なんかに巻き込まれなかったら、六〇トンのおんぼろ船の船長になるために報酬の交渉なんかするものか！」

すると、教師の態度が急に和らいだ。

「君を傷つけるつもりじゃなかった」穏やかな口調だった。「沿岸航路の船長は立派な資格だ」

「実際、数学に地理、水路学に天体力学の基礎原理、覚えることは山ほどある。ディケンズの引用でもしないとやっていられませんよ」

今度は教師が嬉しそうに笑った。

「バリスター君、私は君を正しく評価していなかったようだ。さあ、もっとウィスキーを飲んでくれ」

そう言われると、何も言えなくなるのが俺の弱いところだ。


ヨークシャー　イングランド北部の広大な一地方。

『ニコラス・ニックルビー』　チャールズ・ディケンズの長編小説（一八三八―三九）。正義感の強い青年ニコラスが様々な職業に就き、苦難を乗り越えて成功を摑む。スクィアーズは寄宿学校の経営者。

ブラドリー・ヘッドストーン　ディケンズの長編小説『互いの友』（一八六四―六五）に登場する教師。教え子の姉に横恋慕し、恋敵の弁護士を殺そうとする。

教師につられて、俺も笑った。新しいウィスキーの瓶《ボトル》がテーブルの上に置かれると、さっきまでの気まずい空気が消えた。パイプの煙のように。

「では、改めて、乗組員について話しましょう」俺は言った。

「まず、ターニップがいる。蕪《ターニップ》とはおかしな名前だが、この名前の持ち主は男気があって、良い船乗りです。ただ、実は、こいつは……その……ごく最近までちょっとした罪で刑務所に入っていて……、まずいですか？」

「いや、何ら問題ない」

「では、こいつを雇いましょう。あんたには安い買い物ですよ。特に、少しばかりラム酒を積み込んでやれば、奴は喜んで働くでしょう。ええ、新鮮なラム酒です。高級品じゃなくて構わない。量さえあればいいんだから。お次は、フラマン人*のスティーブンスだ。たいそう無口な男です。しかし、あんたがオランダ製のパイプのマウスピースをかむように、こいつは易々と係留用の鎖をかみ切ることができる」

「そして、この男にもちょっとした罪があるのだろう？」

「おそらくは……」

「では、その者も……、何と言う名前だったかな？」

「スティーブンス」

「そうだ。スティーブンスだ……。スティーブンスは高いのか？」

「いや、これがちっとも高くない。塩漬けラードと堅パンさえあれば満足している男です。もし、あんたが積荷の買い出しに行くなら、すぐりのジャムも加えるといい」

「お望みとあれば、五〇〇キロでも買うとしよう」

「そうなったら、奴はあんたの言いなりだ。もう一人はウォーカーです。ただし、見られた顔ではないのだが……」

「面白いことを言うね、バリスター君」

「いや、そいつの顔ときたら、マダム・タッソー館*の〈恐怖の部屋〉の常連でもないかぎり、とてもじゃないが見るに堪えない。鼻の半分と顎の一部と片方の眼球がないのだから。何でも、事故に遭って、その場に居合わせたイタリア人の水夫たちが大急ぎで傷口を縫いつけたという話です」

「その他の乗組員は……？」

「実に優秀な男が二人います。ジェルウィンと修道士《フライヤー》タックです」

「何と、ディケンズの後はウォルター・スコット*か！」

「嬉しいね、気づいてくれたとは……。フライヤー・タックは、名前だけは耳にしていたが、俺も会うのは初めてです。奴には〈マインツ詩篇号〉の料理番兼雑用係をやらせようかと……」

フラマン人　ベルギー北部を中心に、北海沿岸に住む民族。
マダム・タッソー館　ロンドンの観光名所である蠟人形館。一八三五年開館。〈恐怖の部屋〉は別料金の特別室で、犯罪者の蠟人形や死刑台、独房などが展示されていた。
ウォルター・スコット　スコットランドの詩人、小説家（一七七一—一八三二）。小説の代表作に『アイヴァンホー』（一八一九）がある。フライヤー・タックは同作に登場する、森に住み義賊を手助けする修道士。

「実に面白い」教師が言った。「君のような知性にあふれる男に出会えるとは、これに勝る喜びはないよ、バリスター君」

「ジェルウィンとフライヤー・タックはいつも一緒です。片時も離れない。ジェルウィンはフライヤー・タックであり、フライヤー・タックはジェルウィンでもある。二人は主人と従者であり、逆もまた然り。要するに、互いに足りないものを補い合う別《わか》ちがたい関係なのです」

それから、俺は教師の耳元で囁《ささや》くように言った。

「何とも謎めいた二人です。ジェルウィンはさる国王の血を引いているという人もいるぐらいで……。そして、フライヤー・タックは不運な主《あるじ》に従う献身的な従者だと」

「では、二人を雇うにはその謎にふさわしい金額が必要なのだろうね？」

「そうなりますね。何らかの理由で王室を追われた王子様は、その昔、自ら自動車を運転していたという話なので、船の補助エンジンを担当させようと考えています」

ところが、その時、おかしなことが起きた。今、思えば、何かの予兆だったのかもしれないが……。

一陣の風に肩を押されるように、一人のみすぼらしい男がバーに入ってきた。痩せこけた道化師とでも言おうか、雨に濡れそぼった犬とでも言うべきか、海と港のあらゆる類《たぐい》の不運に憑りつかれていたように見えた。

そいつは注文したジンが置かれると、待ちかねたようにグラスを口に持っていった。が、すぐにグラスを落とした。床で割れる音が響く。見ると、男は手を上げたまま、恐怖に顔を引き攣《つ》らせて隣にいる教師を見つめている。と思ったら、突然、脱兎のごとく、風が吹きすさぶ店の外へ出ていった。カウンターに置いた半クラウン銀貨には手もつけずに。不思議なことに、教師はこの出来事に気づいていないようだった。少なくとも、気づいたようには見えなかった。それにしても、どういうわけで、一文無しのあの男はせっかく頼んだジンを床にぶちまけ、金を取り戻す余裕もなく、逃げるように凍える通りに飛び出していったのか、今でも謎だ。酒場は何とも心地よい暖かさに満たされていたというのに。

★★★

出航して数日間は、穏やかな春の海が続き、北ミンチはまさに両手をあげて、俺たちを迎えてくれた。しかし、静かな海面の下には荒々しい海流がいくつも流れ込んでいる。幸い、俺たちは胴体を切断された大蛇のように激しくもがく緑色の波の背を見逃すことはなかった。その辺り特有の南東の風が、二〇〇〇マイル離れたアイルランドの早咲きのライラックと春一番に咲く花々の香りを運んできた。そして、補助エンジンの後押しをするように、船をビッグ・トゥーへと進めてくれた。

ところが、そこで、突然、海の様子と波の奏でる音が変わった。

霧笛のような音を立てて、渦潮が海を鋭く削っている。俺たちは渦に飲み込まれまいと必死だった。渦巻きの泡とともに、大西洋の底から海藻に覆われた〈遺棄船〉が海面に現れたと思ったら、俺たちの船のボブステー*の辺りまで跳ね上がり、その後、岸壁に衝突して、木っ端微塵《みじん》に砕け散った。

〈マインツ詩篇号〉は幾度となく、マストを吹き飛ばされ、一本の巨大な剃刀《かみそり》のような船体だけとなるところだったが、幸運なことに、俺たちのスクーナーは優れた造りの帆船だった。紳士の如く悠々と優雅に低速航行で大海原を進んだ。そして、風が凪いだ少しの間に、補助エンジンを全開にして、ビッグ・トゥー湾の隘路《あいろ》を通過した。その直後、船を追いかけるように大波が立ち、青い水しぶきをあげた。

「俺たちはこの海域ではあまり歓迎されていないようだ」俺は乗組員たちに言った。「沿岸の悪党たちに見つかったら、奴らは問答無用で俺たちを追ってくるだろう。武器を準備しておいたほうがよさそうだ」実際、連中は姿を現した。だが、それは彼らにとって不幸な結果を招いた。そして、俺たちは実に不可解で不気味な出来事に立ち会うことになったのだ。

★★★

それから一週間、俺たちはビック・トゥー湾に停泊した。鴨《かも》の池よりも穏やかな湾だった。その間、俺たちは実に楽しい日々を過ごした。

船に積み込まれた食料品と飲み物は質量ともに名船とうたわれた帆船にふさわしいものだった。

船からジョリー・ボート*ですぐ、泳いでもたいした距離じゃないところに、ちっぽけな赤い砂浜があって、そこでは、シュウエップス*さながらの冷たい水が湧いていた。

上陸すると、ターニップは釣り糸を垂れ、小さな大鮃《おひょう》を釣った。スティーブンスは人っ子一人いない内陸の荒れ地に向かった。風向きによっては、時折、空気を切り裂くスティーブンスの銃声が聞こえてきたものだ。

スティーブンスは山鶉《やまうずら》や大雷鳥《おおらいちょう》、時には肥えた脚の野兎《のうさぎ》を獲ってきた。そして必ず、香ばしい肉の兎《うさぎ》を運んできた。

教師はまだ姿を現さなかったが、誰も気に掛けちゃいなかった。なにしろ、一ポンドと十シリング紙幣で、六週間分の給金を前払いしてもらっているのだから。ターニップは船に積み込まれたラム酒を全部飲み切るまでは下船しないと息を巻いていたぐらいだ。

ところが、ある朝、事態は一変した。

スティーブンスが汲んできたばかりの新鮮な水を小樽に注ぎ終わった時だった。彼の頭上で鋭い音が響き、顔からわずか一ピエ*しか離れていない岩の先端が粉々に飛び散った。スティーブンスは冷静な男だ。慌てずに湾の浅瀬に身を隠し、岩の割れ目の向こうに立ち上る一筋の青い煙に目を留めた。その後、スティーブンスを狙って海面を撃つ銃弾をものともせず、悠々と泳いで船に戻ってきた。俺たちが待つ船首楼にやって来て、スティーブンスが言った。

「俺たちは狙われている」

ボブステー　帆船の舳先を支える索。
ジョリー・ボート　大型船と岸のあいだを往来し荷物や人を運ぶ小船。
シュウェップス　シュウェップス社が世界的に販売している炭酸水。同社は十八世紀末にスイスで創業、のち事業拡大のためイギリスに移転した。
ピエ　長さの単位。一ピエは約三二・四センチ。"Pied"は「足」の意味で、英米のフィートに近い。

その言葉が終わらないうちに、舷側に数発の銃弾が当たる乾いた音が響いた。

俺は銃架から小銃を取り、甲板に上がった。

唸りをあげて弓なりに飛んできた弾に思わず首をすくめた。二発目の弾丸は柱をかすり、少しばかり木片が飛び散った。その後、帆桁の滑車に当たって弾ける金属音がした。

俺はスティーブンスが指差した岩の割れ目に向かって、銃を構えた。そこから、昔ながらの火薬の煙がもうもうと立ち上っている。ところが、急に銃撃の音が止んだ。その代わり、怒号と悲鳴が響き渡った。

その直後、何かが落ちたような鈍い音がした。海岸を見て、俺は足がすくんだ。赤い砂浜に男がうつ伏せに倒れているじゃないか。岸壁の頂上、三〇〇ピエの高さから落ちてきたのだろう。海岸に叩きつけられた男の身体はほとんど砂の中にめり込んでいる。男が身に着けている野暮ったい革の上着に俺は見覚えがあった。ラス岬の難破船荒らしの連中が着ていたものだ。

スティーブンスに肩を叩かれ、俺はようやくピクリともしない塊から目を反らした。

「もう一人」スティーブンスが言った。

見ると、腰をねじった奇妙な姿が空から地面へ向かっている。それは空高く飛んでいた大きな鳥が散弾銃で撃たれ、ぼろきれのように散り散りになって落下する様に似ていた。自らの重みに耐えられず、空にも裏切られ、無様に落ちていく……。

そしてまた、砂浜に重く、無残な音がした。今度はいかにも悪党らしい顔つきの男だった。男の身体は一時、痙攣《けいれん》を起こし、口から赤黒い血が噴き出した。スティーブンスがゆっくりと岸壁の頂上を指差した。

「そして、もう一人……」その声はわずかに上ずっていた。

岸壁の高みから荒々しい怒号が響いた。突然、空を背景に男の上半身が現われた。男は何か、あるいは誰かと争っているようだった。が、ほどなくして、投石器《カタパルト》から放たれたように放物線を描いて、すでに転落死した二人の隣に落下した。絶望の中をゆっくりと螺旋を描きながら転落する時の男の悲鳴が長く耳に残った。

俺たちはしばらくその場を動けなかった。

「彼らは私たちの命を狙っていたかもしれないが……」ジェルウィンが言い出した。「それでも、私は彼らの仇をとってやりたいと思う。バリスター船長、あなたの銃を貸してはいただけないか？　フライヤー・タック、出てこい！」

甲板の下から禿げ頭がぬっと出てきた。

「フライヤー・タックは猟犬並みの嗅覚を持っているのです」なんだか自分の持ち物を自慢するような言い方だった。「十匹の猟犬を連れているのと同じこと。遠くから獲物の臭いを嗅ぎつけます。まさに異能の持ち主です。フライヤー・タック、誰の仕業だと思う？」

よく肥えた頑丈そうな体を転がすように、フライヤー・タックが手すりに近づいた。

砂浜にめり込んだ三体の死体を鋭い視線で見つめる。最初はひどく驚いた様子だったが、次第に顔から血の気が失せた。

「どうしたのだ？」ジェルウィンが神経質に笑いながら言った。「死人ならこれまでいくらでも見てきたおまえが、新米の小間使いのように青ざめているぞ」

「違いますよ」低い声でフライヤー・タックが答える。「そうじゃなくて……あの下に何か嫌な奴がいるんで……」

「岩の割れ目を撃ってください、殿下！」突然、フライヤー・タックが叫んだ。「あそこです、あそこ！　早く！」

ジェルウィンは振り返ると、フライヤー・タックを睨みつけた。

「タック、二度とその忌々しい呼び方をするな！」

だが、フライヤー・タックはそれには答えず、頭を横に振る。

「遅い！　もういなくなった」そう呟《つぶや》いた。

「何が？」今度は俺が尋ねた。

「いや、岩の割れ目に何かが隠れていたんだが」フライヤー・タックがぼそっと言った。

「だから、何が隠れていたんだ？」

フライヤー・タックは俺に沈んだ目を向けた。

「わからない。でも、もういない」

俺はそれ以上尋ねることはできなかった。鋭い口笛が岸壁の天辺《てっぺん》で響き、その瞬間、人影が岩の割れ目から見えたからだ。

ジェルウィンが素早く銃を構えた。だが、俺は慌てて奴から銃を取りあげた。

「よく見ろ！」

岩の割れ目から、それまで気づかなかった小径を通って、教師が海岸に下りてくるところだった。

★★★

教師は船尾の立派な船室を使った。いっぽう、俺はその船室に続くサロンに簡易ベッドを持ち込み、そこで寝起きした。

乗船するや否や、教師は船室に閉じこもり、山と積んだ本をひたすら読んでいるようだった。それでも、一日に一回か二回は甲板にやって来た。そうして、六分儀を持って来させて、ひどく熱心に眺めていた。

俺たちは北西に向かっていた。

「アイスランドの岬が見えてきた」俺はジェルウィンに言った。

すると、ジェルウィンは海図を注意深く眺め、矢印と数字を書きなぐりながら言った。

「いや、むしろ、グリーンランドの岬なのでは？」

「だったら、そのうちのどっちかだ」そう答えると、ジェルウィンもあっさりと同意した。

俺たちは、天候に恵まれたある朝、ビッグ・トゥー湾を出航した。俺たちの背後で、朝日を受けて、モン・ロス*の二つの峰が赤く染まっていた。

その日、俺たちはヘブリディーズ諸島*の船と出くわした。その際、乗船していた扁平な顔つきのヘブリディーズ諸島の住民たち[原注一]を思い切りこきおろしてやった。夕暮れになると、帆を全開にしたダンディ艇＊が水平線上に現れた。

翌日は大海原に出た。右舷に風を受けて、波に揉まれるデンマークの蒸気船が見えたが、大量の蒸気のせいで船名までは見えなかった。

それが俺たちが見た最後の船になった。

正確に言うと、三日目の明け方、南に流れる二本の煙を見ている。ウォーカーは「あれは英国海軍の護衛艦の煙だ」と言ったが、船そのものが見えたわけじゃない。

同じ日、潮吹きをする鯱《しゃち》が遠くに見えた。その低く重い呼吸音が振動となって俺たちの船にまで伝わってきた。そして、それが俺たちが船上で見た最後の生命の営みとなった。

その夜のことだ。俺は教師の船室に呼ばれて、酒を飲んだ。

教師自身はアルコールには一切口をつけなかった。メリー・ハート酒場で一緒に飲んだ陽気でお喋《しゃべ》りな姿はどこにもなかった。それでも、相変わらず礼儀正しく、行儀はよかった。なにしろ、俺のグラスが空にならないように、まめに注いでくれたのだから。しかし、その間でさえ教師は本の山から目を放すことはなかった。

実は、その数日間のことはあまりよく覚えていない。毎日は単調に過ぎていったが、乗組員たちは不安を抱えているように見えた。それは、恐らく、ある夜の出来事がきっかけとなったのだろう。

俺たちは全員、同時に、激しい吐き気に見舞われたのだ。すると、ターニップが「俺たちは毒を盛られた！」と騒ぎ出した。

俺は「黙れ！」と一喝した。

しかし、実を言うと、この体調不良に苦しむ余裕などなかったのだ。その後、風向きが急変し、俺たちは全員、その対応に追われたからだ。そして、その結果、吐き気も毒騒ぎも忘れてしまったというわけだ。

航海八日目の朝が明けた。

★★★

俺は不安でこわばった表情の乗組員たちを前にした。別に初めてのことじゃない。だが、船乗りのそんな顔つきを見る時は悪い兆候と決まっている。

彼らの表情が全てを語っていた。全員、不安と敵意に冒されている。不安が連中を恐怖、はたまた憎悪のるつぼに入れて溶かしているのだ。負の力が連中を取り巻く空気を作り、それが船全体の雰囲気を悪化させる。遂に、ジェルウィンが口火を切った。

原注一　一般的にヘブリディーズ諸島の住民たちは見るに堪えない扁平顔である。

モン・ロス　フランス領ケルゲレン島にある火山。二つの山頂をもつ。実際は、本作の舞台からは遠く離れた南極圏にある。

ヘブリディーズ諸島　スコットランド西岸の広範囲に広がる島嶼部。住民はケルト人、ノルマン人などだが、作者が註までつけて言及している顔貌とはそぐわない。

ダンディ艇　二本マストの小型帆船。

「バリスター船長、私たちはあなたに話したいことがある」ジェルウィンはそう切り出した。「ただし、船長としてではなく、友人として、そして、ほうぼうを旅した航海の大先輩として、あなたと話がしたいと考えているのです」

「これはまた、ご立派な前置きだな」俺はせせら笑いながら言った。

「これでもあんたに気を遣っているんじゃないか」ウォーカーがうなった。元々歪んでいた顔がさらに、醜く歪んだ。

「じゃあ、聞こう」俺はぶっきらぼうに応じた。

「実は……」ジェルウィンが続ける。「私たちの周囲に何か良からぬことが起きています。最悪なのは、それが一体何なのか、誰にもわからないということです」

俺は暗い目で乗組員たちを見回した。そして、ジェルウィンに手を差し出した。

「そのとおりだ、ジェルウィン。俺もそう感じていた」

乗組員たちがほっとした表情になった。首領《ボス》も同じような違和感を抱いていることがわかったからだろう。

「バリスター船長、海を見てください」

「知っている」俺は下を向きながら言った。

ああ、そうだ。二日前から俺も気づいていたのだ……。

海は奇怪な様相を呈していた。かれこれ二十年、航海を続けているが、あんな海は見たことがない。

海面は奇妙な色彩の縞模様になっていた。さらに、時々、唐突に海面が激しく沸き立つ。そうかと思えば、これまで耳にしたこともない、笑い声のようなけたたましい音が、突然、波と波がぶつかった後に聞こえてくる。そして、その度に、乗組員たちは恐怖にかられて振り返り、海を眺めていたのだ。

「俺たちについて来る海鳥さえいない」フライヤー・タックが呟く。

そのとおりだった。

「昨夜のことだが……」低い声でフライヤー・タックがゆっくりと話し始めた。「食糧が積み込まれた船倉に巣くっている鼠が小さな群れをなして、甲板に押し寄せ、それから、集団で海に飛び込んだ。こんな光景はこれまで一度も見たことがない」

「俺もない」全員が暗い声で応じた。

「俺は一度ならず、この辺りを航行しているが……」ウォーカーが言った。「今頃の季節にも来たことがある。この季節は黒鴨《くろがも》で空が真っ黒に埋め尽くされているはずだ。そして、鼠海豚《ねずみいるか》の群れが朝から夜まで船のあとをついてくる。違うか？」

「昨夜の空を見ましたか、バリスター船長？」ジェルウィンが低い声で俺に尋ねた。

「いや」正直に答えざるを得なかった。船長として、さすがにばつが悪かった。寡黙な教師を相手に俺はしこたま飲んだ。その結果、ひどく酔っ払ってしまい、甲板に上がることができなかったのだ。一夜明けた後でもこめかみに鈍痛が残るほどの悪酔いだった。

「あの悪魔は俺たちをどこに連れて行くつもりなんだ？」ターニップが尋ねた。

「まさに悪魔だな」口数の少ないスティーブンスが応じる。

それぞれが言いたいことを言い合っている。

俺は腹を括った。

「ジェルウィン」俺は言った。「今から言うことをよく聞いてくれ」

「確かにこの船の船長は俺だ。だが、俺はあんたが俺たちの中で一番賢いと思っている。こうしてそれを全員の前で公言することを恥だとも思わない。ついでに言うと、あんたは船乗りらしからぬ身の上だということも知っている」

ジェルウィンは寂しげな笑みを浮かべた。

「そういうことにしておきましょう」

「あんたは俺たちの知らないことを知っているんじゃないのか？」

「いや、私は何も知らない」ジェルウィンが率直に言った。「しかし、フライヤー・タックなら何か知っているかもしれない。さっきも言ったように、珍しい……というか、異能の持ち主なのです。説明することはできなくても、何かを感じているにちがいありません。なにしろあの者は私たちよりも感覚が鋭い。危険を察知する感覚のことです。フライヤー・タック、話してみよ！」

「俺にもよくわかりませんが」フライヤー・タックが低い声が言う。「俺たちの周りで起きていることは、とにかく恐ろしいことです。何よりも恐ろしい、死よりも恐ろしいことです！」

俺たちは恐怖にかられて、顔を見合わせた。

「あの教師は……」言うべき言葉を必死で探すように、たどたどしく、フライヤー・タックが続けた。

「そのことと無関係ではないはずです」

「ジェルウィン！」俺は叫んでいた。「教師に尋ねてくれ！　俺にはとてもできそうにない。頼む、あんたが行ってくれ！」

「よろしい」ジェルウィンが言った。

そして、甲板を下りていった。すぐに、教師の船室の扉を叩く音が聞こえてきた。一回、二回、三回……、それから、扉を開ける音がした。

そのまま数分が過ぎた。

ジェルウィンが甲板に戻ってきた。真っ青な顔で……。

「教師はいない」ジェルウィンが言った。「船内を探してくれ！　この船に人一人、長い間、隠れていられるような場所などないはずだ！」

俺たちは手分けして船内を探した。やがて、一人また一人と甲板に戻ってきた。互いに不安な面持ちで顔を見合わせながら。教師の姿は船から消えていた……。

★★★

夜の帳《とばり》がおりて、ジェルウィンが甲板に来るよう俺に合図をした。甲板に上ると、今度はメインマストを指差した。

見上げた俺は、衝撃のあまり、膝から崩れ落ちた。

見たこともない空が荒れた海の上に広がっていたからだ。見慣れた星座が消えていた。初めて見る幾何学模様の天体が、ぞっとするような漆黒の夜空で弱々しい光を放っていたのだ。

「ああ！」俺は天を仰いだ。「ここはどこだ？」

分厚い雲が空を覆い始めた。

「ここにいるのが私たちだけでよかった」ジェルウィンが静かに言った。「他の三人がいたら、さぞ取り乱したことでしょう。ここはどこか？　それは私にもわからない。だから、バリスター船長、諦めましょう。考えるだけ無駄というものです」

俺は頭を両手で抱えこんだ。

「そういえば、二日前から羅針盤が動かない」そう呟いた。

「ええ、知っています」ジェルウィンが言う。

「ここはどこだ？　俺たちはどこにいるのだ？」

「落ち着いてください、バリスター船長」皮肉とは思えない口調でジェルウィンが言った。「この船の船長はあなただ。それを忘れないでください。今、私たちがどこにいるのか、私にもわかりません。ですが、仮説を立てることはできます。もっとも、想像力を膨らませ、それを難しい言葉で表現するだけのことですが」

「それでも構わない」俺はすぐに答えた。「〈わからない〉などという気が滅入る言葉より魔女や悪魔の話を聞くほうがましだ」

「私たちはおそらく、次元の異なる世界にいるのだと思います。あなたに数学の知識があれば、理解しやすいかもしれません。私たちがいるのはもはや三次元の世界ではない。それはおそらく、消滅してしまったのでしょう。その代わり、今私たちは、多次元の世界にいる。思いもよらない魔法によって、あるいは恐るべき科学の力によって、私たちは火星か木星か、あるいはアルデバラン*に転送されてしまったのかもしれません。それでも、これまで地上から眺めていた星座をこの異次元空間の空のどこかで見ることができたのでしょう」

「じゃあ、太陽は？」俺は思い切って尋ねた。

「無限の世界における偶然の一致でしょう。あるいは太陽に相当する似たような天体があるのでしょう」ジェルウィンが言った。「しかし、全ては私の推測に過ぎません。だから、確信はない。それに、この奇妙な異次元空間にいようと、三次元の世界にいようと、いずれ私たちは死ぬのです。そう思えば、冷静さを保つことができるというもの」

「死んでたまるか」俺は抵抗した。「俺は戦う！」

「誰と戦うつもりですか？」ジェルウィンが冷ややかに言った。

「確かに、フライヤー・タックはさっき、死よりも恐ろしいものだと言っていました。私たちの身に降りかかる危険について様々な意見があるとしても、フライヤー・タックの警鐘を侮《あなど》ってはなりません」

　俺はジェルウィンが言うところの仮説に戻った。

「多次元の世界と言ったな？」

アルデバラン　おうし座のα星。

「ですから、私の言ったことを真に受けないでください」苛立った声だった。「実際、三次元以外の世界が存在することを証明するものは何もありません。そして、私たちが平面の世界、あるいは一次元の世界、つまり直線上に存在し得る生命体をまだ発見していないように、私たちもまた、私たち以外の生命体に発見されてはいないのですから。

バリスター船長、私は今、ここで、あなたに超幾何学の講義をするつもりはありません。それでも、はっきり言えることは、私たちの世界とは違う空間が存在しているということです。それは、例えば、夢の中で認識するような空間であり、一つの次元に過去と現在、もしかしたら未来さえ同時に存在する世界かもしれない。あるいは、原子や電子の世界かもしれません。天体が目まぐるしく旋回する世界であり、いくつもの相対的で巨大な空間でできた世界、もしくは、眩《まばゆ》いほどの神秘的な生命に満ちた世界なのかもしれません」

ジェルウィンは諦めたような大きな身振りをした。

「こんなおかしな海域に俺たちを連れてきたあの謎の教師の目的は者だ？　そして、どうやって、そもそもなぜ、姿を消したのだ？」

その時、俺は思わず、額を叩いた。フライヤー・タックの怯えた言葉とリバプールの酒場で見かけた浮浪者の恐怖に引き攣った顔を思い出したからだ。

俺はその件をジェルウィンに話した。

ジェルウィンはゆっくりと頷いた。

「大なり小なり危険を察知する私の連れの能力を過大評価してはなりませんが、フライヤー・タックは航海初日、あの乗船客を見ながら、こう言ったのです。〈あの男は、どうしても通れない壁のようなもので、壁の向こうで、何かとてつもなく恐ろしいことが起きているにちがいないです〉と。

私は多くを尋ねませんでした。無駄だからです。フライヤー・タックにはそれ以上のことはわかりません。おそらく、あの者の人知を越えた能力が何かを感知し、それが脳内で一つのイメージとなって認識されたにちがいありません。しかし、それを分析することなどあの者には絶対にできない。

そもそも、フライヤー・タックが危惧の念を抱いたのはもっと前なのです。

私たちが乗船するスクーナーの名前を聞くと、大いなる悪意を感じると言いながら、眉をひそめたのですから。それで、私は思い出しました。占星術では物や生き物の名前はとても重要だとされています。そして、占星術は四次元の科学です。ノルドマンやルイスをはじめとする学者は、千年の知の集積である占星術と近代科学である放射能と、そして、最新科学の超空間《ハイパースペース》は言わば、三つ子のように極めて似ていると気づき、衝撃を受けたと言われています」

俺はジェルウィンが自分に言い聞かせているのだと感じた。自分自身を安心させるために、こんな具合に長広舌をふるっているのだと。まるで俺たちを取り巻く世界にその道理と本質を説明しているようだった。そうすることで、黒一色の水平線の向こうからやって来る未知の恐ろしいものを打ち負かすことができると信じているように見えた。

「だったら、船をどう進めればいい？」船長としての威厳など捨てて、俺は訊いた。

「右舷開きで帆走しましょう」ジェルウィンが言った。「風は安定しているようなので」

「では、減速航行にするか？」

「いや、急ぐべきです。突風に備え、縮帆しましょう」

「わかった。では、ウォーカーに舵を取らせよう」俺は言った。「船が岩礁に乗り上げないように、ウォーカーは前方だけ注意していればいいのだ。もし、水中に隠れた岩礁にぶつかるようなことがあったら、船底の亀裂から浸水して俺たちは沈んでしまうのだから」

「それも一興」ジェルウィンが言った。「私たちにとって、それが最良の解決策かもしれませんよ」

ジェルウィンの口からそんな言葉を聞くとは思ってもみなかった。

過去に経験した危機であれば、俺も船長らしく振る舞うこともできただろうが、全く未知のものを前にして、俺はジェルウィンに指示を仰ぐ始末だった。

その夜、船首楼には誰もいなかった。全員、俺が船室代わりに使っている窮屈なサロンに集まっていたからだ。

ジェルウィンは自ら持ち込んだ大瓶のラム酒、ダム・ジュンヌ二本を俺たちに振る舞った。モンスター・パンチを作る時に使う有名なやつだ。

そのラム酒のおかげで、ターニップはすっかり上機嫌になってしまい、二匹の猫とある若きご婦人とイプスウィッチ*のとある邸宅にまつわる話を延々と続けた。ターニップ自身もなぜか、好人物として、随所に顔を出した。

いっぽう、スティーブンスは堅パンとコンビーフで美味そうなサンドイッチを作った。

煙草の煙が天井からぶら下がって揺れもしない石油ランプを幾重にも取り巻いた。

俺たちは実に心地よい家庭的な雰囲気に包まれていた。モンスター・パンチのせいで、俺は甲板で聞いたジェルウィンの不思議な話を思い出して、何だかおかしくなった。

そして、ウォーカーは温めたモンスター・パンチを魔法瓶に入れると、赤々と灯るランプを手にとり、「おやすみ」と言って当直につくために甲板に向かった。

船室の置時計がゆっくりと九時を告げた。

船が強く揺れ、海が荒れてきたことがわかった。

「帆はほぼ畳んである」ジェルウィンが言った。

俺は黙ってうなずいた。

スティーブンスに話しかけるターニップの声が単調に響く。スティーブンスは見事な上下の歯で堅パンをかみ砕きながら、ターニップの話を聞いている。

俺はグラスを空にした。それをフライヤー・タックに差し出し、催促しようとした時だった。フライヤー・タックの顔が急にこわばった。そして、片方の手でジェルウィンの手を強く握った。そうやって二人は耳をそばだてているようだった。

「どうしたと……」

俺がそう言いかけた時、けたたましい呪いの声が俺たちの頭上で炸裂した。その直後、甲板室の辺りを誰かが裸足で走る音がした。そして、ぞっとするような叫び声が続いた。

俺たちは怯えて顔を見合わせた。はるか遠くの海上からヨーデルのような甲高い声が聞こえてくる。

イプスウィッチ　イングランド、サフォーク州の州都。

俺たちは一塊《ひとかたまり》になって、闇の中を互いにぶつかりながら、甲板に押しかけた。

ところが、外に出てみると、実に静かなものだった。帆は心地よい音を立ててはためいている。舵輪の傍には、さっきウォーカーが手にしたランプが美しい炎を灯し、ずんぐりとした魔法瓶を煌々と照らしている。

だが、肝心のウォーカーがいない！

「ウォーカー！　ウォーカー！　ウォーカー！」　俺たちは夢中で叫んだ。

すると、それに応えるように、濃い夜霧に包まれた水平線の向こうで、また奇怪なヨーデルが奏でられた。

音のない深い闇が俺たちの仲間を飲み込んでしまったのだ、永久に……。

★★★

陰鬱な夜が明けた。熱帯サバンナの短い夕暮れのような不気味な紫色の空が広がっていた。

不安で一睡もできなかった乗組員たちは小刻みに波が立つ海面をぼんやりと眺めている。船は白く泡立つ波頭をバウスプリット*で切り裂くように進んだ。

クロスジャッキ*に大きな穴が空いていた。新しいものと交換するため、スティーブンスが帆が入っている船倉を開けた。

いっぽう、フライヤー・タックは自分のセイルパーム*を出して、修繕の準備を始めた。

全員の動きが無意識で機械的で、そして単調だった。俺は時々、舵に目をくれて、呟いた。

「こんなことをして、何になる……何になるというのだ？」

ターニップは、指示も待たずに、メインマストに上がった。俺はその姿を帆桁の上まで追っていたが、そのうちターニップの後ろ姿は帆に隠れ、視界から消えた。

その時だった。ターニップの叫び声が聞こえてきたのは。

「誰か、上がってきてくれ。早く！　マストに誰かいる！」

それから、空中で格闘する凄まじい音がした。その直後、苦しそうな呻《うめ》き声とともに、人が空中に飛び出し、くるくると回転しながら、波の彼方に落下した。あの断崖絶壁の上に突如、姿を現したラス岬の難破船荒らしの若者が海へ落ちていくのを見ているようだった。

「おのれ！」ジェルウィンが叫ぶと、帆桁を上り始めた。フライヤー・タックもすぐさま後を追った。

スティーブンスと俺はたった一つしかない救命ボートに向かって突進した。フラマン人の逞しい腕がいち早く、ボートを海に浮かべたが、俺たちはあまりの衝撃と恐怖に足がすくみ、すぐにボートに乗り移ることができなかった。というのは、突然、ガラスのように透明で形のはっきりしない、てかてかと光る奇妙な流動物がボートを取り囲んだからだ。その瞬間、船とボートを繋《つな》ぐ鎖がちぎれて飛

バウスプリット　帆船の舳先から長く突き出す棒。
クロスジャッキ　一番前のマストの最下段に取りつける大型の横帆。
セイルパーム　帆布を修理する時に使う指貫。

び散った。その後、訳のわからないものすごい力がかかり、船が左舷に傾いたところに、大波が甲板に打ち寄せ、扉が開いたままの船倉に海水が流れ込んだ。

小さな救命ボートは深海に吸い込まれたのか、跡形もなかった。

ジェルウィンとフライヤー・タックが下りてきた。

マストには誰もいなかったという。

ジェルウィンは布切れをつかむと、震えながら手を拭った。帆と索具に血が飛び散っていたというのだ。触ってみると、まだ生温かったと。

俺は震える声で、聖人の言葉を交えながら、死者への祈りを捧げ、同時に、海と一連の不可解な出来事を呪った。

★★★

夜遅くなって、俺とジェルウィンは甲板に出た。舵輪の傍で、一緒に寝ずの晩をするつもりだった。一時、俺は堪えきれなくなって泣いた。すると、ジェルウィンが俺の肩を優しく叩いてくれた。そうしているうちに、俺も落ち着きを取り戻した。それで、パイプに火をつけた。

俺たちは言葉も交わさなかった。ジェルウィンは舵輪にもたれて、眠っているように見えた。いっぽう、俺は左舷の手すりにもたれて、見るともなく夜の闇を眺めていた。が、突然、目を疑うような光景に、足がすくんだ。身体を起こして、叫びたくなるのを堪えながら言った。

「ジェルウィン、見たか？　それとも、俺は幻覚でも見ているのだろうか？」

「いいえ、幻覚ではありません」ジェルウィンが低い声で答えた。「見てのとおりです。しかし、どうか他の者たちの耳には入れないでいただきたい。彼らの頭はすでに発狂寸前なのですから」

俺は恐る恐る、もう一度左舷の向こうに目をやった。

ジェルウィンが俺の隣にやって来た。

海の底が広々と、血のような真紅の輝きに照らし出されている。その輝きはいつの間にか船の下にも広がっていた。帆とロープも船底から煌々と照らされ始めた。

まるでドゥルリー・シアター*の舞台で使われる船に乗っているみたいだった。舞台に設置された発煙筒の明かりで煌々と照らされた作り物の船だ。

「燐光か？」俺は敢えて言ってみた。

「ご覧なさい」囁くようにジェルウィンが言った。

海が突然、ガラスの球のように透明になったのだ。

すると、深い海底に目を疑うような暗い大きな塊が現れた。それはいくつもの大きな鐘楼のある館と巨大なドームと、そして奇妙な建造物が並ぶ通りの数々だった。

あたかも遥か上空からとてつもなく大きな産業都市を眺めているような気がした。

「何か動いている……」俺は不安にかられて、呟いた。

ドゥルリー・シアター　ロンドンのコベントガーデンの東にある劇場。一六六三年開場。

「ええ」ジェルウィンも声をひそめて言う。

というのも、海底に不定形の生物が群がり、何をしているのか、絶えず小刻みに動いていたからだ。

「下がって！」突然、ジェルウィンが俺のズボンのベルトをつかんで、後ろに引っ張った。深海からその何かの一つが、驚異的な敏捷さで、姿を現した。海底都市はすぐにその巨大な黒い影で覆い隠された。まるで、大量の墨が、一瞬にして、俺たちの周りに広がったようだった。

その直後、船底に強い衝撃を受けた。すると、今度は辺りが赤く輝き始め、マストを縦に三本繋げたほどの長さの巨大な触手が三本、海面から出現した。そして、それぞれが空中で何ともおぞましい動きを繰り返した。さらに、琥珀色の液状の目をした不気味な影が左舷の船端の高さまで身体を伸ばし、俺たちにぞっとするような視線を向けた。

しかし、それも二秒と続かなかっただろう。突然、大きな波が船の真横を襲った。

「面舵いっぱい、急いで！」ジェルウィンが叫んだ。

だが、遂にその時が来てしまった。帆桁が折れ、ブーム*が斧を振り下ろすように空を切った。メインマストは砕け散り、ハリヤード*はハープの弦が切れるような音をたてて吹っ飛んだ。

とても現実のものとは思えないその光景は、次第に霧に包まれていった。海は大きく波打ち、白い泡となって砕ける。右舷では、風にあおられて激しくうねる波頭を、まるで炎の縁飾りのように、閃光が走り、そして、消えた。

「ウォーカー、ああ、ターニップ、可哀そうに」ジェルウィンが嗚咽《おえつ》を漏らした。

甲板時計が鳴った。零時十五分だった。

★★★

翌朝は何事もなく過ぎた。

空には汚い黄土色の分厚い雲が垂れ込め、寒々とした朝だった。

昼頃になって、濃霧の向こうに光り輝く点が見えたような気がした。太陽かもしれない。そこで俺は、ジェルウィンに「そんなことをしても何の意味もない」と言われながらも、その位置を見極めることにした。

海は荒れていた。俺はまず、水平線を視認した。だが、波長の短い波が視界に入って来るたびに、水平線が空に向かって飛び跳ねる。

それでも、何とか水平線をとらえることができた。それから、六分儀の鏡の中で光り輝く点を探した。その時、その光る染みのような点の前で、バンデリア*のような形をした乳白色の物体が高い位置でぴくぴくと動いているのが見えた。

すると、六分儀の真珠層のような鏡の奥底から、急に、何だかわからない物が俺をめがけて飛んで

ブーム　メインマストの後ろにあるマストの帆桁。
ハリヤード　帆や帆桁などを上下させるための動索。
バンデリア　闘牛で牛の首や肩に突き刺す飾りのついた槍。

きた。六分儀が宙を飛ぶ。と、激しい一撃を頭に食らった。それから、誰かの悲鳴と争う物音と、さらにまた悲鳴が聞こえた……。

★★★

正確に言うと、その時、俺は失神したわけじゃない。甲板室にぶつかって、倒れただけだ。耳元で鐘の音が鳴り始め、それはいつ終わるとも知れなかった。夜毎にテムズ川に響くビッグ・ベンの厳粛な音色ではないかとさえ思った。

その心地よい鐘の音に不安を掻きたてるようなざわめきが重なった。だが、それは遠くから聞こえてくる……。

力を振り絞って、何とか起き上がろうとしていた時、誰かに身体をつかまれ、起こされた。

俺は呻き声をあげながらも、戻ってきた意識と力を必死でかき集め、よろよろと歩き出した。

「何と！」ジェルウィンの驚く声がした。「運の強い方だ、この御仁は！　生きている」

俺は鉛の蓋のように重い瞼を何とか開けた。

まず、垂れ下がった索具で斜めに区切られた黄色い空が見えた。続いて、酔っ払いのようにふらついて歩くジェルウィンの姿も。

「一体、何が起きたのだ？　頼むから教えてくれ」俺はほとんど泣きそうになりながら言った。というのも、ジェルウィンの顔にも涙が流れていたからだ。

しかし、ジェルウィンは質問には答えずに、俺を船室に――俺の船室に、案内した。

すると、二つの簡易ベッドの片方に、大きな塊が横たわっている。

そこで、俺ははっきりと意識を取り戻した。思わず、自分の胸に両手を重ねた。一瞬、誰かわからないぐらい異様に顔が腫れていたが、横たわっていたのはスティーブンスだったのだ。

ジェルウィンがラム酒を一杯飲ませてくれた。

「これで終わりです」そう呟くジェルウィンの声がした。

「終わり……これで終わり……」俺は呆《ほう》けたように繰り返した。そうすることで状況を少しでも理解できるのではないかと思いながら……。

ジェルウィンがスティーブンスの顔に新しい湿布を当てた。

「ところで、フライヤー・タックはどうした？　どこにいる？」

すると、ジェルウィンは堪えきれないように、むせび泣いた。

「他の乗組員と同じように……私たちはあの者を二度と見ることはない……永遠にない」

そして、嗚咽で時々言葉に詰まりながら、何が起きたか話してくれた。ただし、ジェルウィンのわかっている範囲で。

全てはあっと言う間だったという。それまでに起きた数々の不可解な出来事と同じように。

機関室で機械の点検に精を出していた時、ジェルウィンは甲板で助けを呼ぶ声を聞いた。そこで、急いで駆けつけると、スティーブンスが銀色に輝く大きな泡の中で必死にもがいていた。ところが、ぐったりとその場に倒れると、そのまま動かなくなった。フライヤー・タックの姿はなかった。メインマストの周辺に、帆を繕う時に使うフライヤー・タックのセイルパームと帆布針が散らばっており、左舷の手すりから血が滴りおちていた。そして、甲板室の近くでは俺が倒れていた……。そこまで話してから、それ以上のことはわからないとジェルウィンは言った。

「スティーブンスの意識が戻ったら、もっと詳しい話が聞けるだろう」俺は力なく言った。

「意識が戻ったら？」ジェルウィンが絞り出すような声で言った。「スティーブンスの身体はもはや、ただの入れ物に過ぎませんよ。中には砕けた骨とずたずたにされた内臓が入っている。幸か不幸か、身体が頑丈にできているので、辛うじてまだ息をしているが、もはや死んだも同然です。他の者たちと変わらない」

俺たちは〈マインツ詩篇号〉が好き勝手に進むのを見ているほかなかった。もはや僅かな帆しか残っていないのだから、進むのも漂流するのも同じことだった。

「これまでの出来事を振り返ると、甲板に危険が潜んでいると言わざるを得ない」ジェルウィンが自分自身に言い聞かせるように言った。

夜になっても。俺たちはまだ船室に閉じこもっていた。

スティーブンスの呼吸は荒く、いかにも苦しそうだった。口から血の混じった涎《よだれ》が絶えず漏れてくるので、それをこまめに拭ってやらなければならなかった。

「今夜は眠らない」俺は言った。

「私も」ジェルウィンが応じた。

俺たちは、息苦しくなるのも構わず、船室の窓をしっかりと閉めた。船は少し、横揺れしていた。

あれは深夜二時頃だったろうか、まるで頭の中が突如、麻痺状態になって痺《しび》れを感じたように、あるいは、浅い眠りの中で悪夢をみてうなされたように、俺ははっと目が覚めた。

いっぽう、ジェルウィンはしっかり起きていた。天井の艶やかな木目を不安そうな目で見つめている。

「誰かが甲板を歩いています」低い声で言った。

俺は小銃を手に取った。

「そんなものが何の役に立つというのです？　私たちはここにいましょう。放っておけばいい！」

慌ただしい足音が甲板に響く。まるで、大勢の人間が忙しく動きまわっているようだった。

「思ったとおりです」ジェルウィンが言い足した。

そして、自嘲するように続けた。

「私たちは用無しです。連中が私たちの代わりに働いているのですから」

やがて、聞き覚えのある音が聞こえてきた。舵輪が軋《きし》む音だ。向かい風の中で骨の折れる作業が行われているにちがいない。

「帆を揚げたぞ！」

「確かに！」

〈マインツ詩篇号〉が激しく上下に揺れた。その後、大きく右に傾いた。

「この向かい風の中、右舷開きで帆走するとは！」ジェルウィンが感嘆する。「しかし、連中は化け物なのです。人間の血と殺戮に陶酔する野獣どもだ。それなのに、航海術に長けている」

確かに、英国の最強のヨット操縦者でも、そして、優勝した時の競漕用ヨットを持ってしても、この向かい風の中を航行しようとは思わないだろう。

「これが何を意味するかわかりますか？」ジェルウィンが勿体ぶって訊いてきた。

俺はお手上げだという仕草をした。実際、見当もつかなかった。

「この船の目的地は決められているということです。連中は私たちを予《あらかじ》め決められた場所に連れていこうとしているのです」

俺もしばらく考えてから言った。

「連中は悪魔でも幽霊でもない。俺たち同様、船乗りだ」

「さすがにそれは言い過ぎでしょう」

「いや、俺が言いたかったのは、連中は実体はある。だから、幽霊じゃない。そして、尋常ならざる力を持っているということだ」

「それに関しては、疑うべくもありません」ジェルウィンが冷ややかに答えた。

朝五時頃、船が大きく横揺れした。連中はまた船の操縦を始めたようだった。ジェルウィンが船窓の蓋を外した。分厚い雲に覆われた暗い夜明けだった。

俺たちは十分用心しながら甲板に上がってみた。人の姿はなく、きっちり整頓されていた。

船は荒天減速航行していた。

★★★

その後、二日間は何事もなく過ぎた。

三日目の夜、また奴らが船を動かし始めたと思ったが、ジェルウィンは俺の考えに否定的だった。船は流れの速い海流に乗って、北西方向に運ばれているにちがいないと言うのだ。

スティーブンスはまだ息をしていたが、はた目にもさらに衰弱したのがわかった。

ジェルウィンは自分の旅行鞄の中から小さな携帯用の薬箱を取り出し、瀕死のスティーブンスに時々、注射をした。俺たちはほとんど話をしなかった。それどころか、考えることもやめていただろう。少なくとも、俺はそうだった。酒のせいで、常に頭がぼうっとしていたからだ。なにしろ、ウィスキーをパイント・グラスで何杯もあおっていたのだから。

ある日、酔った勢いであの教師を思う存分、罵《ののし》っていた時だった。見つけたら、ただでは済まさない。八つ裂きにしてやると息巻いていた。そこで、何気なく、教師が乗船する時に持ち込んだ書物の話をした。

するど、ジェルウィンが血相を変えて飛びかかってきた。そして、乱暴に俺を揺さぶった。

「おい！　俺はこの船の船長だぞ！」俺は毅然と言った。

「ふん、貴様のような船長は消え失せるがいい！」これまでと打って変わって、乱暴な物言いだった。

「貴様、今、何と言った……？　書物だと？」

「そうだ。あの教師の船室に、本が詰まった旅行鞄がある。俺はこの目で見たのだ。全部、ラテン語の本だった。何が書いてあるのか、俺にはさっぱりわからないが」

「私ならわかる。なぜ、その書物の話をしなかった？」

「あんな昔の本が何だって、それほど重要なんだ？」そう反論したが、うまく舌が回らない。「それに、俺は船長だぞ……貴様こそ……俺に……敬意を……示せ！」

「この酔いどれめ！」ジェルウィンは捨て台詞を吐いて、教師の船室に向かった。船室の扉が開いて、閉まる音が聞こえた。

生気のない、いつも以上に無口な、哀れなスティーブンスを相手に、俺はその後しばらく、飲みながら愚痴をこぼした。

「俺は……船長だ……」舌がもつれるのも構わずに……。「国家海洋局に……訴えてやるからな……。酔いどれだと？……無礼な……乗船したら俺より偉いのは神だけだ……なあ、違うか、スティーブンス？　お前が証人だ……あいつは俺を貶《おとし》めたんだ。刑務所に……ぶち込んでやる……」

それから、俺は少し眠った。

★★★

翌朝、ジェルウィンは頬を真っ赤にして、目をぎらぎらさせながら、堅パンと缶詰の中身を慌ただしく口に放り込むように食事をしていた。

「バリスター船長」ジェルウィンのほうから声をかけてきた。「例の教師は水晶でできた何か、おそらく箱のようなものについて話をしませんでしたか？」

「俺は教師の相談相手じゃない」俺はぶっきらぼうに答えた。どうしても前夜のジェルウィンの無礼が忘れられなかった。

「ああ！」ジェルウィンが苛立った声で言った。「一連の悲劇が起きる前に私が教師の本を手にしていれば！」

「で、何か見つかったのか？」そこで、俺は尋ねてみた。

「ええ、手掛りがいくつか……。全貌はわかりませんが、それでも、糸口が見つかりました。おそらく、人知の思い及ばぬものでしょう。いずれにしても、これまで誰も聞いたことがないようなことです。おわかりですか？　誰も聞いたことがない、驚くべきことなのです」

ジェルウィンは珍しく興奮していた。

だが、それ以上、聞き出すことはできなかった。ジェルウィンはまた教師の船室に駆け込み、閉じこもってしまったのだから。

その後、ジェルウィンを見かけたのは、夕暮れ時のわずか数分間、ランプに灯油を入れに来た時だった。しかし、奴は俺に声もかけずに出ていった。

翌朝、俺は随分、遅くまで寝ていた。起きるとすぐ、教師の船室に向かった。

だが、ジェルウィンはいなかった。

急に、胸が締め付けられるような不安に襲われ、俺はジェルウィンの名を呼んだ。

返事がない。

俺は、用心することさえ忘れて、ジェルウィンの名前を大声で呼びながら、船内を探し回った。

相変わらず返事はなかった。俺はサロンの床に突っ伏して泣いた。神のご加護を祈りながら。この呪われた船にたった一人取り残されたのだ。死にかけているスティーブンスとともに。

俺は一人だった。恐ろしいほど一人だった。

★★★

昼近くなって、俺はまた教師の船室にふらふらと舞い戻った。が、すぐに、仕切り壁の良く見える所にピンで留められた一枚の紙に目が留まった。俺宛てのジェルウィンからの伝言だった。

〈バリスター船長、これからメインマストの天辺まで行ってみます。きっと何かわかるはずです。もしかしたら、私はそこから二度と戻ってこられないかもしれません。その場合は、あなたをこの船にたった一人残してしまうことになるが、お許しいただきたい。あなたもおわかりのように、スティーブンスはすでに死んでいます。

それよりも、ここに私が書き残すことをすぐに実行していただきたい。

教師の船室にある全ての本を焼却すること。船尾で燃やすのです。その時、メインマストからできるだけ離れ、舷側に近づいてはなりません。私の推測に間違いがなければ、必ずやあなたの邪魔をする者が現れるからです。

しかし、何があろうと、本を燃やさなければなりません。〈マインツ詩篇号〉が炎に包まれるのを覚悟のうえで、一刻も早く本を燃やすのです。そのすることで、あなたが助かるかどうかはわかりません。ただ、そうなることを祈るばかりです。そして、バリスター船長、あなたに神のご加護があらんことを！

〈……公爵[原注二]、またはジェルウィン〉

★★★

俺はこの尋常ならぬジェルウィンの別れの言葉に激しく動揺し、泥酔していた自分を呪った。そのせいで、ジェルウィンは俺を起こすことをためらったのだろう。後悔に苛まれながら、船室に戻ってくると、スティーブンスの不規則な呼吸音が聞こえてこないことに気づいた。

俺はすっかり人相が変わってしまったスティーブンスの顔の上に身を屈めてみた。

ジェルウィンの言ったとおりだった。スティーブンスも旅立ってしまった。

俺はすぐにモーター室に行くと、石油の入った缶を二缶、手にした。その時、どんな直感が働いたのかは知らないが、エンジンを全開にした。

それから、甲板に行き、舵輪の傍で教師の本を積み上げ、石油をかけた。

火をつけると、青い炎が勢いよく立ちのぼった。

原注二　この爵位の前にくる苗字は伏せておく。気高く偉大な君主の一族の悲運を思い出させないためである。ジェルウィンは重い過ちを背負っていたが、この度の死によって雄々しくその罪を贖った。

と、その時、海から鋭い叫び声がした。俺の名前を呼ぶ声も同時に聞こえた。

だが、声がする方向に目を向けた時、今度は俺が驚きと恐怖で絶叫する番だった。

〈マインツ詩篇号〉の航跡をたどるように二十ブラース*ほど後ろから、教師が泳いで追いかけてきたからだ。

★★★

炎はパチパチと音を立てて燃え、書物はあっという間に灰に変わった。

いっぽう、凄まじい勢いで追いかけてくる教師は呪いと哀願の言葉を繰り返した。

「バリスター、おまえを金持ちにしてやる。世界で一番の金持ちにしてやるぞ。さもないと、命はないぞ。おまえを恐ろしい目に遭わせてやる。この呪われた惑星で誰もが経験したことがないような恐怖を味わわせてやるからな。それは嫌だろう、バリスター？　だから、おまえを王にしてやろう。素晴らしい王国の支配者に！」

「ああ、この人でなし！　地獄の責め苦など生易しいと思えるような苦痛を味あわせてやるわ！」

教師は必死の形相で泳いでいるが、全速力で走る船にはさすがに追いつけない。

ところが、突然、船が奇妙な動きをした。鈍い衝撃を受け、船が揺れた。

高波がこちらに迫って来る。

いや、船が海の中にひきこまれようとしているのだ！

「バリスター、待て」背後で教師のわめき声がする。

驚異的な速さで教師が船に近づいていた。その顔は恐ろしいほど無表情だったが、目だけは直視できないほど強烈な光を放っている。

だが、その時、まだ燃えている灰の塊の中で、一枚の羊皮紙があたかも人間の皮膚のように反り返り、何かが輝きを放っているのが見えた。

俺はジェルウィンの言葉を思い出した。

細工された本の中にジェルウィンが言っていた水晶の箱が隠されていたのだろう。

「水晶の箱だ！」俺は思わず、声に出した。

すると、俺の声が聞こえたのだろう。教師が狂人のような叫び声をあげたのだ。そして、俺はとんでもない光景を目にすることになった。教師が波浪の上にすっくと立ち、両手を前に差し出した。指の先に身の毛もよだつような長い爪が見えた。

「それは科学なのだ！　最も偉大な科学をおまえは破壊しようとしているのだぞ。地獄に落ちるがいい！」教師が怒鳴る。

すると今度は、四方から一斉に甲高いヨーデルのような声が響き渡った。

高波が甲板で砕ける。

俺は炎に包まれた水晶の箱を思い切り踵《かかと》で踏みつけた。すると、水晶が粉々に砕けた。

ブラース　長さや距離の単位。一ブラースは約一・六六メートル。

と、急に身体が足元から崩れるような感覚を覚え、強烈な吐き気がこみあげた。

同時に、海と空が混沌とした眩い光に包まれた。そこに大気を揺るがすほどの絶叫が聞こえてきて、俺は闇の中に真っ逆さまに落下し始めた……。

これが全てだ。目が覚めたら、あんたたちがいた。俺はもうすぐ死ぬだろう。それとも、全ては夢だったのか？　そう願いたいものだ。

いや、そんなことはない。俺はきっと死ぬのだ。現世で、こうして人々に看取られて……。ああ、何と幸せなことだろう！

★★★

遭難者を発見したのは、ノース・ケイパー号の見習い水夫ブリグスだった。厨房から林檎を一つくすねた直後で、とぐろを巻く縄の中にうずくまって、こっそりと戦果を味わおうとしていたところだったらしい。ブリグスは船から数ヤードのところで力なく泳いでいる男に気がついた。

やがて、ブリグスは声を限りに叫んだ。このままでは男は船のスクリューの渦に巻き込まれてしまう！　悲鳴を聞いて駆けつけた船員たちが男を引き揚げた。遭難者は意識を失っていたが、それでも、機械的に腕を動かして泳いでいたようだ。強靭な体力の持ち主が遠泳する時に同じようなことが起きるものだ。

周囲に船は見当たらず、また海上には漂流物もなかった。しかし、見習い水夫のブリグスは船のようなものを見たという。正確にはこう言ったのだ。ガラスのように透明な船の形をしたものが左舷から現われ、それから海の中に消えたと。

その結果、ブリグスはコールマン船長から往復びんたを食らう羽目になった。そんな常軌を逸したことを口にするとどうなるか、文字どおり、叩きこまれたわけだ。

船員たちは遭難者の口に少しばかり、ウィスキーをたらした。機関士のローズが提供してくれた簡易ベッドに遭難者を寝かせ、その上に何枚も毛布をかけた。

そのうち、男は失神から一気に、熱にうかされた深い眠りへと落ちていった。いっぽう、船員たちは詳しい話が聞きたくて、男が意識を取り戻すのをじっと待っていた。そんな時、世にも恐ろしい出来事に遭遇したのである。

そういうわけで、ここからは、この私、ノース・ケイパー号の副船長、ジョン・コープランドがその夜、乗組員ジョックスと共に直面した不可解で恐ろしい出来事について語るとしよう。

★★★

その時、ノース・ケイパー号は西経二十二度、北緯六十度に位置していた。

私は自ら舵を取っていた。そして、そのまま甲板で寝ずの番をするつもりだった。なぜなら、前夜、北西の水平線上に、月明かりに照らされて、浮氷が長々と連なっているのを目撃したからだ。

ジョックスがパイプの火に顔を近づけた。ひどい虫歯の痛みに悩まされていた彼は、船首楼は暑いので痛みを悪化させるからと甲板に来ていたのである。ジョックスは私の隣でパイプを吸い始めた。相棒ができたことを私は喜んだ。六時間の当直は退屈極まりない。しかも、それが一晩に延びてしまったのだからなおさらだ。

ところで、本題に入る前に、話しておきたいことがある。ノース・ケイパー号は無線機も備えた、実に頑丈な良い船だが、最新のトロール船ではない。

半世紀前の発想で造られていたので、蒸気船でありながら補助帆走を残していた。

最新鋭のトロール船には、ガラス張りの醜悪な操舵室が甲板の真ん中に、不細工な山小屋のように、どっかりと腰を据えているが、ノース・ケイパー号はそうではない。

舵輪は未だにしっかりと船尾に位置しているので、外海に面し、風と波しぶきをまともに受ける。

なぜこんな説明をするかというと、私たちが遭遇した、まさに人知を超える出来事はガラス張りの閉ざれた操舵室で起きたのではなく、甲板で起きたことをわかってもらいたいからだ。さもなければ、私がこれから話すことは、トロール汽船の構造を多少なりとも知っている人々にしか、その異様さを理解してもらえないだろうと思うからである。

その夜、空は、月も出ておらず、真っ暗だった。波頭のぼんやりとした煌めきと波が寄せて砕ける度に放たれる燐光だけが、辺りを少しばかり照らした。

時刻は深夜十時頃だったろう。乗組員たちが最初の強烈な眠気に襲われる時間帯だ。

あいかわらず、歯が痛いとこぼしていたジョックスが、急に、呻き声をあげ、悪態をついた。顔を向けると、暗闇の中で引き攣ったジョックスの横顔がビネクル*のランプの光に照らし出されている。

その表情は驚きから、すぐさま恐怖へと変化した。

そして、ジョックスの口からパイプが落下した。が、ジョックスは口を開けたままだ。その様子があまりにも滑稽だったので、私は思わず、からかった。

しかし、返事の代わりにジョックスは右舷灯《うげんとう》を指差した。

今度は私がパイプを口から落とす番だった。暗闇の中、舷灯から数インチ下のところで、水が滴り落ちる二つの握り拳がシュラウド*にぶら下がっていたからだ。

すると、突然、その両手がシュラウドから離れ、目にも留まらぬ速さで、黒い人影が水を滴らせながら、甲板に飛び移った。

ジョックスが横に飛びのく。すると、ビネクルのランプの灯りがその人物の全身を映し出した。

私たちは唖然とした。その衝撃を何と表現すればいいのかわからない。甲板に立っていたのは、牧師のような恰好をした男だった。ローマンカラーの黒いジャケットから海水が滴り落ち、小さな顔に燃えるような赤い目の男が私たちを睨みつけている。

ジョックスがフィッシング・ナイフを出そうとした。が、それよりも早く男が飛びかかり、一撃の下にジョックスを倒した。と同時に、ビネクルのランプが粉々に割れた。そして、そのわずか数秒後、船首楼から鋭い悲鳴が聞こえてきた。声をあげたのは遭難者の看病をしていた見習い水夫だった。

ビネクル　甲板上に設置されたコンパスなどの航法計器。
シュラウド　バウスプリット（前出）とマストを支える支索。

「この人が殺される！　大変だ！　助けて！」

私は昔、船員同士の大規模な乱闘を鎮圧した経験から、夜は拳銃を携帯するようにしていた。軍用弾を装填した大口径の銃だが、使い方なら心得ている。私は銃を取った。

船内は全体がざわついていた。

ところが、その直後、突風がトロール船を横殴りした後、空を覆っていた厚い雲を蹴散らした。すると、雲の切れ目から一筋の月光が差してきた。そして、あたかもスポットライトのようにノース・ケイパー号を照らし出したのだ。

ブリグスの叫び声に加えて、船長の悪態まで耳に入ってきた。そんな時、あたかも猫が跳躍する時のような密やかな音が右手から聞こえてきた。見ると、あの牧師風の男が舷側から海に飛び込んだところだった。

私は波頭から出ている小さな頭を見つめた。それから、冷静に男に狙いを定め、引き金を引いた。男は奇妙な悲鳴をあげた。大きな波が男を飲み込み、船の近くまで連れ戻した。

ジョックスは私の隣で呆然とその様子を見ていたが、気を取り直したように、鉤竿《かぎざお》に手をかけた。男の身体は船に沿って、時々、鈍い音をたてて船にぶつかりながら、漂っている。

鉤竿に服をかませると、ジョックスは驚くほど易々と、服を引き上げた。「羽のように軽い」と言いながら、濡れて妙な形になった塊を甲板に投げた。

そこへ、舷灯を掲げながら、コールマン船長がこちらにやって来た。

「救助した男が殺されそうになったぞ！」声を荒げて言う。

「犯人を捕まえました」私は言った。「奴は海から来たのです」

「コープラン、何を馬鹿なことを！」

「船長、見てください、こいつを！　私が銃で仕留め……」

私たちは海から引き揚げた遺体をよく見ようと、身体を屈めた。が、すぐに絶叫しながら、飛びのいた。

濡れて形が崩れた服の中は空っぽだった。作り物の手と蠟でできた頭だけがついていた。私が撃った弾丸は鬘《かつら》に穴を開け、鼻を吹き飛ばしただけだったのだ。

★★★

偶然にも、この恐ろしい出来事の後、バリスターは意識を取り戻した。そして、自らの数奇な航海について、淡々と落ち着いて、語った。

いっぽう、私たちは献身的に看病した。左肩に二か所、ナイフで抉られたような傷があった。それでも、出血さえ止めることができれば、バリスターを助けることができると考えていた。大事な内臓はどれも無傷だったからだ。

長々と話した後、バリスターは力尽きたように、一種の昏睡状態に陥ったが、再び意識を取り戻し、思い出したように、どうして肩に傷を負ったのか尋ねたという。

その時、バリスターの枕元にはブリグスしかいなかった。ブリグスは訊いてもらえたのが嬉しくて、ありのままに答えた。真夜中に黒い影がバリスターに襲いかかり、握り拳で二回、叩くのを見たと。さらに、その黒い影は私の放った銃弾で撃たれたことも話して、その奇妙な亡骸をバリスターに見せた。すると、バリスターは断末魔のような叫び声をあげたという。

「教師だ！　教師が来たのだ！」　その後は高熱を発し、うなされていた。それから一週間後、バリスターは運ばれたゴールウェイ*の海軍病院でようやく意識を取り戻したが、キリスト像に口づけをした後、旅立った。

★★★

私たちは例の呪われた人形をリーマンズ牧師に渡した。牧師は高名な聖職者で、世界中を歩き回り、海洋や未開地の神秘について熟知している。

牧師は衣類と残っているものを丹念に調べていた。

「これを着ていたのは、一体、何だったのでしょうか？」アーチャイル・レインズが尋ねた。「この服の中に何かがいて、それは生きていたわけですから」

「それは確かだ。俺たちはそれを目撃している」ジョックスが日に焼けた太い首を触りながら、くぐもった声で言った。

リーマンズ牧師は、続いて、犬のように、衣類の臭いを嗅いだ。が、すぐに顔を顰めて、放り投げた。

「やはり、思ったとおりだ」牧師が言った。

私たちも衣類に鼻を近づけてみた。

「蟻酸《ぎさん》の臭いがする」私は言った。

「燐《りん》も臭いませんか」レインズが付け足す。

コールマン船長は何事か考えているようだった。が、少し唇を震わせながら言った。

「これは蛸《たこ》の臭いだ」

リーマン牧師が船長をじっと見つめる。

「天地創造の最後の日、神は海から恐ろしい怪物を連れ出すであろう」牧師が言った。「不敬の探究心でもって、運命を知ろうとしてはならない」

「でも……」レインズが食い下がる。

「無知の言葉をもって、神の計りごとを暗くするこの者は誰か？」＊

聖書の言葉を聞き、私たちは全員、頭を垂れた。そして、何が起きたか知るのを諦めたのである。

ゴールウェイ　アイルランド西部の都市。
無知の言葉をもって……　『旧約聖書』ヨブ記　第三八章第二節。

クロード・アーシュアの思念

C・ホール・トンプスン
夏来健次 訳

The Will of Claude Ashur
C. Hall Thompson

I

わたしは監禁されている。扉に三重の掛け金がかけられる音が聞こえて以降、ずっと閉じこめられている。殺風景なこの白い部屋の扉は、一見どうということもないようでいて、そのじつ、頑丈な鋼鉄の板貼りだ。この施設を管理する者たちは、脱走を防ぐためにあらゆる手を尽くしている。わたしについての記録をよく承知しているからだ。頻繁に暴力的になる危険な患者のリストに含めている。わたし自身、それに異議を唱えはしない。暴力を揮《ふる》うのはとうに諦《あきら》めたと言い張っても、却《かえ》ってよくないだけだから。扉をぶち破って逃げだそうなどとはもう思わないし、それだけの力もないとわかっている。脱走することに意味があったのは、腐肉の塊となり果てたすえに死の淵より蘇った恐ろしい存在の魔手から、グレーシア・セインを助けられる望みがまだあったあいだにかぎられていたのだとは、彼らに理解できるはずもない。今となってはその望みはとうになく、あとは喜んで死を待つのみだ。ここであれほかのどこかであれ、精神病院でなら遠からず死ねるだろう。

今日も心身両面の検査が手早く済ませられた。形式的な調べだ。記録をとるための、通例どおりのものにすぎない。医師はもう戻っていった。いつもの検査担当医ではなかった。この施設に赴任して間もない者ではないかと思う。きちんとした身なりの小柄な男で、ダイヤモンドの付いたネクタイピンを留め、痩《や》せた顔を紅潮させていた。わたしのものとされている悍《おぞ》ましい顔をひと目見るなり、口の端《はた》に不快の念を示す皺《しわ》を刻んだ。症例の格別な深刻度について、白衣を着た看護師たちのだれかからあらかじめ警告されていたにちがいない。必要以上に近寄ろうとしなかったことからもそうとわかるが、とくに憤《いきどお》りも感じなかった。むしろ検査医の置かれた立場を憐れみさえした。もっと肚《はら》の据わった者たちでも、わたしの姿を見て胸の悪くなるような恐怖を覚え、思わずたじろぎ退《さ》がった例を何度も見てきた。この精神病院の薄暗い廊下で囁かれるわたしの名前は、呼吸しつつ腐りゆく半屍骸と言うべきこの肉体を象徴する言葉であるかのように、その不浄な来歴とともに伝説のごとく響く。こんな患者を治療しなければならない重荷から間もなく解放されると知って彼らが安堵しているとしても、わたしには責められない――人間とも思えないこの脈打つ肉の塊が、ほどなく蛆虫に委《ゆだ》ねられて忘却される命運にあると、彼らが承知しているとしても。

検査医は去る前に手帳になにか書き留めていた。クロード・アーシュアという名前がまずあったと思う。あとは日付を記し、その下にごく説明的な言葉でこのように書いたのみだった。「予測は非常に悲観的。治癒不能な異常性。最悪段階の症例。死期間近」

もどかしげなまでにゆっくりと手帳のページに動かされていくペンを見つめるうちに、わたしは最後に一度だけ口を開きたい誘惑に抗しきれなくなった。この新顔の医師なら、今では癖になってしまった必死の訴えを聞き届けてくれるかもしれないと、急激に思えてきたのだ。すぐさま喉の奥から不敬な言葉の群れが湧きあがり、洟《はな》を啜《すす》るような濁《にご》った泣き声とともに口から奔出しかけた。即座に手帳から顔をあげた検査医は明らかな嫌悪の表情を浮かべ、その本心は見すえる視線からも隠しおおせていなかった。やはり打ち明けても無駄なようだ。この医師もほかの者たちと同様に、宥《なだ》めるような声とうわべだけの笑顔で接してくるにすぎない。グレーシアとわが弟とそしてわたし自身とにまつわる真実を告白しても、悪夢のようなたわごとと受けとめるだけであり、最後には落ちついたうなずきを返すかもしれないが、それとてこの患者はやはり救いがたい完全な狂人なのだとあらためて納得したことを示すのみとなるだろう。わたしは結局沈黙したままでいた。希望の最後の火から蠟がこぼれ、ついには消えた。その瞬間、わたしがクロード・アーシュアではないという事実を信じてくれる者はもはや決して現われないと確信した。クロード・アーシュアはわが弟なのだ。

誤解はしないでもらいたい。これはよくある人格認識が混乱した症例などではない。もっと遙かに邪悪なものだ。復讐に駆られ歪《ゆが》んだ頭脳の持ち主が、暗黒の力と結託することによって考えだした、あるいはまた、忘れられた禁断の術式と呪法を導く秘められた声に波長を合わせることによって生みだした、ある恐るべき現象だ。かつてはわたしとクロード・アーシュアが見まちがえられることなどなかった。それどころか子供のころには、兄弟だとは見えないと言われたものだった。それほどにわたしと弟とは似たところがなかった。たとえば、顔にはさして目立った特徴がなく、体軀は中肉中背で、気質はいくらか怠惰だとしてもおおむね温和な、そういう若者――言い換えればごく平均的な普通の青年――を想像するなら、それはかつてのわたしの肖像にぴったりだとすぐわかるはずだ。一方弟クロードはといえば、それらの印象とは正反対だった。

クロードは健康面がきわめて繊細で、精神面では奇妙なまでに気むずかしい性質だった。体の貧弱さに比して頭が大きすぎ、顔色は父がいつも心配するほど青白かった。鼻は細長く、巻貝の殻《から》のような形の鼻孔は過敏で、左右に離れすぎた目は眼窩《がんか》が深く、陰気な鈍い煌《きら》めきを宿していた。年嵩《としかさ》のわたしのほうが当初から体が強く、クロードはつねに虚弱だったが、しかしわが生家イネスウィッチ僧院を支配しうる強い思念の力を持っていたのは彼のほうだった。

大西洋の波に洗われるニュージャージー州北部の人けのない海岸に沿ってのびる道を、なにも知らない旅人がやってきて、木苺《きいちご》の茂みに覆われた脇道につい折れ入ることがある。するとそこでは、このように記された内陸側をさし示す標識が（すくなくともかつては）目にとまることになる――《イネスウィッチ村*まで半マイル》。今では通る者の少なくなった道だ。この地域でもそのあたりをよく知る人々はイネスウィッチを避けて通ることが多く、海岸に近いその古い村をねっとりした羊膜のように押し包む伝説を忌み嫌っている。それはイネスウィッチの北辺に建つ僧院にまつわる忌まわしい話を聞き知っているがゆえであり、近年では村と僧院のみならず、その地に強情に住みつづけている人々までもが、悪名を帯びるのを余儀なくされている。すべてがそのように変わったのは、クロード・アー

イネスウィッチ村　作者の創案による架空の村と思われる。ニュージャージー州北部の海岸にあり、ニューヨークにほど近いと考えられる。（訳者）

シュアが僧院に舞い戻ってきたときにはじまる。わが父エドマンド・アーシュアはもともとはルター派*イネスウィッチ教会の牧師だったが、わたしが生まれる一年前、内気な性格の中年男だった父が、齢《とし》若い妻とともにイネスウィッチ僧院に住みはじめた。そしてのちに弟クロードが生まれた夜、僧院は死の館と化した。

クロードが生まれた夜。わたしはあの夜をそういうふうに考えたことはない。むしろ母が死んだ夜だとつねに思ってきた。まだ子供だったにもかかわらず、イネスウィッチ僧院を非業の命運が大きな蜘蛛《くも》の巣のように覆い尽くすのを、その日一日じゅう感じていた。雨の匂いのこもる湿った微風が海のほうから西側の内陸へ吹き寄せ、わたしはやむなく終日屋内ですごしていた。僧院のなかは不自然なまでに静かで、耳に入るのは書斎を歩きまわる父のくぐもった足音のみだった。父は目が合うたびに笑みを見せようと努めてくれた。分娩のときが近づいているのをわたしは知らずにいた。頭にあったのはただ、それ以前の数週にわたって母の顔があまりに青白かったことと、広く寒々しい部屋べやのどこからも母の笑い声が聞こえないのが寂しく感じられたことだけだった。夜が近づくと、頬の赤い丸顔をしたエラビーという名前のイネスウィッチ村在住の医師が呼ばれてやってきた。医師はいつものように雑貨店で買ってきた土産物《みやげもの》をわたしにくれたあと、すぐに大階段の上へと消えていった。わたしはベッドに寝かせつけられた。暗い子供部屋で横たわっているうちに、嵐を呼ぶ海からの雲が鉛色の壁のごとく空を覆ってきた。母がおやすみのキスをしにきてくれないせいで泣かずにいられなかったが、雨が窓を打ちはじめるころようやく眠りに落ちた。

不意に目覚めたのは、悲鳴が聞こえたせいだと思っていた。だが今となっては、引き裂かれるような苦痛の叫びは母が痙攣《けいれん》とともに最期の呼吸を終えるとともにやんでいたと承知している。おそらくは今際《いまわ》の痛ましい悲鳴の谺《こだま》が暗い廊下を経巡《へめぐ》ったのち、眠りに曇った子供の脳内にようやくたどりついたものと思う。名状しがたい冷たい恐怖に麻痺しながらも、絨毯《じゅうたん》敷きの螺旋《らせん》階段をわたしは這うようにおりていった。階段の親柱《おやばしら》のところまでおりきったとき、低い悲痛な声が聞こえて思わず足を止めた。開いていた書斎の戸口から人の姿が見えた。父が火の気《け》のない暖炉のそばで革張りの肘掛椅子に沈みこんでいた。蠟燭の火が揺らぎ、顔を覆う父の両手を照らしていた。抑えがたい嗚咽《おえつ》が屈めた肩を震わせる。と思うと、それ以前には見たことがないほどの青白く暗鬱な父の顔があらわになった。視界の外の暗がりから、エラビー医師が姿を現わした。痩せた力ない手を父の腕に優しく置いた。医師は重い声で言った。

「どう言っても慰めにはならないだろうが……エドマンド……わたしとしてはできるかぎりの手を尽くしたと、それだけでも知っておいてほしい。細君には……」医師は無駄と知りつつも運命への怒りを表わすように、丸みのある肩をすくめた。「持ち堪《こた》えられるだけの強さがなかった。じつに奇妙なことだが、あの嬰児《えいじ》が重荷になりすぎたようだ――生存への希求があまりに旺盛で、母体の体力と意志を奪ってしまったかのようだ。まるで……」

ルター派　ドイツの神学者マルティン・ルター（一四八三―一五四六）に始まるキリスト教プロテスタントの一教派。

エラビー医師の言葉がそこで消え入ってしまうと、昏《くら》く厭《いや》な予感が這い寄ってわたしを鷲摑《わしづか》みにした。泣きだしたくなったが、できなかった。恐怖と孤独感が胸を締めつけていた。呼吸するのもやっとだった。後年になって、あのとき医師が言おうとして言わなかった言葉が、このようなものとして恐ろしくも徐々に得心されてきた——「まるで嬰児が母体の命まで奪ったかのようだ。自分が生きのびるために……」

母は教会裏の墓地の隅の木陰に埋葬された。篠突《しのつ》く雨のなかで村人たちが墓所に立ち、声もない悲嘆のうちに頭《こうべ》を垂れていた。弔いのあいだずっと、場をわきまえるはずもない嬰児クロードのわがままきわまりない泣き声が、挑戦的な咆哮のごとく響いていた。その威圧的な声には、なにかしらひどく場ちがいな悍ましさが感じられた。そのようすはさながら、昏い激しさ険《けわ》しさを宿すこの幼児には人の死に親しむ性質があって、そのために親の死に際しても、悲しみも恐れも持たずに済んでいるのではないかとさえ思わせるのだった。

その日以降というもの、弟クロードがあたかもイネスウィッチ僧院の主《あるじ》になったかのようだった。じつのところ泣き声自体は、激しい咆哮のようだった声量がほどなく弱まり、幼さに比して信じがたいほど抑制の利いたかすかな声に変わった。にもかかわらずその声の威圧的な雰囲気はまったく衰えることがなかった。それどころか、声の非常な落ちつきぶりがより強い力を思わせ、耳にする者への影響力もより大きくなっていった。それは声そのものというよりクロード自身の思念を思わせ、ゆえに僧院に住む者みながその支配下に置かれざるをえなかった。そうさせたい思念のために声を道具に使っているかのようだった。

父はクロードの奴隷となった。生前の母に与えていた献身的な慈愛を、今やクロードのために費やしていた。つねに花の絶えることのない墓所に眠る愛《いと》しき妻の最期の記憶を、父はクロードのなかに認めているのだとしか思えなかった。わたしは父が気の毒でならなかった。体は虚弱でありながらなにやら企《たくら》んでいるかのような幼児は、初めから人の慈愛や助けなど必要ないのではないか。事実クロードは人生を通じて冷酷なまでに自己本位に徹し、欲しいものはなんだろうと必ず手に入れる男になっていく。

父はクロードの芳《かんば》しからざる健康を心配し、さらに大金をつぎこんでいった。僧院にばかりこもらせておくよりは学校に行かせるほうが暗鬱な暮らしぶりから抜けださせてやれるはずだが、しかし父はクロードを学校にはやらず、つねにさまざまな家庭教師を僧院に雇い入れていた。だがそのやり方は巧くはいかなかった。学問好きの壮年男女が入れ代わり立ち代わり家庭教師を務め、いつも初めは順調だが、だれもが僧院を絶好の読書耽溺の場と捉えているのみだった。そのためなら男の子一人に勉強を教えることなど、世界一たやすい仕事と思っているようだった。だがどの家庭教師も例外なく、内々《ないない》にせよ公然とにせよ、結局はクロードを激しく忌み嫌うようになった。一人として二週間とは僧院にとどまれなかった。家庭教師が僧院を去るとき、庭園に出ているわたしがふと窓を見あげると、色のない唇に邪悪な満足の笑みを浮かべたクロードの顔が覗いていることがよくあった。そうやって性急な闖入者《ちんにゅうしゃ》たちが出ていくごとに、わが弟の陰気な孤独の影が屍衣のごとく僧院を覆うのだった。

Ⅱ

僧院の東翼《ひがしよく》に具《そな》わるバロック様式の堂々たる扉の向こう側に、以前のわたしには一度もなかを見る機会のなかった部屋がある。十八世紀末のある恐るべき一夜以降、イネスウィッチ村ではその部屋を巡って忌まわしい噂が広まった。飾り彫りのほどこされた扉の奥にまつわって囁かれる不気味な言い伝えを、父は決して口にしようとはしなかった。なにしろ百年以上も密閉され忘れ去られたも同然の部屋なのだから、黙して語らずがふさわしいと考えていたようだ。だがわたしとクロードは、ほかの者たち――家事手伝いのために雇われて毎日通ってくる村人たち――が伝説の忌まわしい詳細を囁くのを何度も耳にしており、彼らは隠された過去の邪悪な出来事について噂しあうたびに、自らの体験のごとく戦慄を楽しんでいるようだった。

曰《いわ》く一七九三年のこと、ルター派イネスウィッチ教会の当時の牧師だったジェイベス・ドレイゼンという男が、ヨーロッパで休暇をすごしたのち村に帰還した。ジェイベスはかの地で出会って結婚した女性を伴っていた。村の図書館にはその女性の美貌について書き記した古文書が保管されているが、それらは誤謬や歪曲の多い記録であることを否めない。あるひとつの事柄以外はそのたぐいと見てさしつかえない。そのひとつとはすなわち、彼女がある秘密めいた魔女術の徒弟だったという事実だ。ハンガリーのどこかにある評判のよからぬ村の生まれで、そのような魔法使いは――暗黒の術に身を捧げているような女は――いずれ命を落とすほかはなかろうと、イネスウィッチの通りでは噂されていた。そうした噂はあからさまな反感となって広まり、夫ジェイベスの耳にも入るようになった。するとある夜のこと、ドレイゼン家に仕える騒がしくて愚かな老婆がなにやら悲鳴をあげながら僧院から逃げだした。狂ったようにわめき立てるわけを村人たちが老婆に問い糺《ただ》したところ、僧院の東翼に位置するかの部屋にその答えがあることがわかった。古く広い暖炉のなかに杭が立てられて、夫人が手枷《かせ》で括《くく》りつけられた黒焦げ死体となって見つかり、さらに天井に方形に張られた梁《はり》からは、ルター派イネスウィッチ教会の牧師ジェイベスの首吊り死体が音もなくぶらさがっていた。翌日二人の亡骸《なきがら》が運びだされて埋葬され、かの部屋は封鎖された。ところがそのような部屋を、弟クロードは十二歳になったとき自分の私室にしたいと言いだした。

父はそれまでにも増して懸念を示した。ついには、クロードがますます孤立を深めることになりはしないかと、恐れを口に出した。東翼のかの部屋にこもってしまえば、外界からほぼ完全に隔絶されることになるから。実際、毎日他人の干渉をまったく受けない場所で独りきりで昼夜をすごすクロードのようすには、あやうくて不健全な気配がまとわりついていた。精妙な飾り彫りのほどこされた重い扉は、終日厳重に施錠されつづけた。よく晴れて乾燥した日にはときとして外に出て、白い砂の広がる海辺を何時間もあてどなくうろつきまわることがあったが、そうした際にもあの扉の鍵はつねにしっかり身に帯びていた。そのうちにわたしは父の懸念のみならず自分自身の好奇心にも衝《つ》き動かされて、その双方に資するためにと、クロードに徐々に接近するようになっていった――すなわち、幽霊が出ると噂される部屋で強い警戒心とともに独りですごす弟が、そこにいったい如何《いか》なる秘密を隠しているのか、それを知りうる立場に自分を置こうと努めはじめたのである。独りで海辺を散策する彼に同行しようと一、二度試みさえした。だが怒り含みの昏い沈黙により、歓迎されていないことがすぐわかった。そのせいでわたしの苛立ちが燻《くすぶ》り、ついには同行を諦めた。じつのところ、初めのうちは、あの禁断の部屋に立ち入ってまでクロードに干渉するだけの勇気がなかったのかもしれない――大切なアイリッシュ・セッター犬タムを巡る出来事が起こるまでは。

わたしがことのほか犬好きなのを父はよく知っており、二十一歳の誕生日の前夜に贈り物としてタムを買ってくれた。そのときまだ一歳にも満たなかったが、すでによく訓練されていた。この種類の犬の特徴とされる、穏やかな目と光沢《つや》のよい赤茶色の毛並《けなみ》と賢い頭脳を具えていた。たちまち離れがたい親友となった。どこへ出かけるにもついてきた。しばしばはしゃぎまわり跳ねまわるタムの陽気な性質のおかげで、明るさや楽しさとは無縁なイネスウィッチ僧院の淀んだ雰囲気がいくらかでも軽減されるようだった。だがクロードはそんなタムを初めて目にしたときから早くも忌み嫌っていた。

タムのほうも生まれついての本能のゆえか、起こりうるあらゆる場合においてわが弟を避けていた。タムのみならず動物たちのすべてが例外なく、クロードを強く忌避する兆候を見せた。それはまるで動物たちがいにしえから持つ鋭敏な感覚によって、鈍感な人間は、察知できない隠された邪悪さを感じとり警告しているようにも思われた。だがそうした明らかな敵意の表出は、クロード本人にとってはむしろ冷笑的な愉しみとなるだけのようだった。但《ただ》しタムに対しては例外的な苛立ちを見せた。それはおそらく、ずっとクロードの思念のみに支配されてきた領域を、タムがそうと気づかず荒らしまわるためであるようだった。そのゆえか、わたしが妙に不安な疑いを懐《いだ》いたのは、クロードがタムを手なずけようとする慣れない試みをはじめたときだった。

あの日の午後、わたしはタムを伴い僧院の庭園に出て、秦皮樹《とねりこ》の静かな木陰でいつものように遊びまわらせていた。秋の到来とともに枯れた秦皮樹の小枝を折り、書斎のフランス窓のすぐ外に広がる石敷きのテラスのほうへ投げてやると、タムがそれを追って跳ねていくので、笑いながら眺めていたのを憶えている。そのとき、タムは小枝にたどりつく直前に不意に止まった。晩い午後の日差しで斑《まだら》模様になったタムのしなやかな赤茶色の体が緊張を示したと思うと、鼻づらを震わせる犬の危険な習性を見せはじめた。一瞬前までは戯《たわむ》れ好きな優しい性質だったタムが、危機を察知して凶暴な獣に返ったかのようだった。

わたしが顔をあげると、タムが追っていた秦皮樹の小枝を跨ぐ位置にクロードが立っているのが目に入った。血色のない唇を歪め、小さな白い歯の覗く笑みを浮かべているが、目には少しも可笑しみが感じられない。瞳の奥には怒りに近い苛立ちの影が窺える。喉から唸り声を絞りだすタムを険しい視線で睨んでいる。わたしが立ち入ろうとするよりも前に、クロードは憤りの混じった耳障りな笑い声を放ったと思うと、荒々しく手をのばしてタムを摑もうとした。と同時にこう言うのが聞こえた。

「こっちへ来い、ちっぽけな悪魔め!」タムの癇走《かんばし》った鳴き声が聞こえ、そのあとかん高い苦痛の叫びが響いた。

「タム!」わたしは怒鳴った。「戻ってこい、タム! 戻るんだ!」

騒々しい出来事ははじまったときと同様に突然に静まった。不穏な静寂が秦皮樹の木陰にわだかまる。足もとの冷たい敷石の上で落ち葉が一枚揺らいでいる。タムは哀れげな鳴き声を洩らしながらわたしのところにこそこそと逃げ戻り、顫《ふる》えながら脚に擦り寄ってきた。クロードは悪態をつくでもなく、口を開きさえしない。ただじっと立ちつくして、肌の白い手の甲にできたひどい引っ掻き傷からじくじくと気味悪く流れる血を見すえている。わたしのそばで顫える犬にクロードの視線が移ると、人類開闢《かいびゃく》より古いほど悪魔的な憎悪がその目のなかに沸き立った。憤怒の激しさはあたかも、敵意が世界を支配していた遙かないにしえにこそ生まれたものであるかのようだ。しばらくののちクロードはようやくきびすを返し、フランス窓から書斎の暗がりへと消えていった。タムを慰めようと撫でてやるわたしの手も震えていた。なにを愚かな、怖がることはない、と自分に言い聞かせた。だがその日の夕刻、タムが姿を消してしまった。

縄を解いてイネスウィッチ村へ夜の散歩につれていこうと、黄昏《たそがれ》どきに犬小屋に行ってみたところ、戸にとり付けた鉄の輪につないだ縄が荒く切られているのが見つかった。そうと知ると、霧混じりの深まる夕闇のなかで、怒りを滲《にじ》ませたクロードの血の気のない顔が幻のように不意に脳裏に浮かんだ。東翼の禁断の部屋に真相が隠されている気がして、思わず身震いした。想像のしすぎではないかと自分を責めもした。タムが縄を咬みちぎって、わたしより先に村へと駆けていっただけかもしれないではないか。酒場で聞き込みをしようと考え、村への道を歩きだしたが、通りで隠れんぼをしている子供たちに尋ねたところ、聞き込みをしても無駄なようだと察せられた。それでも酒場に行ってみたが、やはり昨夜村への散歩につれていって以降、タムの姿を見かけたり声を聞いたりした者は一人もいなかった。その夜僧院に戻る道すがら、異常なまでの冷たい怒りがわたしの心にとり憑いてきた。もはやクロードの聖なる領域に踏みこむ以外にはないと決意を固めた。

家政婦が自室へ退きあげる前に、夜食の盆を書斎に運んでくれた。サンドイッチとスコーンとホット・チョコレートのポットだが、いずれにも手をつけなかった。いつにない忍びやかさで階下の迷路めいた廊下を奥へと分け入り、薄暗い食器室に入ったところで、めあてのものを見つけた。めったに使われない錆びた道具箱のなかから、ひと巻きの太い針金をとりだすと、その一端を折り曲げて手ごろな鉤形《かぎがた》にした。それを持って、最前同様の音もない用心深さで廊下を引き返し、広い螺旋階段を昇っていった。僧院内のどこかで、世紀を跨《また》ぐ古びて弱った根太《ねだ》*が不気味な軋《きし》みを洩らす。階段の上に位置する父の寝室の前まで来ると、如何《いか》にも人間らしい父の重い鼾《いびき》の音が安堵を誘った。その少し向こうがクロードの寝室で、扉がわずかだけ開いていた。部屋のなかに明かりは点いていない。わたしは足を止め、息を殺して暗い室内を覗き見た。冷たく青白い月光がゆっくりと射し入り、天蓋付きの大きなベッドに横たわるクロードの寝姿を照らしだした。寝息はゆるやかで低い。われながら驚くほどの注意深さで扉を閉じると、東翼のあの部屋をめざして暗い廊下をふたたび進みだした。

巧くやれるか不安は否めなかった。折り曲げた針金は落ちつかない手のなかで揺らぎつつも、古めかしい錠の内部で、地獄の幽鬼をつなぐ鎖のようなくぐもった音を立てる。どれほどのあいだかわからないほど長く針金を操った果てに、錠の撥《は》ね板が不承ぶしょうながらカチリと鈍い音をさせ、苦闘が報われた。汗に湿った掌で押すと、分厚い扉が開いた。初めは呑みこまれそうなほど真っ黒な渦の

根太　床板をささえる部材。

ごとき濃い暗闇が漂っているだけで、なにも見きわめられなかった。だがそのうちに、不意に厭な感覚を覚えた。墓のなかのようなひどい悪臭があらゆる方向から押し寄せてくる。往古の骸《むくろ》が放つ死臭かとすら思わせる不快さだ。

蠟燭を点《とも》し、その火が小さいながら明るい光の輪を描くと、試験管や蒸留器など怪しく煌めく古びたガラス製実験器具に囲まれて、半ば腐朽したじめつく木材を彫って作ったとおぼしい小像が姿を現わした。わたしは一歩前へ踏みだし、高度な木彫技術を示す見事な出来映えの著しく邪悪な造形を見おろした。これほどの像を彫りだした者の腕前は、冒瀆的とすら呼びうる天才だったにちがいない。到底人間業《わざ》とは思えない不気味なまでに完璧な出来あがりの像は、わが愛犬タムの似姿にほかならなかった。横向きに寝そべった動物の彫像は、哀れにも虚ろなまなざしを蠟燭の火明かりへと注いでいる。喉《のど》首《くび》が醜く破られて傷口が大きく開き、木彫にもかかわらず脈打っているかのようで、しかも緑色がかった気味悪い血糊が溢れ、擦《こす》れ跡の目立つ卓上には血溜まりまで彫られている！

腐臭を放つ古木によって死のありさまを描きだしたその彫像を、どれくらい長いあいだ凝視し立ちつくしていたかわからない。全身ぐったりとした、耐えがたくみじめな優しい愛犬の死にざまは、わたし自身の周辺に黒々とした気配が漂ってきていることを思わせてやまない。身体の不調がぶり返し、胃を捩《よじ》らせた。タムがどこかに独りきりでいて、短い命の最期の鳴き声をか細くあげているようすが思い浮かんだ。翌日の朝食のとき家政婦が駆けこんできて、村の漁師が至急わたしと話したがっていると伝えた。タムが見つかったという。

荒涼たる大西洋からじめつく霧が内陸へと這い入っていた。露を帯びて冷えた椰子の木立が砂浜の尾根に突き立ち、そのあわいに渦巻く霧はさながら降霊術で現われた霊体《エクトプラズム》のごとくだ。風に吹かれる砂に半ば覆われて横たわる哀れな亡骸《なきがら》のわきに、わたしはしばらくのあいだひざまずいていた。タムの喉首を覆う分厚い赤茶色の毛には、赤黒い血糊がごってりとこびりついている。ゾッとさせる創傷が赤々と口を開けているさまは、狂人のグロテスクな笑顔を思わせる。死んでからかなり時間が経っているようだ。わたしがやっと立ちあがったとき、小柄な漁師は潮に焼けた皺だらけの顔に細くつたう涙をぬぐっていた。

「村のだれもがタムのことを好きでしたよ、若旦那。子供たちにも優しかったし……」漁師は鼻声でそう言い、かぶりを振った。「喉をあれほどひどいありさまに掻き切るってことは、よほど莫迦《ばか》でかい獣なんでしょうな……」

それについてはわたしはなにも言わずにいた。その代わり、鋤《すき》ひとつと防水布を一枚持ってきてくれるよう小柄な漁師に頼んだ。そして二人がかりでタムを防水布にくるみ、砂浜のその場所に埋めてやった。砂は水を含んで冷たく、浅い墓穴には寒々とした霧がわだかまってきた。穴を砂で埋めたあと、白い貝殻をひとつ置いて墓標代わりとした。その作業をしながら、わたしは漁師が言ったことについて考え、タムを殺したのは獣でも人でもなく、自然に存在するものですらないと確信した。

父には真相を知られないようにした。村人たちのあいだに駆け巡る噂――うろつきまわっている獣がタムと争いになった挙句に殺したのだという説――こそが事実なのだと、父に信じさせるように努めた。クロードにかかわる懸念を高めたくなかった。母が死んで以降健康が悪化する一方で、そんな不調な日々こそ穏やかにすごさせてやりたかった。

夕食後間もなく寝室に退きあげようと長い階段を昇っていくとき、クロードがわきに追いついてきた。彼は口を開かずにいたが、わたしの寝室の前まで来たところで足を止めた。おのずと彼を見やることになった。蒼白ながらも笑みを浮かべた顔立ちは成熟しており、子供っぽい服装と奇妙な対照をなしている。彼のそういう表情は前にも見た憶えがあった。勝利感と非情な嘲笑とを帯びた顔は、かつて最後の家庭教師がイネスウィッチ僧院を去っていくときに窓辺で浮かべていた表情と同じだ。クロードの思念は自らの領域を侵すものをまたしても討ち斃《たお》したのだ。長い間《ま》を置いたのち、彼は穏やかな声でこう言った。「お寝《やす》み」そしてかの部屋を擁する東翼への翳《かげ》りの多い廊下を進んでいった。それを最後に、以後四年近く彼とは顔を合わせなくなった。

Ⅲ

翌朝クロードが起床して階下におりてこないうちに、わたしは時間をかけて計画してきたとおり父に別れを告げ、ジャーナリズムを学ぶためプリンストン大学*をめざして旅立った。初めの何ヶ月かはイネスウィッチ僧院での最後の日々の昏い記憶がつねに心の隅に漂っていたが、それでも徐々に忘却が訪れ、タムの哀れな死に顔を過去の蜘蛛の巣に隠してくれた。プリンストン大学での生活は心地よく、それまで引きずっていたイネスウィッチ僧院でのわが弟の影を遠ざけることができた。幸いにも多忙をきわめたその四年間でクロードにかかわるものといえば、父とやりとりした書簡だけだ。月日を経るにつれ、父からの手紙は徐々に緊迫感を増していった。満足と陽気さを見せかけようと努めてはいるものの、クロードについての懸念を書かずに済ませられなくなっていくようだった。よりいっそう秘密めかした想像しがたい男になっていくことを仄《ほの》めかすわずかな台詞を読むたびに、わたしの心は昏く果てしない過去の回廊を引き返し、忘れたいあの不気味な笑顔を思いださずにはいられなくなるのだった。ついには父の慎重な手紙に覚える束の間の不安のみにはとどまらず、大学にいるときでさえ、クロードの影響力が忌まわしい幻像となって迫ってくるようになった。プリンストン大学という学び舎《や》の保守的な風潮により、また学生たちのなかに少数ながらイネスウィッチ村やその周辺出身の者がいたことにより、わたしは好ましからざる好奇心の対象とならざるをえなくなった。「イネスウィッチ僧院から来た男――クロード・アーシュアの兄……」として忌避されるようになっていったのである。

卒業式では父がプリンストン大学を訪れたが、クロードも同行していた。寄宿舎の私室での最後の夜のことを思い返すだに、クロードにもなにかしら善良なところがあってほしいというかすかな希望で目晦《めくら》ましされてさえいなければ、父もわたしも悍ましい真実を初めから推測できていたかもしれないのにと今にして悔やまれる。じつのところは、医学を通じて人々に貢献したいという殊勝な決意を語りだしたクロードの言葉を、迂闊にも真に受けてしまったのである。長年の同居生活で初めて聞か

プリンストン大学　ニュージャージー州の名門私立大学。

されたばかりに、父はクロードの冒瀆的な嘘の一語一語に欣喜した。就寝する前に父はわたしに向かい、クロードがいちばんふさわしい大学を選ぶために助言してやってほしいと、信頼をこめて頼んだ。到底喜ばしい役目ではありえない――このわたしが助言するなど、思いあがった行為と受けとられるだけだろう。そんなことをしたら弟に嘲笑されないはずはあるまい。

寄宿舎の私室に戻ると、クロードが暖炉のそばの使い古した革張りの肘掛椅子に俯《うつむ》き加減に座していた。その顔色は燃え盛る薪《まき》の薔薇色の火明かりのなかでさえ異常な蒼白さに見える。血を抜かれたほどに寒いのか、肉体の奥深くで霊気の冷たい指に魂を摑まれでもしたのか、そんな表情だと思ったのを記憶している。わたしが向かいの椅子に腰をおろしてパイプに火を入れると、クロードはすばやく顔をあげた。老成を思わす謎めく邪悪さを帯びた微笑には、なにやら強い懸念の気味があった。そのせいでわたしはドキリとさせられ、どう会話を切りだせばいいものかと言葉を探しあぐねているうちに、彼がか細い声でこう口火を切った。

「兄さんももう知っているかもしれないが、おれは進む大学を決めたよ……」

「そうなのか……いや……ぼくは知らなかった……」

「決めたのさ……」淀んだ冷たい目に、狡猾そうなかすかな煌めきが不意に宿った。その瞬間早くも、クロードの選択はよからぬ意味があるものにちがいないと感じとれたように思う。そのつぎの彼の言葉には、朧《おぼろ》に不穏な当惑を覚えたと告白しなければならない。「進むことにしたのは、ミスカトニック大学だ*……」

その校名がいつになく明瞭な声で口に出されると、謎めく微笑の下でまたしても強い懸念が沸き立っているのが見てとれた。クロードはその名称をわたしが知っていることを恐れていたのにちがいないと、今にして思う。その名前が秘めるよからぬ意味について、兄が無知であるよう願っていたはずだと。ミスカトニック大学とはどこにあるのか、どんな評価のある学び舎なのかとわたしが問い糺すと、クロードの表情がほとんどそれとをわからないほどにかすかな安堵の色を帯びた。

夢中にいるような掠《かす》れがちの奇妙な声で、ニューイングランド中部の街アーカム*を囲むなだらかな山々に抱《いだ》かれて豊かな伝統と多彩な学識に恵まれた大学での、心地よい生活への展望を語りはじめた。しかしミスカトニック大学図書館の蔦に覆われた壁の内側に如何なる不快にして恐ろしい智識が秘められているかについては、その夜はなにも話さなかった。ただ幻惑的な虚妄を得々と述べるのみであった。危険な声が初めからわたしを悩ませてはいたが、結局はクロードの選択を認めた。喜々として固い決意を語るさまを見ているうちに、心変わりさせるのは無理だと覚ったからであった。

ミスカトニック大学での初年は輝かしい成功に満ちることとなった。学生部長からの熱狂的な絶賛の手紙が示すとおり、クロードの成績は平均を大きくうわまわっていた。その手紙を読んだ父の顔から、疑念ゆえの蒼白さが失せていったのを憶えている。手紙を手わたしてくれたときの父は、誇らし

ミスカトニック大学　H・P・ラヴクラフトが創出した架空の大学。
アーカム　ラヴクラフトが創出したマサチューセッツ州の架空の都市。ミスカトニック大学の所在地。十七世紀の魔女裁判事件で知られる同州のセイラムがモデルと言われる。

さを子供のようにあからさまにしていた。わたし自身、手放しとも言えるほどのクロードへの讃辞を読んでは、大いに喜ぶほかなかった。その年ずっと責め苛まれてきた不安がようやく融《と》けはじめたのだから。ところが、わが弟が優秀な成績を収めた科目の一覧に目を通すと、書斎の暖炉の温もりある炎の輝きが、薄く冷たい頽廃の膜によって急激に曇ってくるのを感じた。「中世の土俗伝承、古代の秘教と邪宗、妖術の歴史、現存する魔術文学に関する調査」――それらの怪しい科目名が、書斎の薄暗い四隅《しぐう》から悪辣な笑みを湛えて浮かびあがってくるような気がした。クロードがミスカトニック大学を選択したことが意味する途方もない奇怪さと豪胆さとに、そのとき初めて気づいたのである。

クロードは二年めのクリスマス休暇に帰省した。彼がイネスウィッチ僧院ですごしはじめてまだ三日めというとき、突然父の懸念が払拭できないほど深いものになった。

それは口論からはじまった。半開きになった書斎のドアの前を通りがかったとき、父の声が聞こえた。わたしは寒さに凍えて固まりがちな顔をクリスマスへの期待にほころばせながら、書斎の戸口から室内を覗きこんだ。そこで思わず立ちつくした。父にもクロードにもわたしの足音が耳に入っていなかったようだ。父は読書机の前の安楽椅子に沈みこんでいた。室内灯の明かりのなかで、父の口が歪んでいるのが見えた。目は不安を湛えている。羊皮紙のように皮膚の乾ききった顔は病的な青白さだ。弟はこちらに背を向け、火が消えかけて橙《だいだい》色の熾《おき》へと変わった薪の亡骸を見つめているようだった。

「クロード……」父がささえきれない重荷で胸を圧《お》されているかのようなくぐもった声を絞りだした。「理解しようと努めねばならんぞ……」

「理解しているさ」クロードの声は聞きとれないほどかすかだが、口調は酷薄なまでに険しい。

「いや……理解などしておらん……」父は血管の浮きでた手を虚しく振った。「おまえのためを思えばこそ父さんはこう言うのだと、わからねばならんぞ。いいか、母さんは遺言でおまえに幾分かの遺産を与え——兄にも同額を遺したが——それは今のところ信託預金になっており、おまえたちが一定の年齢に達するまでは、父さんの管理の下《もと》にある……あるいはわたしが死ぬときまでは……だからクロード、今はまだミスカトニック大学に残らねばならんのだ。そうでなければ……」

「言っておくが、大学はもうたくさんだ！　あそこでは、もう学べるだけのことを学びつくした。今は資金《かね》が必要なんだ！　旅をしたいからね。チベットと中国に行くつもりだ。南部湿地帯《バイユー》＊と西インド諸島にも住んでみたい……」クロードは不意に顔を父へ面と向けた。そのとき初めて、彼の目に燃え盛る熱狂的な憎悪を、抑制できない怒りを見た。息子の尋常ならざる視線の力を前にして、父はひるんだ。クロードの声は錯乱のあまり耳障りなわめきとなった。安楽椅子に縮こまる父のほうへ迫っていく。「もう一度言うぞ。おれはあの資金を今必要としているんだ！」

「クロード！」

書斎のなかへよろけるように跳びこんだわたしの腕から、かかえていたものがこぼれ落ちた。クリスマス・ツリーの飾り付け用品類が床を打ち、赤や緑や銀色をあたりに撒き散らした。クロードは父のいる安楽椅子のわずかに手前で立ち止まった。わたしへ向けた父の大きく見開いた目に、怯えて祈

南部湿地帯《バイユー》　ミシシッピ川河口のデルタ地帯。広大な沼地と密林で知られる。

るような安堵が溢れた。なにか言おうとして細い手を弱々しくあげかけたが、すぐにふたたび椅子の上で縮こまったと思うと、死人のように蒼白になって意識を失い、クッションにぐったりと沈みこんでしまった。わたしはひどい怒りに駆られて、クロードを押し除《の》けるように進みでると、父のわきにひざまずいた。痩せた手首の脈拍は哀れにも弱まっていた。

「父さんになにをしようというんだ?」と荒々しく怒鳴りつけた。「ここから出ていけ。父さんにかまうんじゃない!」

「欲しいものは手に入れるぞ」クロードは低い声で言った。「どんな手を使ってでもな」

父の状態がどうしようもなく切迫していたせいで、わたしはクロードの言葉が紡ぎだす冷たく分厚い恐怖の蜘蛛の巣をかいくぐれず、冷静さをとり戻せなくなっていた。書斎を出ていった弟がドアさえ閉めきらないうちに、机上の電話機でエラビー医師の番号にかけた。医師はただちにやってきた。年齢とともに肥満し髪は薄くなっていたが、父に鎮静剤を処方し数日間の安静を指示したその夜の医師は、母が身罷った夜に見せたのと同じ晴らしえない困惑の表情を、二重顎の赤ら顔にたしかに浮かべていた。如何にも専門家らしい実務的な口調で、父にはなるべく興奮させないほうがよいと進言するあいだも、この古い僧院に巣食う現代医学でも癒しえない悪疾《あくしつ》について考えているのに相違ないと感じとれた。

エラビー医師は毎晩往診に来てくれた。陽気さを装って平静に患者を診察したあとには決まって書斎を訪れ、飲まずにはいられないようすで酒を所望した。窓辺に立って心痛げに肩を落とし、秦皮樹の冬木立が紫色の木陰をなすあたりを眺めている姿がいつも見られた。そしてしばらくするとゆっくりとかぶりを振り、しわがれた重い声でこう言うのだった。

「まったく奇妙だ。説明がつかない。きみの父君《ふくん》についてはアーシュア家がイネスウィッチ村に移り住んできて以降ずっと知っているが、血液疾患に罹《かか》ったことなど一度もなかった。今も罹っているわけではないが……にもかかわらず、まるで……つまりその、まるで血液が体から抜きとられているかのような症状なのだ……」

エラビー医師はしばしば言葉を変えるが、その意味するところはつねに同じで、希望のない苛立ちを表わしてやまなかった。その声がわたしの脳内の秘めた片隅で低く響くとき、冷たく毒々しい別の声へと変わっていくような気がするのだった。クロードの足に踏み潰されるクリスマス・ツリーの飾り付けの音までが蘇るように思えた。青白い顔をしたクロードの幻影が、あの不気味な警告の言葉をくりかえしつぶやく声さえ聞こえるようだ。「欲しいものは手に入れるぞ。どんな手を使ってでもな……」

霙《みぞれ》の降る二月半ばのある寒い朝、一通の手紙がイネスウィッチ僧院に届いた。父を宛名として、差出人の署名はミスカトニック大学学生部長ジョナサン・ワイルダーとなっていた。わたしの震える手のなかで、高価な便箋が掠《かす》れて音を立てた。不安が凝《こご》った波のように湧き起こり、肺に詰まってくる。短い手紙ながら、奇妙に意味ありげな謎めいた文面だった。述べていることはわずかなのに、書き手の心にとり憑く昏い恐怖を強く滲ませていた。ジョナサン・ワイルダー学部長の吐露によれば、用件の真意は書面に記すのを憚《はばか》られるという。ゆえにもしご父君がミスカトニック大学の学部長室を訪ねてきてくれるならば大いに幸いであり、ご子息クロード君の学生生活が不運なものとなった事情の奇妙な背景について、内々に打ち明ける旨を告げていた。

父には手紙を見せなかった。つぎの土曜日の晩い夕刻、わたしはアーカム行きの列車に乗った。プルマン社*製車輌の埃っぽい緑色の座席に疲れた体を預け、車窓がなす方形に区切られた文目《あやめ》も分《わ》かぬ夜闇を見すえた。列車は墓碑の下の漆黒の地底を果てしなく穿《うが》ち這う燐光性の墓虫《はかむし》も斯《か》くやと揺れ進むが、そのあいだも幽鬼のごとき夜景は一片とて目に入らなかった。寝不足のせいで焼けるように熱くなった目の前で、ワイルダー学部長の手紙の最後の一行が奇怪に謎めく死の舞踏《ダンス・マカブル》のごとくのたうち踊った。「学部長会議における長い審議のすえ、ほかに選択の途《みち》なしと決しましたことは、まことに遺憾のきわみと心得、その段是非お信じいただきたく存じあげます。ご子息クロード・アーシュア君を、ミスカトニック大学より退校処分とすることに決した次第です」

Ⅳ

ジョナサン・ワイルダー学生部長は長身で血色悪く、鼻眼鏡に隠した昏い目を不快そうにしばたたいていた。骨張った両の手を山型に組みあわせて、窓の向こうに広がる寒々しいキャンパスを黙然と見つめていた。そのまなざしはアーカムの街を遠く縁どる冷えびえとした灰色の山々へも向けられた。うねりのびるミスカトニック川の雪混じりの流れに冬の日射しが冷たく煌めくと、ワイルダーは目を眇《すが》めた。そのあと不意にわたしのほうへ決然と振り向いた。ひとつ咳払いをした。

「アーシュアさん、この件につきましては、わたしどもの置かれている立場をご理解いただきたいと願っています。学部長会議はあなたの弟さんに対してなんとか寛大になれるよう、最善を尽くしてきたつもりです。弟さんがすばらしい学力をお持ちであることはみなが知っていますから。しかし……」

かすかに肩をすくめたあと、濃灰色《オックスフォード・グレー》の外套の袖口で鼻眼鏡のレンズを拭いた。「じつのところ、クロード君はごく初期から……なんと言いましょうか、不健全、とでも？……左様、医学的な考え方に真っ向から反する事柄についてきわめて不健全な関心を示してきたのです。大学ですごす時間のすべてを、付属図書館にこもることに費やし……

つまり……その……わがミスカトニック大学の附属図書館についての噂を、お聞き及びではありませんかな、アーシュアさん？……そうですか。やはりご存じないのですな……よろしい、まずそこからご説明するとすれば、わが付属図書館は、禁断の典籍や秘教的な奥義書のたぐいに関するかぎり、こんにち最も浩瀚《こうかん》な蔵書を誇っている施設なのです。厳重な施錠の下《もと》、フォン・ユンツトの筆になる『無名祭祀書』*や忌むべき『エイボンの書』*などをはじめ……左様、かの恐るべき『死霊秘法《ネクロノミコン》』*にいたる

プルマン社　十九世紀に創業した列車製造企業。

『無名祭祀書』　R・E・ハワードが創出した架空の魔道書。著者フリードリヒ・ヴィルヘルム・フォン・ユンツトは十九世紀ドイツのオカルト研究家とされる。

『エイボンの書』　C・A・スミスが創出した架空の魔道書。超古代大陸ヒューペルボリアの魔道士エイボンの著作とされる。

『死霊秘法』　H・P・ラヴクラフトが創出した架空の魔道書。著者アブドゥル・アルハザードは八世紀ごろアラビアに在した詩人・魔術師とされる。

まで……」それらの呪わしい書名を挙げていくとき、ワイルダー学部長の体に走る抑えがたい震えを見たように思った。そのあとふたたび口を開いたときには、囁き程度のかすかな声になっていた。「つまりですな、アーシュアさん、それらの尋常ならざる書物の全ページにわたって、弟さんが書写しているところが目撃されておるのです。一度などは閉館時間をとうにすぎたあとに、図書館司書の一人が――非常に信頼の置ける女性であると申しておきますが――書架に挟まれた隅の暗がりにクロード君がうずくまり、なにやら不吉な呪文を唱えているところを見つけたことがありました。彼女の証言によれば、クロード君の顔は……とても人間のものとは思えなかったそうで……」長身の学部長は長い息を震え気味に吸いこんだ。「逸話のたぐいはほかにもあります。ピッカム・スクエアにある下宿先で、弟さんがなにか怪しい行為に耽っているらしいという噂が囁かれています。人々が口々に言うところによれば、厭な臭いが漂ってきたり、苦悶の泣き声が聞こえてきたりするとか……とはいえ、もちろん……」そこで片手の掌を上向きにしてさしあげた。「こうした噂には憶測や誇張もあるでしょう。しかしたとえそうでも、クロード君を巡るこうした逸話は、ミスカトニック大学にとって明らかに害となるものです。入学志望者が減少しています。しかも、短いあいだでも弟さんと親しくした学生たちは、明確な理由もないまま学期の途中で退学していく者があとを絶ちません。ご理解いただけると思いますが、わが校の付属図書館の蔵書が如何に異端的なものを含もうとも、健全な精神の持ち主によって学ばれるならば問題ありません……しかしクロード君のような考え方を持つ学生とあっては……」その先は言うを憚るように言葉を濁した。「左様……申したいことはおわかりいただけるかと……」

「わかります」わたしはゆっくりと応えた。「もちろん……よくわかりますとも……」

クロードが下宿先としている家を訪ねると、老いた男が玄関を開けてくれた。わたしが弟の名前を口にしたとたんに、老人の顔がこわばった。

「アーシュアさんは外出中だ」と平板な声で答えが返ってきた。

「そうですか……では、彼の部屋で待たせていただきたいと……」わたしがそう言って一歩進みでると、顔のすぐ前で玄関ドアが閉じられかけた。老人の用心深げな険しい目のなかで街灯の黄色い明かりがまたたく。わたしは財布をとりだした。「ご心配なく。彼の兄ですので……」老人は礼も言わず一ドル札を受けとった。

「いちばん上の階だ」老人はふたたびドアを開け、なかに入れてくれた。

「どうも……」わたしは間を置いてから付け加えた。「ところで、弟は今夜ここを離れる予定でして……もう戻らないと思います」

はっきりそうとは言えないまでも、目を欺くまばゆい廊下の照明のなかで、黙りこんだままの老人の顔に不意に安堵が浮かんだような気がした。薄暗い階段を注意深く昇ろうとしたとき、老人のつぶやく声が聞こえた。

「そうかね！」小声ながら歓喜が滲んでいた。「それはよかった！」

クロードの部屋に足を踏み入れた瞬間から、正体の判然としないかすかな臭いを嗅ぎとっていた。鼻孔を刺してムッとさせるその刺激臭が、室内のあらゆる隅にまで浸透しているようだ。否応なく吸いこんでいるうちに、テレピン油を混ぜた顔料の臭いであることに気づいた。明かり採りからの光のなかに絵描きの使う画架が見え、画架の横材の上に置かれているものは、綿織りの薄布で隠されてはいながらも、油絵を描きかけている画布であることが見てとれた。画架の右側には骨董級の作業用戸棚が鎮座し、瑕《きず》の目立つその上台《うわだい》には、絵具のこびりついた刷毛《はけ》やパレットが無造作に置かれていた。わたしはあたかも神秘的な衝動に導かれるかのように、戸棚へと近づいていった。間近に立って上台を覗きこむ前から、刷毛や絵具などの乱雑な道具類に半ば埋もれて、開いた書物が置かれているのが目に入っていた。


その書物の布地めく肌合いの紙面を灯火が不気味に照らしている。紙の上を這いまわる気持ちの悪い虫の群れのような古い文字を読みとろうとして屈みこむと、計り知れない歳月による異臭が渦巻き立ち昇ってきた。眼前にある書物はアルベルトゥス・マグヌス*の最初期の著作物のひとつで、右側のページの下のほうの一行に強調のための下線が引かれていた。その呪われた文字列を読み進むうちに、わたしは胃を締めつけられるような不快感に襲われた。

「……我《われ》、汝《なんじ》より三滴の血を採るもの也《なり》。一滴目は心臓より、二滴目は肝臓より、三滴目は力強き命より採り、以《もっ》て汝は闘いに敗《やぶ》れん……」*

中世の魔術師が著わしたこの呪文のわきの黄ばんだ広い余白に、クロード・アーシュアののたくるような手書き文字が記されていた。「僧院より如何なる報《しら》せもないが、術式が効果を発揮することは確実。肖像画はすでに完成。遠からず勝利を知るはず。望むものが手に入り……」

そのとき自分の脳裏でどんな異常な推測が激しく沸き立ったか、今となってはよく憶えていない。記憶にあるのはただ、本能から生じたかのような恐怖の伴う憎悪のせいでわが手が鉤爪のごとく凶暴になり、あの画架に置かれた油絵を隠している薄布を一気に剝ぎとったことのみだった。恐懼《きょうく》の悲鳴が喉にせりあがるとともに、わたしは後ろざまにおののき退《さ》がりながら、弟が描きだした心騒がせる忌まわしき創造物を慄然と凝視した。精神病院の白い壁に囲まれたこの独房に閉じこめられているこんにち、目眩《めまい》にも似た眠りの縁で怯えながら横たわる深夜の悶々たる時間においてさえも、呪われたあの画布に描かれた気味悪い怪物どもが、瞼《まぶた》の暗い帳《とばり》の内側で蠢《うごめ》いていることがある。あの夜ピッカム・スクエアの下宿先で見たものほどにもすさまじい恐怖によって、この世に生ける余人の目が焼かれることこそ勿《なか》れと神に祈らずにはいられない。

クロードがそこに描きだしていたものとは、どこかの地下世界を思わせる鈍く煌めく色彩の渦を背景として、粘液を垂らす不定形の怪物どもが暗夜の外界との境目をのたくりまわっている図なのだった。しかもその忌むべき暗澹たる画布を見つめるうちに、原生動物めいた軟質の怪物どもが悍ましくも喜々として這いまわっている渦中から、かつて人間だったものの肖像がゆっくりと浮かびあがってきた。目の前に顕《あら》われたその顔を覆う皮膚といえば、蛆虫に喰われ変色した断片がわずかに残ってい

アルベルトゥス・マグヌス　十三世紀ドイツの実在の神学者・哲学者（一二〇〇頃―一二八〇）。錬金術・魔術の研究家でもあった。
「我、汝より三滴の血を採るもの也……　アルベルトゥス・マグヌスは自然魔術の唱導者であり、その志向と異なるこの呪文は作者の創作と思われる。（訳者）

るだけのありさまだ。青みを帯びた唇は苦悶に歪み、落ちくぼんだ眼窩《がんか》では哀れげな眼《まなこ》が嘆願の表情を湛えている。崩れきった顔のなかには一片とて原形をとどめる部分がないほどだが、それにもかかわらず、どこかしらに恐ろしくも見憶えがある気がするのだった。わたしは絵のほうへ向かっておぼつかない一歩を踏みだしたが、すぐ立ち止まった。腐りゆくその顔の皮膚から真紅の液体の小さな粒が滲みだしていることに初めて気づいた瞬間、恐るべき疑念が脳内で激しく旋回しはじめた。体じゅうの孔という孔から血の雫が溢れだしているのではないか！

「昔から救いがたいお節介気質だったね、リチャード兄さん……」

天井の低い部屋の薄暗い隅々にまで冷たく谺するその声は険しく軋り、現実ではないように聞こえた。思わず振り向き、クロードが不吉な黒服姿で部屋の戸口に立っているのを目にしたとき、混乱した脳がなにかを聞き誤まったせいではなかったのだと初めて覚った。わが弟の悪辣に歪んだ薄笑いは見まがいようのない現実だった。蒼白な動かない顔のなかに埋《うず》まる双眸《そうぼう》が、皮肉げな嘲笑とともに縞《しま》瑪瑙《めのう》色に煌めく。

「おれが描いたささやかな創造物のせいで、かなり驚かせてしまったようだね」とクロードがつぶやく。「わかってるだろ、兄さん、繊細すぎる心の持ち主は、他人のことにあまり首を突っこまないほうがいいものだとね……」

いつものやり場なき怒りがまたも湧き起こって視界を曇らせた。クロードの顔から毒々しい笑みが失せ、ゾッとする素《す》の表情に戻った。わたしはやっと声を出したが、抑制が利かずくぐもっていた。

「すぐ荷物をまとめるんだ。イネスウィッチ行き夜行列車の予約をとってあるから……」

翌日の正午、わたしとクロードはイネスウィッチ僧院に立ち戻った。冬の嵐が内陸にまで押し寄せたあとで、分厚い蔦《つた》に覆われた僧院の壁は豪雨を浴びて凄愴《せいそう》に濡れそぼっていた。書斎では暖炉に火が焚かれ、エラビー医師がその前に立ってわたしたちを待っていた。医師の顔をひと目見ただけで、前夜に暗く狭い下宿部屋で生じた厭悪《えんお》すべき疑惑が、燃えあがるばかりに生々しい現実性を帯びてきた。その瞬間、ピッカム・スクエアのあの部屋に置かれていた地獄めいた肖像画がだれを描いたものであるかが理解できた。父が死んだのだと察した。

クロードは悲嘆するふりすら見せなかった。父の遺言を早く執行させたい意志を隠そうともしない。イネスウィッチ村でよく囁かれる噂がある。単純で迷信深い村人たちによれば、人が死ぬごとに悪魔と地獄の従者どもがこぞって嗤《わら》うという。わが弟のあまりに人間味のない喜びようは、魔女狩りの必要性を説く老人たちのあいだで秘かに議論の的となった。寂しい埋葬の儀に参列したのは、教会の近くに住む村人と、生前の父と親しかった勇気ある者たちのみにかぎられ、しかもそれらの人々でさえ、寂寞たる曇天を背景にして立つクロードの黒々とした姿を不安げに振り返り見ながら、急ぎ足で立ち去ってしまうありさまだった。埋葬から二週間後、父の遺言書が読みあげられてから一週間後に、クロードは遺産の小切手を全額現金化し、そのままどこかへ姿を消した。

V

人には逃げるしかない場合があるものだ。厭な記憶から脱出し、忘却の淵に自らを隠そうとすることがある。忌むべき邪悪の影を締めだし、日ごろの生活を明るく活気あるものに保とうとするのが人間だ。わたしはそうと心得ている。事実、八年近くのあいだそうしてきた。しかもある程度は巧くやりおおせた。ジャージー島南部の海岸保養地にある居心地のよい白漆喰壁の別荘を手に入れ、イネスウィッチ僧院から行き来する生活を送った。新しい友人知己も得た。それ以前にはかかわったことのなかった世俗的な場に出て、人々と交わるよう努めた。しばらくすると、遠ざかっていた文学面での活動を再開できるようになった。やっと脱出に成功したのだと自分に言い聞かせた。じつのところは、僧院東翼にある南京錠に護られた飾り彫り付き扉の前を通るとき、むかつくような悪寒を抑えねばならないのもたしかだった。夕暮れどきの薄暗い書斎に独りでいるときなど、影の濃い四隅にクロードの声が禍々《まがまが》しく谺するような気がして、冷たい汗が噴きだすことも依然としてあった。反面でそうした一時的な不安による抑鬱といったものは、どんなに悪い場合であれ、友人知己との歓談や創造的な仕事への専心などによって癒されもした。弟の天才的な邪悪さが依然としてどこかに存在することは承知していたが、それもいずれはゆっくりとわが人生から去ってしまうようにと願い、あるいはそうなると信じてもいた。弟の名前はもう口に出さなくなった。彼についてはもうなにも知らないし、知りたくもなかった。ただ、あのころの日々のなかで一度だけ、クロードに直接かかわる風聞が耳に入ってきたことがあった。

わたしの初めての著書がいくつかの社交集団において好意的な関心と興奮を呼び起こす幸運に恵まれたころ、文壇の招待者名簿に自分の名前を見つけるようになった。多くのカクテル・パーティーや晩餐会に参加し、そうした集まりのひとつでヘンリー・ボニフェスと出会った。どこか軟弱そうにも見える小柄な男で、髪を頭頂で束ね、顎にはそれに見合う短い鬚を生やしていた。挨拶の握手はおずおずとしていたが、わたしの名前を鸚鵡《おうむ》返しにした瞬間、薄青色の瞳に突然明るい煌めきが宿ったようにも思えた。早くこの男から離れたかった。というのは、その集まりを主催した女性がわたしをつれて、ヘンリー・ボニフェスに紹介するために人々のあいだを縫い進んでいくとき説明してくれたことを思いだし、不意に強い懸念がのしかかってきたからだった。ボニフェスは西インド諸島から帰国して間もない超現実派の画家で、数年前にはミスカトニック大学で教鞭を執《と》ったことがある人物なのだった。

「アーシュアさんですか」穏やかながら強い調子の声でボニフェスはつぶやいた。「存じていますとも！　そのお名前を以前はよく耳にしていましたので！」あの奇妙な好奇心を示す煌めきがまたも目に宿った。「クロード・アーシュア君のお兄さんでいらっしゃるのですね……」

そういう話しかけ方をしてきた者は何年来いなかった。その厭なひと言が頭のなかでか細《ぼそ》くも邪悪

ジャージー島　英仏海峡チャンネル諸島中で最大の島。英国王室直轄地。

に谺した。クロード・アーシュアの兄。その響きによって、自分のうちにあるなにかへの広い扉口《とびらぐち》が開かれるような気がした。遙か彼方へ入念に忘れ去ったはずの恐怖が、どろどろした泥濘《でいねい》の波のごとく胸の奥で湧き起こり盛りあがってくる。「ええ」と重い声で答えた。「そのとおりです……」

ボニフェスが目を眇《すが》めると、その視線がわたしの顔に咬みついてくるかのような思いに駆られた。声は細くて内気そうでいながら、言葉は無慈悲にも深くさぐり入る。「クロード君からはしばらく音沙汰がなかったのではありませんか？　そうでしょうな、よくわかります。それでしたら、少しお知らせしたいことがあるのですが……」

わたしはけっこうですと言いたいところだった、この男の嫌味たっぷりの口調で古く忌まわしい傷口を開かれたくはなかったから。だが結局はじっと見返すのみにとどまった。

「そう……じつを言えば、西インド諸島にいたとき、クロード君について耳に入ってきたことがあるのです。驚くべき噂です。つねにとても驚くべき学生ではありましたがね。ミスカトニック大学に在学中の彼についてはよく知っています。美術科でのわたしの生徒の一人でしたので。油絵の実技を学び、肖像画を描けるようになりたいと望んでいました……」

掌に冷たい汗の粒が滲んでくるのを感じた。ピッカム・スクエアの下宿先で見た、蛆虫に喰われた異物のごときものの肖像画が脳内で悪辣に渦巻いた。ボニフェスがのろのろと先をつづける。

「それはさておき、西インド諸島の話に戻しましょう。現地の黒人たちが語っていたところによると、奥地で呪医と交流しながらヴードゥー教を学んでいる一人の白人の男がいるとのことでした。如何にしてか呪医の信用を得ていたらしく、ヴードゥーの祭祀に参入することを認められ、神殿での嫌悪すべき儀式で役割を務めるまでになっていたというのです。現地の人々は……つまり……その男の名前をクロード・アーシュアと呼んでいたのですよ……」ボニフェスは小さな頭をゆっくりと左右に振った。「驚くべきことです。まったくとんでもないご仁ですな。どうしたらそのような土地で免疫を得て生きていけるようになれるのか、衝撃だと言うしかありません。強壮な青年ではありませんでしたからね。しかも奥地ではあらゆる種類の恐るべき死の疫病が蔓延《はびこ》っているのですから……生存していただけでも奇跡的です」

わたしは自分の口がこわばって険しい笑みに歪んでいるのを感じた。「どうかご心配なく」と苦々しく返した。「生存への意志力が驚くばかりに強い男ですから。なにがあってもクロードは命を落としはしないと思います……」

そんな言葉がボニフェスとのあいだに冷たく平板な調子で流れ、気まずい沈黙のあと、わたしは辞去した。鳥の目のように煌めくボニフェスの好奇の視線で、背中を見つめられていたにちがいない。以後二度と顔を合わせることはなかったが、恐怖に憑かれつづけたその後の歳月を通じて、心はしばしば果てしない暗黒をくぐり抜けてあの夜に立ち戻り、わたし自身が吐いた「なにがあってもクロードは命を落としはしない」という忌まわしい予言を思いだすのだった。その言葉が悍ましくも真実を言い当てていたことをもしもはっきり認識できていたなら、グレーシア・セインを救出できていただろうものを——そしてわたし自身をも。滅ぼしえない存在にならないうちに、クロードを滅ぼせていたはずなのだ。

一九二六年十月の初旬、わたしはイネスウィッチ僧院での静かな隠遁生活に戻り、そこで冬をすごすとともに、二冊めの著作の最後の何章かを完成させんとしていた。弟の影響から自由になって長らく経ったあとだけに、僧院での暮らしはあらゆる意味でもとの状態に復した。幼いころ知っていた、なにものにも干渉されない平和なわが家に返っていた。質素ながらも居心地のよい生活のなかで落ちついて仕事に励むことができ、ほとんど幸福と言ってもよかった。完成することがないほどに二作めの小説は長く書きつづけた。僧院に帰ってからひと月がすぎようとするころ、こんな手紙が届いた。

親愛なるリチャード兄さんへ

おれからの音沙汰などないほうがよいと思っていることは承知している。その希望を打ち砕いてすまない。しかしじつのところ、浪費をつづけるあまり放浪の旅にも疲れ、故郷に帰ろうとしているところだ。そのため、こんな考え方をしては忌み嫌われるとはわかっていながらも、愛すべき弟が父祖伝来の生家に住む権利は兄さんと雖《いえど》も否定できないと思っているが、如何《いかが》か？　そういうわけなので、最良の寝室をひとつ準備しておいてくれるようお願いする。理想的なのは西翼《にしよく》の青い部屋だ。というのは、おれは僧院を離れたときと同じ身のうえで——つまり独り身のままで——帰るのではないからだ。つまり花嫁をわが生家につれて帰ろうとしているのだ。

この手紙が届いてから一週間ほどのうちに、クロードが帰ってくるという情報は驚くばかりの早さで広まり、イネスウィッチ村の翳りのなかで恐怖が新たに花開き、長いあいだひそんで見いだされることがなかった悪性腫瘍のごとく蔓延した。村のあらゆる通りでさまざまな推測が囁かれた。クロード・アーシュアの結婚相手とは何者なのか？　どんな女なのか？　美貌ながらも奇妙で邪悪な女人《にょにん》にちがいないといった憶測までが噂された。一世紀以上前に地獄より生まれた魔女としてジェイベス・ドレイゼンに焼き殺された夫人の生まれ変わりではないかとすら仄めかされた。イネスウィッチ村の人々はかの花嫁をまだまったく見ていないうちから、わが弟の存在を巡る恐怖に情けなくもとり憑かれてしまったのである。わたし自身、クロードの伴侶となった名も知らぬ女性に対し、不思議なまでに恐れをつのらせていった。六杯めのブランデーを飲み終わらないうちに、僧院の車路《くるまみち》に自動車が乗り入れた音が聞こえたので、弾かれたように立ちあがった。

あの夜の出来事がいつも悪夢の断片のごとく発作的に蘇っては、脳内の奥所《おうしょ》に煌めく印象となって映しだされたあと、ようやく瘴気芬々たる黄色い霧が恐怖の記憶を溶かしていく。あの夜僧院の暗い廊下に谺した錬鉄製のノッカーの音が、今もふたたび聞こえてくるかのようだ。かすかな衣擦《きぬず》れと、恐れの滲む家政婦のつぶやき声とが思いだされる。「リチャードさまは書斎にいらっしゃいます」わたしは書斎の戸口へと振り返ったのを憶えている。ちょうどそのとき敷居にクロードが姿を現わした。ようすが変わっていた。最後に会ったときより背が高くなっているように見えた。痩せた険しい顔は以前にも増して青白く、いっそう病弱になったかのようだが、それでいて顔立ちにはある種の整った雰囲気があり、ゾッとするほど酷薄そうでいながらも、男ぶりのよい顔と言わざるをえない。服装はといえば、わたしが知るかぎりかつてはひどく無頓着だったはずだ。ところがその夜は仕立てがよく高価そうなツイードの上着を纏《まと》い、ソフトカラーのシャツとニットタイも大いに趣味のよいものだった。クロード書斎のなかにすすっと進み入ってきたので、握手を交わすと、その手は異常に冷たかった。クロードは微笑んだ。

「リチャード兄さん！　長らくご無沙汰してしまったね！」

親しみの感じられる気安げなその口調には驚かされた。クロードは西インド諸島奥地の悪環境で生活していただけではなくて、ヨーロッパでもそれなりの月日をすごしてきたのにちがいないと思えた。かすかなドイツ語訛りで軋るようでいながら力強い声には、明らかに大陸的な抑揚が含まれていた。

話した。

「着くのが遅れて悪かった。例によって列車のせいでね。昔からそうだが……」わたしが聞いていないのをクロードは見てとったらしかった。もっぱら弟の背後の戸口へ目を向けていたからだ。彼はわずかに不審げな表情をしたが、後ろを見やったあとは笑顔に戻っていた。「そう……これがおれの大切なグレーシアだ」

グレーシア・セインのような女性とは見《まみ》えた例《ため》しがなかった。顔は角の柔らかな卵型で、前に垂らした鳶色《とびいろ》の髪は肌の乳白色を強調するように顔を縁どっている。綺麗に紅《べに》をさしたふくよかな唇の端にためらいがちな笑みを湛え、わたしのほうへ近づいてくる。黒紫色の瞳を宿す大きな目は不思議なほど素直そうに見えた。長旅用のツイードの外套も、優雅な身のこなしを隠しおおせてはいない。わずか一、二フィート離れた目の前で彼女は足を止めた。まなざしがわたしの顔に束の間さだめられた。

クロードの抑えた笑い声が遙か遠くからのように響く。

「さあ、グレーシア、リチャード兄さんに挨拶してあげてくれないかい？」

クロードのほうへゆっくりと振り向けられた黒紫色の瞳が、目を瞠らせる精妙な変化をした。瞳の奥で琥珀《こはく》色の火がまたたくように燃えあがったと思うと、急速にぬくもりを帯びた。そのまなざしは催眠術にかかっているかのごとく、声なき思慕とともにクロードの顔を愛撫していく。わが弟がそうとわからないほどかすかなうなずきを返したあと、花嫁グレーシアはふたたびこちらへ視線を戻した。わたしはさしのべられた彼女の手をとった。話しはじめた彼女の声は掠れがちながらも美しい響きに彩《いろど》られていたが、その言葉遣いには勉強熱心な少女のようなはにかみがある。

「お目にかかれるのを楽しみにしていましたわ、リチャードお義兄《にい》さま……」

わたしは口ごもり、どう返答したかも憶えていない。あの温かく柔らかな手が自分の手に触れたとき、図らずも子供に返ったような当惑が喉の奥にこみあげたのがわかるだけだ。グレーシア・セインの愛らしさにいっとき目を瞠るばかりとなり、長く手をとりすぎていることに不意に気づいて、あわてて離した。顔が赤らんでしまったにちがいない。クロードにじっと見られているのはわかっていた、彼の口もとが悪辣に歪んだから。昔からよく知る邪《よこしま》な忌むべき笑みだ。ヨーロッパ大陸風の物腰を身に付けてきたとはいえ、彼の本性は変わっていないのだとそのとき察した。

晩餐は心地よいものとはならなかった。わたしは怯えていた。わがことではない奇妙な恐れで内心が冷えこむのを覚えつつ、食事もうわのそらで、ひたすらグレーシア・セインをじっと見つめていた。彼女の顔があの愛らしくも献身的な少女めく表情で和《やわ》らぐのがしばしば認められた。クロードが視線を向けるたびに、彼女が笑顔にならないときは一度とてなかった。それは従順な優しい笑顔だが、長く見つめるほどに仮面のように思えてくる——だが彼女がふと無防備になったときには、曰《いわ》く言いがたい倦怠が静かに目に表われ、仮面はそれを隠しきれなくなる。わたしはもはや弟の妻を恐れているのではなく、彼女のためにﾞ恐れていた。クロード生来の病的な邪悪さが、粘液でぬらつく気味悪い触手のごとくこの女性に迫り、これまでに触れてきたもの同様に彼女をも滅ぼすのではないか、そんな恐怖感にとり憑かれていた。そのうちに、そうはさせられないと不意に思った。グレーシアの身に如何なることが起こるのも許せない。かつて見知ったどの女性よりも美しい人なのだから。

クロードとグレーシアが広い階段を昇っていき、上階の薄暗い廊下へと消えたあとも、わたしはすぐには就寝しなかった。火の消えた暖炉のそばに戻ると、デカンタの強い酒をグラスに注いだ。それを飲んでもなお体が温まらない。疲労と混乱に陥りながらも、ベッドに横たわっても眠れないとわかっていた。火のない暖炉のそばでどのくらい長くぐったりしていたか憶えていない。酒を何杯つぎ足したかも忘れてしまった。あらゆるものとのかかわりが念頭から失せ、閉じた瞼の裏側に浮かびあがるものはといえば、怯えを含んだあの青白い顔——グレーシア・セインの貌《かんばせ》のみであった。

翳り濃い部屋の隅々が迫りくるとともに、逆巻く冷たい霧がこの世のどんな隔壁も役立たないと言わんばかりに、閉じたフランス窓から滲み入ってくるように思われた。恐怖に胸を鷲摑みにされたのは、視界を遮《さえぎ》る汚《けが》らわしく黄ばんだ霧のなかから、揺らめくふたつの人影がゆっくりと顕《あら》われてきたときだった。ひとつは戦慄に歪んだグレーシアの顔で、美貌が台なしになっている。叫ぼうと口を開けているが、声が出ていない。汚濁にまみれた迷路のような暗い外空間を必死に転《まろ》び抜けていく彼女の耳もとで、陰気な笑い声とともに追い迫る、粘液を滴《したた》らせる膨《ふく》れあがったものこそがクロード・アーシュアだった。駆ける足は小刻みに地を打ち、さながら悪魔を崇拝する蛮族が生け贄の儀式で鳴らす太鼓の音のごとく響く。その音が近づく。さらに近づく。さらに間近に。

まだ夢を見ているのだと思っていた。腋毛《わきげ》から冷たい汗の玉が垂れ、横腹《よこばら》をつたい落ちる。手が震える。瞼を開けた。見慣れた書斎の家具類が朧《おぼろ》ながら徐々に焦点を結んでくる。ところが、儀式の太鼓を思わせる地獄めいた響きはなおやもうとしない！　恐ろしい一瞬、自分の正気を疑った。それから苦闘のすえにようやく、麻痺した四肢がゆっくりと脳の指示に従いはじめた。書斎の薄暗い戸口へとよろけ進み、扉につかまったとき、聞こえるあの音が病的な空想ではないと知った。階段の暗がりから響いてくる心臓の鼓動のような不気味な律動音が忌まわしくも現実のものであることは、だれにも否定できはしない。

それは東翼のあの部屋から聞こえる。不たしかな足によって果てしないほど長い階段を導かれるよりも前から、自分がどこへ行こうとしているかを察していた。一歩昇るごとに悪魔めいた律動音が大きくなり、上階の高みにのびる東翼への狭い廊下の壁に狂おしく反響する。唇は乾き、呼吸は喉の奥で荒い音を立てる。飾り彫りのほどこされた忌むべき扉の錆びた南京錠が解かれており、わたしはそれを呆然と見つめた。汗の滲む手で摑んだ扉の把手は冷たい。扉が音もなく内側へ押し開けられると、異教的な太鼓の音が雷鳴のごとく鼓膜にとどろいた。

弟は襞《ひだ》の深い緋色の長衣に身を包み、戸口へ背を向けて床で胡坐《あぐら》を組んでいた。血の気のない両の手を左右に大きくのばし、異郷の太鼓の気味悪い色彩に塗りたくられた革製の鼓面を打ち鳴らして、あの呪わしい催眠術的な律動音を響かせていた。クロードの前ではいにしえの供犠儀式を思わせる火鉢が青白い焔《ほのお》をあげ、室内唯一のその明かりのなかにグレーシアの姿が見えた。心臓の鼓動のごとき太鼓の音が大きく響くごとに、焔の舌が爆《は》ぜる音を放ちながら不浄なまばゆさで燃えあがる。その不気味に脈打つ輝きのなかで、わたしはクロードの花嫁を覆う変貌を見てとった。

鬼火めいた光輪のなかに浮かびあがる青白い顔は、もはやそれまでのグレーシア・セインのものではなかった。柔らかな卵型だった輪郭が著しく歪み、乾ききった肌は高い頬骨の上にきつく張っている。記憶にある大きな目は影の濃い眼窩に落ちくぼみ、奇妙にも邪悪げな光を帯びている。血の気の失せた口は薄く引き絞られ、両端が苦々しく曲げられている。体を包む愛らしく清楚な白いガウンをその顔が穢《けが》しているかのようだ。しかもわたしが見守るうちに、変貌はいよいよ明々白々となっていく。太鼓がひとつ打ち鳴らされるごとにも、彼女の油断ない目がますます邪険で狡猾げに光る。

部屋の戸口でわたしが恐怖に打たれて立ちつくしていると、ほとんど感知できないほどにもゆっくりと、太鼓のとどろきが薄れていった。そしてくぐもった響きのみとなったところで、人というより獣であるかのような身も世もない唸り声がかすかに聞こえてきた。異質の言語めいた音節がクロードの大きく開けた口から吐かれ、さながら熱帯性の毒花のごとき暗鬱さで響く。破れた腫れから溢れる膿《うみ》を思わす腐臭に満ちた空気のなかを、不快な呪文が漂っていく。

かつてグレーシアのものだった顔が次第に緊張を増してきた。今や見慣れたものとなった不気味にして狡猾そうな笑みを浮かべていた唇がさらに歪んだと思うと、クロードが唱える恐ろしげな呪文に合わせるように、あたかも蛇使いが吹き鳴らす催眠術的な笛の音《ね》に操られてうねくる蛇も斯くやと、グレーシアの白い肢体がゆっくりと揺らめきだした。やがて怪しい呪文の声が不意に高まり、奇妙な抑揚ながらもなんとか理解できる言葉の群れが瘴気に満ちた室内に震えがちにこぼれでた。

「おお、失せよ、われより弱き思念よ。失せてわれを容《い》れよ！　グレーシア・セインの思念を捨て、その肉身《にくみ》をわれに与えよ！　その目でわれは見、その指でわれは触れるものなり！　その口でわれは話すものなり！　話すものなり！」

そんな憤然たる命令口調の呪文が、太鼓の音にかぶせて冷たく響きわたった。火鉢の焔が弾け、高く燃えあがった。すると焔の青白い深みを見つめていたグレーシアが、不意に動きを止めた。表情のない顔のなかで、血の気の失せた唇だけが動く。軋るようにかすかな声が洩れた。仄かなドイツ語訛りを含む男の声だ！

「この体軀はわがものなり。これよりはこの肉身をわが魂の棲み処とする。われはクロード・アーシュアなり。クロード・アーシュアなり！　われこそは！　われこそは……」

「グレーシア！」恐怖に駆られたわたしの乾いた喉から、彼女の名前が憤然と奔出《ほんしゅつ》した。

「クロード……」彼女の口からは混乱したつぶやきがこぼれでた。目を縁どっていたひどい険しさと不健康な隈《くま》が失せていき、もとの優しさと赤みが戻った。彼女の視線がクロードからわたしのほうへゆっくり移ると、温もりのある黒紫色の瞳の奥に、見知らぬ部屋で目覚めた子供のような恐れを含んだ困惑が浮かんだ。「リチャードお義兄さま……ここはどこ？　なにがあったの？　体に力が入らないわ。わたし、いったい……」

グレーシアの声は嗄《か》れた吐息となって消え入った。体の緊張が解けたようだ。薄い白ガウンのかすかな衣擦れとともに滑るように歩きだし、静かに床に倒れ伏した。先に駆け寄ったのはわたしだった。汗の滲む彼女の手は冷たい。小声で名前を呼びながら、両腕でかかえ起こしたように思う。そのとき背後からクロードの影が迫ってきたことに気づいた。

「妻の面倒はおれが見るよ、兄さん」弟の声にはいつもの冷徹な落ちつきが戻っていた。振り返って見あげると、血の気のない仮面のような顔があった。火鉢で弾ける焔の明るさのなかで見るその顔には、蒼白な肌にうっすらと黄褐色の染みが散らばっているように思えた。わたしはくぐもった声で言った。

「医者を呼んだほうが……」

「大丈夫だ……」

「しかし……」

「目眩《めまい》がしただけだ」クロードが平板に言う。「休めば治る。おれが寝室《へや》につれていくから……」


グレーシアの体がすぐ前を通りすぎていくとき、冷たい白ガウンがわたしの手に触れて衣擦れを囁いた。廊下を去っていくクロードの、弔いのつぶやきのような足音に耳を傾けた。呼吸するごとにうろたえと恐れが身のうちで渦巻き、思わず身震いした。喉を潤《うるお》したい。立ちつくし、火鉢のなかで輝く鬼火めいた焔を見つめる。エラビー医師に電話して呼ばなければという切迫した衝動が湧き起こったが、すぐに萎えた。結局動かずにいた。不意に遠くか細く聞こえてきたのは、部屋のなかにわだかまる暗がりのどこかから洩れてくる忌まわしくもかん高い呪文の谺だった。ついさっきグレーシアの口から軋るような抑揚とともに吐かれたあの言葉に、ふたたび耳を澄ますことになった。「……この肉身をわが魂の棲み処とする。われはクロード・アーシュアなり。クロード・アーシュアなり」

突然響いたクロードの笑い声に、わたしは激しく驚かされた。振り返ると、不浄な部屋の戸口に立っていたのは、いつの間にか戻ってきたクロードにほかならなかった。顔には黄褐色の染みが最前より明瞭に広がっている。そのありさまは、血色のない乾いた皮膚を貼りつけた髑髏《どくろ》とほとんど変わらない。呼吸するのもむずかしくなっているようだ。しかしあのときの興奮状態はとうに失せ、秘密めかした落ちつきをとり戻している。猫の口もとを思わせる昔ながらのほくそ笑みが浮かぶ。ぎらつく目が無慈悲な笑いを放つ。

「哀れなリチャード兄さん。これはたしかな話だが、もし今までどおりの気むずかしい性分を変えないつもりだとしても、もう二度と邪魔立てはできなくなると学んだほうがいいだろうね……」揶揄《からか》うような口調の下流には警告がこめられている。冷たく痺れる恐怖を激しい怒りが焦がした。弱り果てたグレーシアの子供のような顔が逃げがちに網膜をよぎる。怒りに声が荒らいだ。

「彼女になにをする気だ、クロード？」

弟はすぐには答えなかった。先ほどグレーシアがかけていた椅子に身を沈めたきりなにもせず、躍る白熱の焔を見すえている。ふたたびほくそ笑みが唇を歪めるのが見てとれた。暗い眼窩の奥で不気味な眼光が煌めく。

「じつに見事な女だとは思わないかい？」クロードが小声で言った。

わたしは言い返した。「品位のある女性だ。善良な人格者でもある。そんな彼女に、おまえはなにかをしようとしている。この悍ましい行ないの背後になにがあるのか、ぼくはそれを知りたい……」

「ほう？」クロードの焼けつくような視線がわたしのそれと交差して光った。「知りたいか、兄さん？

ほんとに知りたいのかい？　それを知っても、やわな神経が傷つかない自信があるのかな？　あの麗《うるわ》しい淑女に発奮させられたようだね。彼女のために、輝く甲冑を纏《まと》う騎士になったというわけか」不意にクロードの口が横一文字に引き結ばれた。「もしおれだったら、淑女グレーシアを救出するなんて考えはすっぱりと諦めるね。言っておくが、兄さんが〈悍ましい行ない〉などと卑俗な表現をしたものは、じつのところ科学的な実験なんだよ。グレーシアはそのための助手なのさ。だから彼女を放棄するつもりはない。完璧な素材だからね。だからこそおれと深く愛しあうようになったわけで……」

この厭悪すべき仄めかしを耳にしてわたしが身震いに襲われたのを、クロードは感じとったにちがいなかった。揶揄うような笑みを返しながら、弟はゆっくりとうなずいた。

「そうさ。妻はとても献身的なんだよ、兄さん。おかげで実験は大成功だ。だから、おれが信じるかぎり、ある一定の条件さえ整えば、充分に強力な人間の思念というものは、ほかのだれかの肉体を乗っとることが可能であり――つまり異なる支配人格を、謂《い》わば新たな土壌に植えこむことができるのであり――それによって人格と肉体の交換が実現するというわけなのさ。必要なのはただ思念の集中と、そしてふさわしい素材のみだ。素材とはすなわち、実験を行なう者の思念に対して高度な感受性を示しうる人間のことで……」話しながらクロードの目が狂熱的な光を帯びてきた。言葉のひとつひとつが邪教の呪文ででもあるかのように。「そしておれはそういう素材を見つけ……」

「できるはずがない」わたしは低い声で言った。「グレーシアにそんなことなど。あんな愛らしい女性に。彼女は……」

「まさにそこが重要なのさ！」熱い声でクロードが囁く。「あの愛らしさが！　彼女はこれまで知ったなかでいちばん美しい女だ。考えてみるがいい、リチャード兄さん！　あれほど愛らしい女におれがなにをできるかを、想像してみるがいい。あれほどの美しさを持つ女を、おれの人格が、おれの脳が操るありさまを！　どんな男でも支配されてしまう魅力を持つ女を……彼女なら百万の男たちを虜《とりこ》にし……それどころか一国をも支配し……世界すら統率するだろうよ！」

わたしは懸命に声を落ちつかせようと努めた。「言っておくが、おまえにそんなまねはさせない。この兄が許さない。〈実験〉というのがなにかは察しがついている。その〈実験〉によって父さんとタムがどうなったかもな！　いいか、グレーシアには指ひとつ触れるんじゃない。もし彼女になにかしたら、警察に駆けこんでやる！」

「無理だよ、リチャード兄さん」クロードが穏やかに言う。「兄さんは警察になど行かない。しばらくしたら気持ちが静まるはずだ。そしてじっくり考えるようになる。そうしたら、グレーシアについておれが言ったことが真実だと悟るだろう。彼女は完全におれのものなのだ。だから兄さんが警察にどんなおかしなことを言っても、彼女がそれを証拠立てはしない。それどころか、兄さんがもしなにか言えば、兄は本当に頭がどうかしてしまったのだというおれの証言に、彼女もためらわずに同意するはずだ」

クロードは部屋の外に出たあと、後ろ手に音もなく扉を閉めた。

Ⅵ

わたしにはなにもできなかった。まるで部外者のようにただ立ちつくし、クロード・アーシュアの奸知によってイネスウィッチ僧院がゆっくりと避けがたく支配されていくのを傍観するのみだった。同じ週の終わりごろには、謂いえない恐怖に遭遇した無力な侵入者の気分で、なにもできず背を向けるしかなくなっていた。神経は繊細な楽器の弦になったかのようで、その弦が切れる寸前まで引き絞られている。僧院の薄暗い廊下をグレーシアがあちらこちらへ行き来するさまを日々かいま見ながらすごした。優しい顔立ちの肌が日に日に青白さを増していくのを見守った。薄い仮面のような顔に穿たれた双眸の奥に、病的な恐怖が巣食っているのを見逃さなかった。ときとして地元の警察に知らせようともくろみ、僧院の外へ出かけてもみたが、結局は悔しくも理性が働き、クロードのあの警告から脱しえなかった。

夜中に驚きとともに不意に目覚め、狂おしい怒りの縁で震えながら、洞窟のごとき僧院の奥からとどろく太鼓の音に聞き入ることがあった。そうした夜のあとには決まって大きな進展があり、わが弟は新たな生気を獲得して、一方グレーシアはいっそう青白く且《か》つ物静かになっているのだった。夜ごとクロードへの崇拝を示す従順な笑みを浮かべて、幽鬼のように部屋から部屋へと漂い歩くあの女は、本当のグレーシアではなかったと言える。心を操られていたのであり、沈黙のままクロードに服従しつづけていたのも、ある種の悪魔的な催眠術による結果なのだ。だがその説を証明しうる手立てはない。わたし自身、もしあの熱病騒ぎがなかったら、真実のグレーシアを知りえずに終わっていたかもしれない。

三週めの半ばごろ、クロードの身に突然ある変化が訪れた。寒く心地よからぬ曇り空の日だった。海からの湿気がイネスウィッチ僧院の広い部屋べやにまで沁《し》み入り、どれだけ火を焚いても冷気を払えなかった。午後のあいだずっと東翼の部屋に鍵をかけてこもっていたクロードが、夕食のため姿を現わしたときには、青白い顔にいつになく血色がかすかに戻っているようだった。目のまわりには赤みがさし、わたしとたまたま視線が合うと、その目に奇妙な落ちつかなさが浮かんだ。息苦しいような沈黙がつづく食事のあいだ、グレーシアが心配げなまなざしでクロードと目を合わせようとすることが一度ならずあった。だが彼は妻を見ようとしなかった。食事が済むとすぐ寝室へ退《ひ》きあげていった。

わたしが熟睡に落ちたときには、午前零時をとうにすぎていた。それまでは弟の奇妙な沈黙について何時間も考えてしまっていた。帰還したあの最初の日以来というもの、クロードのなかの邪《よこしま》さがどんどん大きくなって、大胆な揶揄を含むまでになり、さらには棘《とげ》のあるあてこすりや、こそこそとした毒のある嘲笑まで加わってきた。それがなぜ変わったのか訝《いぶか》しい。この疑問への答えは、わが枕《ちん》頭《とう》に漂ってきた、なにやら朧な幽霊のようなものの形をとって顕われた。冷たい手が腕に触れたような気がして、思わず声をあげた。それを制するように、柔らかい指先がわたしの唇にあてられた。重い呼吸のうちに目を開けると、月光を浴びたグレーシア・セインの愛らしい顔を見あげていた。

「リチャードお義兄さま……」掠れた囁き声には控えめな切迫感があった。「お義兄さま、来ていただきたいの。わたし怖くて……わたし……」口の震えを止めようとして止めきれずにいるようだった。

「クロードの呻《うめ》き声が聞こえるのです。それがとても怖くて。彼は自分の部屋にいるのだけれど……わたしを入れてくれようとはしないの……とても怖いのです、お義兄さま。彼は病気なんだわ……そうだと感じるの……わたしとお義兄さまとで……彼をなんとかしてあげないと……」

グレーシアの大きな黒紫色の瞳を見つめ、懸念と恐れに脈打つ声を聞くうちに、奇妙な希望の興奮がわが身をつらぬいた。そのとき枕頭に立っていた女性は、それまでの意思なき操り人形ではもはやなかった。知りあって以来初めて、グレーシア・セインが真正の生命に震えていた。上階の真っ暗な廊下をともに進んでいくとき、彼女の掌《てのひら》はわたしの手のなかで汗に湿っていた。クロードの寝室の扉の前で立ちつくし、どれくらい長く息をひそめ耳を澄ましていたかわからない。記憶にあるのはただ、楢《なら》材製の重い扉板の向こう側からくぐもった苦悶の呻きが聞こえてきたとき、わが手を摑むグレーシアの手に恐れゆえの力が突然こめられたことだけだ。わたしは冷たい金属製の把手に手をかけ、重い扉を勢いよく開け放った。

そのとき静寂を破った荒々しい叫び声は、苦痛によるそれではなかった。怒りに駆られた獣の凶暴な唸り声に近い。戦慄すべきその一瞬、クロードのベッドの上に淀みのごとく広がる月光のなかに、狂熱にぎらつく目と、染みの散らばる皮膚と、生傷めいた口とが見え、その口こそが憤激に満ちたあの叫びを発したのだった。グレーシアがアッと声を洩らすのが聞こえた。その直後、クロードがベッドに横たわったまま激しく身を捩ってわたしたちに背を向け、見えるのは体を覆う上掛けの弱々しい盛りあがりのみとなった。

「出ていけ！　この部屋からさっさと出て、二度と入ってくるんじゃない！」

「クロード……あなたは病気なのよ……わたしとお義兄さまとで世話をしてあげないと……」グレーシアがためらいがちに足を踏みだした。

「近寄るんじゃない！」鋭い掠れ声で命令が飛んだ。「ここには入るなと言ったはずだ。独りでいたいんだ！」

　わたしはできるだけ平静に言った。「エラビー医師を呼んだほうがいいと思うがね、クロード」

「だめだ！　医者など要らない！　だれの力も借りない！　べつになんでもないんだ、憶えておけ。熱帯地方にいたとき罹った熱病のなごりというだけだ。じきに治る。放っておいてくれ。わかったか！」

　朝になっても症状は変わらなかった。妻がどれだけ懇願をくりかえしても、クロードは余人が寝室に立ち入るのを頑固に拒みつづけた。どうか冷静になってお医者さまを呼ぶのを認めてちょうだいとグレーシアが懇請するあいだ、わたしは黙ってわきに立ち、ただ聞き入っていた。クロードは低くも荒々しい声を一度返したのみだった。食事を盆に載せて扉の前に置けと命じ、あとは数日のうちに恢復するから大丈夫だと伝えるにとどまった。そののちはグレーシアが如何に懸念ゆえの頼みを訴えても、応答すら返ることがなかった。閂《かんぬき》までかけられた扉の内側からは、ときおり上掛けの擦《こす》れる音と、時間の経過とともにいよいよ糜爛《びらん》が進んでいるのを思わせるムッとする悪臭が洩れてくるだけだった。つねにそうだったようにクロードの勝利だ。かまわずにおくほかなかった。忌まわしい聖所を隔てる扉は一週間以上も閉ざされたきりとなったが、時がすぎるとともに、われながらゾッとする奇妙な期待が育まれた。もしあの扉が二度と開かなかったとしたらどうだろうかと考えはじめたのである。

その一週間は、菌類の蔓延《はびこ》る邪悪な沼地のただなかで短くも華麗に咲き誇る密林の花であった。イネスウィッチ僧院での最後の日々に生まれた唯一の美しいものとなった。悪質な狂気に満ちた汚濁のなかで見いだした、輝かしくも穏やかな一抹の健全さだった。というのは、その日々の短い数時間においてのみ真のグレーシア・セインを知ることができたからだ。上階のあの部屋に自らを閉じこめた男の邪《よこしま》な思念から解放され、本来そうあるべきといつも思ってきた女性に変わっていた。華やかな笑いと物静かな優しさに満ちた品位ある淑女に返っていた。潮風に頬を撫でられ鳶色のしなやかな髪を靡《なび》かせながら、海岸の白い砂浜を走るのを好む無邪気な娘に戻っていた。クロードの影がいまだ残存していようと、習慣となったわたしとの夕刻の散策の折には、村人たちと出会えばただちに好感の目を向けられるようになった。それまで彼女を現実世界から隔て、クロードしか目に入らないように仕向けていた黒い帳《とばり》がとり払われた。彼女の顔に宿る活きいきとした愛らしさを見るにつけ、温かな笑い声を聞くにつけ、手をとりあったときの彼女の興奮を感じるにつけ、わが弟の妻と愛しあっているのだと実感するにいたった。

だが帳はふたたびおろされた。真のグレーシアを見いだしたときと同じほど突然に、わたしは彼女を失った。閉じこもりはじめてから九日めの黄昏どき、クロードに彼女をとり戻された。書斎の窓辺の椅子で二人してバックギャモンを楽しんでいたときだった。わたしの不運つづきを見て彼女は優しく笑い、沈みゆく夕陽の琥珀色の光に瞳を煌めかせていたのを憶えている。笑い声が不意にふっつりとやんだ。ゲーム盤から顔をあげると、彼女のふくよかな頬から血の気が失せているのが目に入った。

黒紫色の瞳の淵が急に浅くなり、おどおどとしはじめた。色褪せた唇が動くが、声が出ないようだ。かすかな衣擦れに、わたしはビクッとして振り向いた。書斎の戸口を翳らせる夕暮れのなかに立っていたのは——ぎこちない笑みを浮かべた蠢く死骸のような姿のクロード・アーシュアにほかならなかった。

その荒廃した顔貌のなかで、醜く歪めた口と深い眼窩の奥で光る双眸だけが、痩せ細った体の内部でかすかに燃え残る生命の火の証左であるにすぎない。広い額《ひたい》の乾燥した色のない皮膚が大きく盛りあがっているように見え、髪の生えぎわは著しく後退していた。顔は気味の悪い茶色い斑点が消えた代わりに、肉が黄ばんで皺が寄っていた。首には厚手の黒スカーフを巻きつけ、両手には（これがいちばん奇妙なことに思えた）仔山羊革《こやぎがわ》製の白っぽい手袋を嵌めていた。その日以降、クロードがスカーフと手袋をしていない姿を見ることがなくなった。

「これはまた！」歪んだ口がわずかに動くと、いつもと同じ揶揄いのこめられた底意地の悪い細い声がこぼれでた。「家族同士、仲睦まじいことだな……」眼窩の奥からの鋭い視線が、グレーシアの青白く優しい顔を焼かんとする火のように浴びせかけられた。「リチャード兄さんは夫の代わりとしてさぞ魅力的な男なんだろうね。しかし……こうして夫が恢復したからには、妻はもっと喜びを表わしてくれてもいいんじゃないかい？」

グレーシアは精妙に作られた操り人形さながらに、催眠術にかかったようなゆっくりとした動きで、窓辺の椅子から立ちあがった。彼女の白い手がゲーム盤に掠《かす》ると、バックギャモンの赤い駒がいくつか絨毯の上に落ちた。彼女はそれにも気づかない。夕暮れの薄暗い部屋をゆるゆると進み、クロードが立っているところへ近づいていく。素肌を晒すふくよかな両腕を彼の首にまわしたと思うと、醜い傷口のような口に熱烈な接吻をしはじめた。二人は抱擁しあったまま戸口の暗がりにしばらく立ちつくし、弟はそのあいだずっと、グレーシアの肩越しにわたしへ邪悪な笑みを向けていた。そのあと夜晩く、またしてもあの太鼓の音が聞こえた。

悪夢を見ているのではないかと思った。暗い僧院の奥から律動音が響き、束の間鼓膜を震わせた。だが驚いて汗の染みた枕からがばと頭を起こし、押し包む暗闇に目を凝らした瞬間、音はやんだ。ベッドに座したまま身を乗りだし、緊迫の成り行きを待った。静寂は果てしなく深い。墓のなかのような静けさだ。なにかの巨大な心臓が不意に鼓動をやめたかのような。気を楽に持とうと努めた。汗ばむ手で額をぬぐい、笑おうとした。喉で乾いた息の音がしただけだった。諦めて横たわった。神経を落ちつかせなければ、と自分に言い聞かせた。

巧くはいかない。冷えた手を震わせまいと努め、暗がりから洩れてくるどんなかすかな音にも耳を澄まし、横臥を長くつづければつづけるほどに、ぬらぬらと広がる薄膜のようにイネスウィッチ僧院を覆い尽くす差し迫った危機をますます意識してしまう。不自然な静かさだ。凶悪な殺人鬼が人を襲う前にじっと身をひそめているときのような。自分の神経を呪いながら上掛けを撥ねあげると、ぎこちなく夜着に袖を通し、室内履きを足に突っかけた。湿りを孕む夜気が素足に纏わりつくのを感じながら、寝室の扉を開け、廊下の暗がりへと恐るおそる出ていった。本能的に東翼へと向かっていく。上階の廊下で唯一の大窓から月光が射しこみ、床を格子状の影で仕切りつつ白々と照らしだす。その明るい光のなかで出会ったものこそが彼女だった。

「グレーシア！」

彼女は聞いていないようだった。影のなかからこちらへ近づいてくると、白いガウンが衣擦れを立てた。その音が毒蛇の放つ警告の囀《さえず》りのように聞こえた。刺々《とげとげ》しく歪んだ彼女の顔のなかの、色の失せた瞳を見つめた。深く穿たれた双眸がわたしの目を焼くように見返し、きつく引き結ばれた口が非情な笑みの形に捻じれた。奇妙に尖った桃色の舌が突きだされ、乾いた唇を舐める。口が動いた。

「殺せ！」グレーシア・セインのものではない悪辣な抑揚の声が絞りだされた。「殺すのだ……それしかない……確実な途《みち》は……兄は邪魔になるだけだから……こうするのが最善だ……そうとも……やつは滅ぼさねばならない。斃《たお》さなければ……殺せ、殺せ！　殺すのだ！」

胸めがけてナイフが振りおろされる寸前に、わたしはグレーシアの手首を摑んだ。鋭い鉄の刃《やいば》が左頬を掠《かす》った。血が顎をつたうのを感じる。彼女を押さえつけているのは容易ではない。脆弱な体軀にふさわしからぬ強い力であらがってくる……狂乱した者のみが発揮する怪力だ。色の失せた唇がめくれあがり、歯を剝きだす。

「殺せ！」声を軋らせる。「殺すしかない！　滅ぼせ、葬り去れ！　永久に沈黙させるために！」

「グレーシア！」わたしは彼女を激しく揺さぶった。「やめろ！　聞こえないのか？　莫迦なまねはよすんだ！」

狂乱に歪んだ顔を容赦なく平手打ちにすると、彼女は突然静まった。異常な憤激が当惑へと溶融したようだ。目が大きく見開かれ、温《ぬく》みと深みをとり戻した。まなざしから影が失せた。桃色と湿り気を帯びてきた唇が震える。束の間じっと見つめ返したあと、怯えた視線がわたしの顔にできた傷から離れ、依然自分の手に握られているナイフの煌めく刃へと移った。アッと声をあげた。痙攣するように手が開かれ、ナイフが床に落ちた。ふたたび目と目が合い、彼女はわたしの腕のなかに身を投げだした。

「リチャード……お義兄さま、こんなことをするつもりではなかったの……自分がなにをしてるのかわからなくて……あの太鼓の音が……そしてクロードの声が……ここに……わたしの頭のなかの、ここに……」

グレーシアの髪の新鮮な香りが鼻孔に入ってきた。頬が触れあう。彼女が夜着の袖口で顔の傷から血をぬぐってくれた。

「大丈夫だ」とわたしはつぶやいた。「もう心配要らない……」

もう一度グレーシアを抱きしめた。彼女の体は震えている。泣いている。幼い少女が混乱して洩らすかすかな泣き声のようだ。

「怖いわ、お義兄さま。恐ろしいの！　彼はきっとわたしになにかするでしょう……きっと……」頭を左右へ激しく振りながら、わたしにすがりついてくる。「そんなことをさせないで……お願い……お義兄さまの力で！　どうか彼を止めて……」

「止めるとも」自分の険しい声が冷厳に鼓膜に響く。「きみに危害を加えさせはしない……二度とひどい目に遭わせはしない……」

「真実の愛の勝利か！」

グレーシアがわたしの腕から身を引き剝がしたのは、苦い皮肉の重みを含んだその言葉が低く聞こえてきたせいだった。薄闇の端に立ち、細い切れ目のような青黒い目をして、痩せ細った顔を月光のなかでかつてないほどに活きいきと動かし、クロード・アーシュアが笑った。

「グレーシアを兄さんのものにすることはできないよ。わかってるだろう？　これまでおれはできるかぎり我慢してきたが、しかし残念ながら、兄さんはあまりにしばしば邪魔立てをしすぎる。そうさ、彼女はおれにとって一人の女以上の、妻以上の存在だ。おれの命そのものであり、生きつづけるための唯一の希望なのだ。その希望を決して兄さんに奪われるわけにはいかない……」

クロードが月光のなかでゆっくりと迫ってくる。一歩一歩が滑るようななめらかさで、さながら猫の歩みを思わせる。ぎらつく視線が立ちつくすグレーシアへと向けられ、それからまたわたしへ戻った。あのゾッとさせる笑みがふたたび口の端で一瞬だけ遊んだ。

「まだよくわかっていないようだね、兄さん？　どうしておれが生きつづけるための唯一の希望がグレーシアなのかと、訝っているらしいな。気にすることはないさ。知らないほうがいいこともある。自分の人生の最期の夜について、繊細な心を悩ませないほうがいい。そうとも、知ってはいけない！　おれたちとしては、兄さんには心穏やかでいてほしいんだ。覚悟をしてもらうためにもね——死の覚悟を！」

そのあとなにが起こったのか、はっきりとは思いだせない。激烈な暴力の数分間は、懸命に思いだそうとしても切れぎれに蘇ってくるだけだ。クロードが力任せに突進し、痩せた冷たい手が万力のように気管を絞めつけてきたことは憶えている。グレーシアの悲鳴が聞こえたように思う。クロードの憎悪に満ちた蒼白な顔が恐ろしいほど間近にあった。かすかな呼吸音とともに、悪臭芬々《ふんぷん》たる息が顔に熱くかかった。突進の激突により、わたしは後ろざまに倒れた。闇と月光が脳内で旋回する。胸板が砕けたのではないかと思った。だがすぐに必死で体を捩り、なんとか絞めつけから脱した。肺のなかで風が逆巻く。湿った石壁にクロードを押しつけた。髪を摑み、頭を前後に激しく揺さぶった。後頭部を石壁に三度叩きつけた直後、必死に摑みかかる彼の手が不意にゆるんだ。石壁づたいに彼の体が滑り落ち、わたしの足もとに頽《くずお》れると、一度だけビクッと痙攣し、そのあと静かになった。

死んではいなかった。ぎらついていた目は紫がかった瞼の下で虚ろになり、表情を失った蒼白な顔はどう見ても死の様相だが、しかし手で胸をまさぐってみると、邪悪な心臓は弱々しくも依然脈打っていた。わたしは奇妙なほど決然と落ちつき、窓にかかるカーテンの太い吊り紐を使ってクロードの手足を縛った。寝室まで運んで大きな古式ベッドに横たえ、鍵をかけて閉じこめた。

グレーシアは泣くのをやめていたが、暗く寒い階段を書斎へとおりていくあいだ、握りあう手は冷たくて震えていた。書斎に着くと、わたしは話しかけた。もう怖がることはないと優しく宥めた。すべて終わったからと。暖炉に火を焚き、二人分のグラスに酒を注いだ。そのあいだもずっと、落ちつきを装っているわたしの表面下では、悩ましくも逃げえない想念が渦巻いていた。みなの無事を図るためには、クロードがいるべき場所はただひとつしかない。犯罪性精神病の病院こそがその場所だ。酒を飲み終えたあと、電話を二本かけた。相手はエラビー医師と警察で、できるかぎり早急に来てほしいと双方に告げた。

Ⅶ

すべて内密に遂行された。如何なる事実も新聞に書かれることはなかった。各紙の編集長が派遣した少数の記者たちが裁判を取材しようとしたが、傍聴を拒否された。記者たちは不満顔でそれぞれの電話席に戻り、なにかしら忌まわしい出来事があったようだという仄めかしを編集部に口述筆記させるにとどまった。そうした記事は仮に紙面に載ったとしても、幸いにして奥の目立たない隅に追いやられるのが関の山だった。記者たちはひととき別の角度から取材しようとした。イネスウィッチ村の酒場に足しげく通い、客たちから聞きだそうとした。成果は得られないのがつねだった。おそらく村人たちは亡きわが父の思い出を尊重し、どんな取材にも冷たい視線で見返し口を噤《つぐ》んだのだろう。おかげでイネスウィッチ僧院の悍ましい秘密も、アーシュア家の名を穢す不面目な出来事も、人々の情けある沈黙の壁に秘匿されつづけた。

法的制裁の対象とされたクロードの行為は、兄に対する殺害未遂のみだった。わたしは証人席に立ち、弟に命を狙われたときの詳細を小声で証言した。兄としてできることはそれだけだった。あとは精神科医たちの証言に任せた。困難なことではなかった。クロードを巡っての証人尋問に多くの時間が費やされるのみだった。クロードの変人ぶりを知る何人もの村人たちの不承ぶしょうながらの証言が記録され、内気でおどおどしたミスカトニック大学の学生部長に対しても質問され、クロードに油絵を教えたヘンリー・ボニフェスからの手紙が読みあげられもした。

クロードが父の死を受け入れたときの奇妙に昂揚した態度が問題視されたため、わたしとしては結局のところ、ピッカム・スクエアの下宿先にあった厭悪すべき肖像画と、アルベルトゥス・マグヌスの殺人呪文とを巡る経緯について証言せざるをえなかった。一九二五年九月の半ばに、精神科医たちがある決定をくだした。わが弟の治癒不可能な異常性を宣言したのである。

最後の審理が行なわれた日、わたしは独りで州立精神病院に赴いた。最後に見たクロードのまばたかぬ目に満ちる酷薄な憎悪に触れ、衰弱した顔の下に隠された企《たくら》みから湧きでる冷たい憤怒をふたたびかいま見た。狂乱して暴れだすような兆候は見せていなかった。白衣を着た二人の看護師に挟まれて、クロードは診察室の戸口へと物静かに向かっていった。ふとこちらへ振り向いたとき、雨の降る午後の薄闇のなかで彼の灰色の顔が一瞬ぼんやりと広がったように見え、すぐあとにはいつもの消えない皮肉げな笑みを湛えた顔に返った。

「勝利したなどとは思わないほうがいいぞ、リチャード兄さん」とクロードが小声で言った。「それは考えちがいというものだ。医者どもはこの体を閉じこめてはおけるだろうさ。扉に掛け金をかけ、窓に鉄格子を張ってな。だが真のクロード・アーシュアを隔離しておくことは決してできない。おれはふたたび自由になってやる。いつの日か、如何なる手段かで、兄さんにこの手をのばしてやる――兄さんと、わが愛する妻とにね。遅かれ早かれ、復讐を果たすことになるのさ」引き結んだ口の隙間からくぐもった笑い声が洩れた。「今はまだ信じられないだろうがね。だがいずれわかる。待っているがいい、兄さん。ただじっと待てば、そのうちわかる……」

安心させるための言葉をかけてくれる医師たちの落ちついた声に、わたしは耳を傾けた。廊下の角を折れていく弟を見送った。扉が開けられて閉じられる音が聞こえた。掛け金がかけられる金属の音が薄闇のなかを漂ってくる。クロードはもはやわが人生から永遠に去ったのだと自分に言い聞かせた。だがそう信じてはいなかった。最後に小声でつぶやかれたあの警告が、頭のなかでやむことなく谺しつづけた。これはまだクロード・アーシュアの終わりではないのだと、恐ろしくも得心せざるをえなかった。

イネスウィッチ僧院には安堵にも似た雰囲気が漂うようになったが、しかしそれはわたしとグレーシアが平穏を切望しているがゆえに生じるものにすぎなかった。真の幸福ではなかった。陰鬱な過去を締めだそうとするわたしたちの決意が、黴《かび》臭い暗幕をなんとか開いて、正常な世界からの弱い陽光をわずかに入れられるのみだった。グレーシアはその後の数ヶ月をかけて、クロードが病に臥《ふ》せっていたころに一時《いちじ》見せていた若々しく新鮮な活気をゆっくりととり戻していくようだった。ふたたび笑うようになり、荒涼とした冬の海岸道をわたしと一緒に散策するようになった。彼女の計画で日々の食事にも工夫が加えられ、ささやかな驚きを与えてくれた。いまいちど著作の仕事に戻るべきだと思うようになったのも彼女のおかげだった。

幸せかともしだれかに尋ねられたなら、そのとおりだと二人とも答えただろう。だがそれは嘘だと言える。わたしは著述に励んだが、しかしどうにか執筆したいくつかの文学上の記事は貧弱な出来に終わった。独創性に欠けるものだった。奇妙な不安の影に圧《お》され、不充分な文章しか書けない。そこでグレーシアと相談を重ねた。どこかへ旅をしたうえで結婚するという案を話しあったが、二人のあいだにはつねに懸念が幽霊のようにつきまとった――どんな計画も結局巧くいかないのではないか。あの憎むべきねじくれた怪物がいまだ精神病院で生命の呼吸をしつづけている以上、グレーシアは完全には自由になれないと思えてしまう。わたしたちはさながら寂しい子供のように、哀れな遊びごとに夢中になろうと懸命に努め、恐怖に満ちた夜があらゆる方向からゆっくりと迫っていることを忘れようとした。

どの段階で自分が変化に見舞われたのかを辿《たど》るのはむずかしい。クロードが精神病院に収容されてからまだ日にちが経たないころ、異常な胸騒ぎに襲われたときにはじまったのではないかという気はする。そのころから、海水に蝕まれて荒れた海岸沿いの道を独りで彷徨する癖がついた。脳内を激しい不安感が容赦なく責めつづけていた。頭のなかが空白になるような厭な瞬間がしばしばあった――奇怪な昂揚感が背筋を這うとともに、迷路のような夜陰の僧院内部をさまよい歩き、際限なき強い力が生じてくるような感覚を覚えた。そのあとハッとわれに返ると、冷たい汗にまみれて、東翼の飾り彫り付き扉の前に立ちつくしていることが一度ならずあった。その扉こそは、クロード・アーシュアの冒瀆的邪悪さをささえるあらゆるものが秘められた地獄めく廟墓《びょうぼ》への入口にほかならない。

するとそういう状態が訪れたときと同じほど唐突にもとに戻り、激しい狼狽に身を震わせてはベッドに倒れこんで、不安に苛まれる深い眠りに沈んでいくのだった。そんな恐ろしい夜ごとの発作をグレーシアに打ち明けたことはないが、しかし彼女とたまたま目が合ったときには、優しいまなざしの背後に恐れ半ばの疑問がひそんでいるのを認めねばならなかった。なにかがおかしいと彼女も感じとっているようだった。口に出されない彼女の疑念が現実のものとなったのは、わたしがピアノを弾いた夜のことだ。

部屋を横切って丸椅子に腰をおろしたときには、音楽が神経を慰めてくれるはずだと自分に言い聞かせていた。だがそれは、ピアノを弾きたい欲求がいつになく急激に湧き起こってきたことを正当化しようとする言いわけにすぎなかった。古びて黄ばんだ鍵盤は、触れると冷たく粘つくような気がした。その上をわたしの指は優雅に動きまわり、かつてないほどの安逸な感触で弾きはじめた。黄昏どきの薄暗い部屋のなかに、ショパンの「夜想曲《ノクターン》」が甘く憂鬱に流れだした。拍動する低音が異常なほど敏感になった鼓膜に昏く響いたと思うと、いつの間にかショパンの旋律ではなくなっていた。狂熱を帯びた指の下で顫えながら激しく律動する和音は、無慈悲で邪悪な音色へと変化していった。太鼓の音に似た低音に高音が混じり、無数の死霊の泣き声を思わせる不浄な旋律へと変わっていく。神なき律動がのたくるような不気味な影の群れとぶつかりながら調子を合わせていく。ピアノのわななく内臓から引きだされるようなこの地獄めいた曲は、かつて一度だけ耳にしたことがあった。わが指の下でかん高く打ち鳴らされる旋律は、クロードがグレーシアを操るとき唱えた呪文のそれと同じだった。

グレーシアが後ろにいるのが察せられた。鼻孔が緊迫のうちに震える。彼女の髪と肌の香りが室内の空気に浸透してくるようだ。指がこわばり、ついには動かせなくなった。演奏の最後の余韻が乱れた泣き声のように、あるいは毒性の瘴気のように、静けさのなかに浮かび、ほどなく途絶えた。わたしは丸椅子の上でゆっくりと振り返り、立ちあがった。彼女の普段着の鮮やかな黄色が、黄昏に翳る戸口にちらつく。彼女の顔が、ふくよかで柔らかな唇が、淑《しと》やかな官能をかすかに秘めて成熟した肉体が、焼けるように熱い目の前で大きく揺らぐ。彼女が迫ってくると、引き締まった温かな腕についと手を触れた。彼女の唇に震える笑みが浮かんだが、すぐに翳り失せた。不意に彼女の目が恐れに煌めいた。わたしは微笑みを返したように思う。自分の唇がぎこちなくゆっくりと湾曲していくのを感じた。舌が動いて、どこかしら広大な空無から発せられるような、自分のものではない声が口から迸《ほとばし》った。

「グレーシア、わが愛しの……花嫁……愛する妻よ！」

顔を屈めて口づけをしようとすると、彼女は恐怖に狂乱するように首を振った。わたしの手を振りほどき、壁ぎわまでたじろぎ逃げた。かん高く乱れた嘆願の台詞が血の気の失せた口からこぼれでた。

「やめて！　さわらないで、お願い！　わたしに近づかないで！」

脳内のどことも知れない奥のほうで、なにかが弾ける鋭い音がした。目を刺すちらつきが急速に晴れ、グレーシアの顔を歪める強烈な厭悪と恐怖を初めて目に捉えた。わたしは力が抜けていった。汗が顎をつたい、首筋に流れ落ちる。恐れと当惑が入り混じって胃が捩れるようだ。目の前で立ちすくむか弱い生き物を、どうしたらいいかわからないまま見すえた。彼女は両手に顔を埋めている。喉がひどく渇き、言葉もたやすくは出てこない。

「どうしたんだ？……グレーシア、ぼくがなにかしたか？……いったい……」

そこで言い淀んだ。彼女は目から両手をすでにどかしていた。怯えと疑問のまなざしでひととき呆然と見つめ返すばかりだったが、ついにはわたしの腕に抱かれ、優しく泣きだした。暖かな体を震わせる泣き声には奇妙な安堵の調子がある。漠然とした疑念が深まる一方だ。

「いったいどうした？」小声でくりかえした。「なにを怯えていたんだ？……」

「なんでもないの」グレーシアはかぶりを振り、喉の奥に絡まる焦り気味の笑いを洩らした。「ごめんなさい……ちょっと妙な思いに囚われただけなの……たぶんあの曲のせいだわ……それと……あなたの顔がひどく青白く見えたせいよ。あなたが微笑んだとき……なぜだか歪んだ厭な笑みに見えて……わたし……」またも突然笑いだしたと思うと、すぐ泣き声に変わった。「莫迦みたいとはわかっているけど……でも一瞬……あなたがクロードそっくりに見えたの！」

Ⅷ

その夜は眠れなかった。寝室の暖炉には血のように赤い燠が少し残るだけで、火はとうに消えていた。おまけに、一日じゅうずっと威嚇していた嵐が、午前零時すぎになってイネスウィッチ村に荒々しく襲いかかった。

じっと椅子に座し、奇妙なほど緊張して、グレーシアの声を谺させる海からの波音に耳を澄ましていた。「……あなたがクロードそっくりに見えたの、あなたがクロードそっくりに見えたの、クロードそっくりに、クロードに見えたの！」わたしは悪寒に震えて弾かれたように立ちあがり、部屋のなかをあてもなく歩きまわりはじめた。窓の外の夜闇を稲妻が切り裂く。ビクッとして、思わず毒づいた。

封を切っていないライ・ウイスキーを震える手で開け、多めの量をグラスに注いだ。ふたたび椅子に沈みこみ、気を狂わせるような波の呪文を聞くまいと努めた。夜の暗さが残る最後の時間にいたるまで、こうしたことをずっとくりかえした。結局一睡もしなかった。やがて聞こえてきた太鼓の音も決して夢ではなかった。

するとそのとき、忘れていた意識の裂け目で、見すごしえない危険信号が赤く光った。行くな！　脳が声なき叫びをあげた。とどまれ！　諦めるんじゃない！　クロードに勝たせてはならない！　戻れ！　戻ってこい……自分のところに……自分自身の体に戻れ！　そうしなければだめだ！　言葉を発するべく苦悶のうちに最後の力を振り絞り、痺れた口が歪むのを感じた。

「行くんじゃない！」太鼓の音に逆らうように、わたし自身のしわがれた声でわめいた。「とどまれ！　引き返せ！　行っては……ならない……」

立ちつづけるだけでもたいへんな努力を自らに強いねばならない。両脚が体の下で頽れそうに揺らいでいる。今となってはよく憶えていない、腐臭漂う暗がりのなかをどうやってよろけながら進んでいったのかすら！　記憶にあるのは、あの部屋の戸口——そこから逃げるための最後の希望となるであろう、黒々と口を開けた方形——と、その向こうの火鉢のなかで爆ぜながら高々と燃えあがる焰が、わたしを逃がすまいと指をのばしてくる光景だ。あと少しで戸口に迫るというところで、それは起こった。

鈍く脈打つ音が針のように脳を刺しつらぬいた。あの太鼓だ！　わたしはよろめき、扉の脇柱にぶつかった。重い痺れが脚をもつれさせる。体が急激に傾いたと思うと、床に滑りこむように倒れ伏した。悲鳴をあげようとした。だがあげられない。声を出せないまま、底なしの厭悪の淵に落下していった。粘つく暗黒の渦に呑みこまれた果てに、クロードの細く低い声が聞こえてきた。

「わが兄リチャードよ、今こそ告げよう！　この肉体はもらい受けた！　おれは還ってきた！　自由を手に入れるために——かつておまえのものだった肉体によって！　聞いているか？　おれは自由になり、葬り去られるのはおまえのほうだ！　そうとも、わが愛しの兄よ、おまえなのだ！」

視界を阻む濃い闇のなかで、悪意に満ちた哄笑が谺する。わたしは狂乱のうちに最後の死力を振り絞って、なんとか立ちあがりかけたが、呼吸のために喘いだところで、前へよろめき、完全に無力となってふたたび倒れ伏してしまった……

そのあいだもクロードの冷笑を孕むくぐもった声が、遙か遠いどこかほかの時空からのように、耳のなかで細く唸りつづけていた。

「わかっただろう、兄よ……むずかしいことではなかった。まったくたやすかったよ。この体は今やおれのものになった。聞いているか？　おれのものだ！　おれの脳の命令により、おれの思考を考え、おれの言葉を喋り、おれの思念に従った行動をするのだ……」

それらの悍ましい言葉が、唸りつづける嗤《わら》いのなかに注がれて揶揄しつつ谺し、やがて果てしない回廊のごとき虚ろな静寂へと絶えていった……

意識の最初の波は体のあらゆる部分を蝕まれる苦痛の一端であり、人を喰らう怪物の鋭い牙に肉を齧《かじ》られるがごとき激痛であった。苦闘のすえにやっと目を開けた。瞼が妙に腫れぼったく、視界は細い隙間に霞んでいた。真っ白な空無がまたも目の前に揺らぎ広がる。白漆喰塗りの天井と無色の高い壁なのだとわかってきた。右側の窓からは青白い月光が射している。目をしばたたき、ぼんやりした方形の窓に焦点を合わせようと努めた。すると、剃刀の刃にも似た鋭利な恐怖が脳を切りつけた。殺風景な部屋に射しこんでくる月光は、縞状《しまじょう》の影で細かく区切られていた。窓が——鉄格子によって強化されているのだ！

腫れてこわばった唇のあいだから乾いた悲鳴が迸った。莫迦な！　これは自分の脚ではない。目の前にのびる竹馬のように弱く骨張った脚は、乾いてたるんだ白い皮膚に覆われ、しかもそこに茶色く化膿した爛《ただ》れが一面に広がっている！　体を包む夜着を焦って剝ぎとると、むかつく胸の悪さに襲われた。いたるところに白い肉が露出して膿が流れだしているではないか、まるで無数の蛆虫に食い散らかされたように。腐った肉が放つひどい異臭が鼻孔を刺す。狂ったように泣き声を洩らしながら立ちあがると、鉄格子付きの窓へとよろめいた。祈ったように思う。泣きわめいていたのはたしかだ。そして屋外の暗さにくすんだ窓ガラスに月光が映す顔の恐るべきありさまを目にした。

粘つき汚れたガラスの深みから見返す生き物は、人間というより獣に近い。ゾッとするほど白い額はあらゆる均整を無視して膨れあがっている。太くなった鼻に開く傷口のような鼻孔はどこか猫科の獣のそれを思わせ、その下では裂け目にも似る腐乱した口が震えながら涎《よだれ》を垂らす。青黒い眼窩には邪悪な焰めいた光を揺らがせるふたつの小さな点が沈みこむ。眉毛はなく、髪の毛は膿に覆われた頭蓋のところどころにわずかに生えるのみで、それが汗にまみれてもつれあうさまは、あたかも海の底から浮きあがってきた怪物メデューサの蛇髪《じゃはつ》のごとくだ。そんな姿を嫌悪に駆られつつ見守るうちにも、腐った唇がゆっくりとめくれあがり、その悪逆の笑みこそはクロード・アーシュアが狂気の勝利を誇る表情にほかならない！

わたしは絶叫したように思う。推察が盛りあがる汚濁の波のように溢れてきた。その瞬間、イネスウィッチ僧院東翼のあの部屋で目撃した儀式の背後にひそむ不浄な目的が理解された。わが弟がなぜグレーシア・セインの肉体を欲したのかが得心できた。彼女の美しさを通じて弟が新たに獲得した力は付帯物にすぎない。必要だったのは新たな肉体そのものだ。彼の精神が誕生のときから棲み処としてきた肉体は病魔に侵され、死の縁をさまよっていたがゆえに。

妻の正常で健康な肉体は、クロードが生きのびるための唯一の希望だった。今目の前の窓ガラスに映っている腐り果てた肉体と交換して、グレーシアの体に入りこもうとした。ところがわたしがその希望を挫《くじ》いたため、仕返しにわたしの肉体に入りこむことにしたのだ！

鋼板で強化された扉を狂ったように叩きつづけるうちに、腐った肉塊にも近い状態の両の手から出血しはじめた。こわばった唇が動くのを感じ、病に侵された他者の喉の奥から自分のものではない声で叫びが放たれるのを聞いた。精神病院の静寂の夜闇に乱れた言葉がぶつかる。

「弟を探してくれ！　クロードを！　あいつを見つけだしてくれ！　ぼくの体は……あいつに盗まれたのだ！　弟はついに勝利し、自由になっているんだ！　あいつを探さねばならない……こんどはグレーシアを滅ぼすつもりだ……ぼくをそうしたように、彼女もわがものにする気だ……お願いだ！　ここから出してくれ！　あいつを止めなければ！　お願いだ！」

医師たちがやってきた。白衣を着た彼らはかぶりを振り、哀れみの調子でなにかぼそぼそと話している。優しげな笑みを浮かべる彼らのわけ知り顔は、こう言っているようだ——可哀相に、完全に狂っているのだから、巧く宥めてやるしかない、と。わたしをベッドに縛りつけると、なにか囁きあいながら出ていった。しばらくすると、灰色の髪をした一人が戻ってきた。右手に注射器を持っている。腕の内側に針を射され、わたしは顔をしかめた。灰色の髪の男は子供をあやすような声でこう言った。

「もっと気を楽に持たないといけないよ、クロード君。きみはちょっと病気だというだけで、大したことはないんだからね。おとなしくしてさえいれば、わたしたちがきっと治してあげるから……」そこで習慣的に微笑む。「もうひと月近くも聞きわけがなくなっているじゃないか。そのせいで注射をしなければならなくなるんだ。何度も言ってきたことだから思いだしてほしいが、クロード君、リチャード兄さんは一週間近く前に外国に旅立ったんだからね……」

わたしはぎこちなく首を横に振った。口であるはずのひどい味のする穴のなかで舌を蠢かせた。

「グレーシアは？」と喘ぎを洩らす。「グレーシアはどこにいる？」

灰色の髪の男は目を逸らした。ほかの医師たちらしいぼんやりした白い人影の群れが落ちつかない足どりでやってきて、事務的な口調でなにかつぶやいている。麻酔剤が効きはじめた。声の群れはもう脳のなかのくぐもった物音としか聞こえない。灰色の髪の医師は変わらぬ冷静な調子でわたしになにか説明しようと試みている。言葉は届かないが、なにを言っているかは察しがつく。白い空間に得々とした耳障りな笑い声が低く響くと、わたしは覚った。わが弟がどこへ旅立ったにせよ、グレーシアも彼に同行したのにちがいないと。クロード・アーシュアは勝利を収めたのだ。

もはや如何なる恐れもない。グレーシアを助ける望みとともに、恐怖も消え失せた。クロードの地獄めいた邪悪さにはどうしたところで勝てなかったのだと、今にして悟っている。これまでのみならず、今もなお彼は強大にすぎる。だれも敵《かな》わない。こうしている瞬間も、彼の忌まわしい精神は生きつづけているとわかる。わたしを斃したのと同様に、グレーシアをもすでに滅ぼしているだろう。これほどの恐るべき命運に遭った者がほかにどれだけいるかと、しばしば訝《いぶか》る。神のみぞ知るところだ。だが少なくとも今は安堵しかない。滅ぼされた者にとっては、恐怖はすでに終わっている。あとは警告するのみだ。

これを読んだ人々は嘲笑するだろう。崩れかけた墓穴《はかあな》の縁に立つ狂人による、埒《らち》もない殴り書きだと罵《ののし》るかもしれない。だれもが笑うだろう。だがそれは真実を衝《つ》かない虚妄に引き攣《つ》った笑いとなるはずだ。そうした人々もいずれは、これまでの告白のなかで事実と認められたことを関連付けていくうちに、わたしの言ったとおりだったと知ることになる。クロードはこれからも生きつづけるにちがいない。というのは、じつに不可思議なことながら、だれもが気まぐれに見る夢を、彼こそは現実のものにしているからだ――真の意味での不死を実現しているのだ。不死の精神はいずれ滅びるひとつの肉体にのみ閉じこめられてはおらず、別の肉体をつぎつぎに見つけていき、且つまた病による艱難をも巧みに逃れ、墓穴に葬り去られることが決してなくなる。

あの男がこれほどの一大発見を成し遂げることになるとは、なんとも皮肉にして非情な話だ。しかも事態はそれだけにはとどまらない。危険きわまりないことなのだ。わたしにとってではない。グレーシアはもとより、これまでにクロードと闘って敗北した者たちすべてにとってでもない。われらはもはや何者にも手出しされない。だがクロードはすべての生者に手出しできる。こうしている今も、彼はだれかに迫っているかもしれない。だれかの恋人としての口で囁きかけているかもしれず、信頼できる親友の目で見つめ、あの昔ながらの謎めく笑みを浮かべているかもしれない。笑いたければ笑うがいい。しかしこれだけは憶えておいてもらいたい。

クロード・アーシュアの思念が獲得した力は血肉とは別次元のものであることを。己が道を阻むものがあれば、ひとつひとつ虱潰《しらみつぶ》しに制圧していく。彼の思念の前では死さえもおずおずと頭《こうべ》を垂れる。もし制圧しきれない相手がいたとしたら、ただ殲滅《せんめつ》するのみ。そんな力が本当にあるのかと疑うなら、わたしを思いだしてみるがいい。清浄にして健全なわが肉体を簒奪したものこそがその悍ましき思念の力であり、そしてわたしは今、過去二十年にわたって膿み爛れ膨れあがったレプラ患者の肉体に閉じこめられている。

影にあたえし唇は

ロバート・ブロック

植草昌実 訳

I Kiss Your Shadow

Robert Bloch

ジョー・エリオットは、ぼくがいつも座る椅子に腰を据え、ぼくが大事に飲んでいるウィスキーを勝手に注ぎ、ぼくのとっておきの煙草を一本取って火をつけた。

ぼくは文句を言う気にもなれなかった。

だが、彼が「ゆうべ、きみの妹に会ったよ」と言いだしたときには、口を開かずにはいられなかった。黙っているわけにはいかない。

が、口を開きかけて、何も言えないと気づいた。そう言われて、どう答えればいいのだろう。彼が妹と婚約していた頃、何百回も聞いた言葉と同じで、口調まで変わらない、ごく普通のものだ。

そう、まったく普通の口調だった。違うのは、妹が三週間前に死んでいることだけだ。

ジョー・エリオットは笑ってみせようとしたが、うまくいかなかった。「正気の沙汰じゃないよな」彼は言った。「でも、本当なんだ。ゆうべ、会ったんだよ。ドナでなかったなら、彼女の影とね」

こんなふうに言われては、返事のしようもない。確かなのは、黙って続きを聞くしかない、ということだけだ。

「彼女は寝室に入ってきて、寝ているおれに顔を寄せてきた。あの事故以来、おれがひどく寝付きが悪いのは知っているだろう。ゆうべも眠れないまま、ベッドに横になったまま天井を見上げていて、月があまりに明るかったから、起きてカーテンを引こうかと思った。寝返ってベッドから足を下ろしかけたとき、いるのに気づいた。すぐそばに立って、こっちに身をかがめ、両手を伸ばしていた」

エリオットは身を乗り出した。「今きみが何を思ったかくらい、わかるさ。月明かりがつくった何かの影を見て、そう思い込んだだけのことだ。そうじゃなかったら、ただ寝ぼけていただけだって。でも、自分が何を見たかくらいわかる。ドナだ、まちがいない——どこで見ても、影だけでも、彼女だとわかるんだ」

彼に尋ねたが、その言葉が自分の口から出たとは、ぼくには思えなかった。「ドナは何をした？」

「何をって？　何もしないさ。そばに立ったまま、何かを待つように両手を差し伸べていただけだ」

「何を待っていたんだろう」

エリオットはドアを見つめた。「そこが難しいところだ」彼は口ごもった。「そう見えたんだ——ただそれだけさ。婚約した頃から気づいていた、癖なんだ。話をしているときや、彼女の部屋で食事をしたあと、おれが皿を洗っているあいだに、よくそんなふうにしていた。いつでも両手を差し出すんだ。その仕草の意味がわかった。キスをしてほしいんだ。そう思って、手を差し伸べられるたびに、おれは彼女にキスをした。だから——笑ってもかまわないぜ——ゆうべも同じようにしたのさ。おれはベッドから立ち上がると、影にキスをした」

ぼくは笑わなかった。何も言えなかった。ただ座って、エリオットが先を続けるのを待つばかりだった。彼がそれ以上は話そうとしないので、ぼくは先をうながした。「キスをしたのか。で、そのあとはどうなった？」

「いや、何も。彼女は出ていった」

「消えたのか？」

「いや、出ていったんだ。影はおれから腕を離すと、背を向けて、ドアをすり抜けて出ていった」

「影が腕を離した、というのは」ぼくは言った。「いったい――？」

彼はうなずいた。うなずいただけなので、何を言いたいのかはわからないが、同意を求めているわけではなさそうだった。観念したかのように見えた。「そうなんだ。キスしているあいだ、彼女はおれに腕をまわしていた。そうさ――見もしたし、腕を背中に感じもした。キスしたときは唇にもね。影にキスするというのは、妙な感覚だよ。たしかに感じているんだが、相手がそこにいるという感じがしない」彼は手にしたグラスに目を落とした。「水割りにしたウィスキーみたいなものかな」

そのたとえはおかしいと思ったが、おかしいのはこの話のほうだ。今この時代にする話じゃない。こういう話を真面目にしていたのは、五十年前までのことだろう。

そう、五十年前なら、さほどおかしくもなかったはずだ。「幽霊はいる」と信じられていた時代だったから。あの時代には、ウィリアム・ジェイムズ*のような心理学者ですら、心霊現象研究協会に傾倒していたほどで、明晰な頭脳や冷静な判断力の持ち主さえも、幽霊の存在を信じていたのだ。不滅の愛とか、死後の世界との交信とかいう、感傷的な理解もされていた。でも、今となっては、どれもみなおかしなことだ。

だが、そう言って正すのをためらったのは、さらにおかしなことに気づいたからだ。ジョー・エリオット本人だ。彼はもともと根っからの懐疑論者で、こういう話はいつも笑い飛ばしていたのだ。

もっとも、それほどにドナの死がこたえているのだろうが――

「何も言わないでくれ」彼は言った。「おれが言っていることが、未練がましいどころか、まるで馬鹿げているのも、きみが聞いて何を考えてるかも、わかってる。だから議論はしたくない。あの事故がひどくこたえたのは、見てのとおりさ。車が谷底に落ちて、中から助け出されたときは、ショック状態だったらしい。でも、おれは葬式の前までには立ち直っていた。わかるよな。信じられないなら、フォスター医師《せんせい》に聞いてくれ」

今度はぼくがうなずいた。

「葬式が済んだあとは、すっかり大丈夫だ」彼は続けた。「あれから毎日、顔を合わせてるよな。何か気づいたか――おれはおかしくなってるか？」

「いや、なってはいないね」

「じゃあ、おれの想像なんかじゃない。あれは夢じゃないんだ」

「で、きみの考えは？」

彼は立ち上がった。「考えなんてものはないね。あったことを話したかっただけだ。知らせておくべ

ウィリアム・ジェイムズ　アメリカの哲学者・心理学者（一八四二―一九一〇）。主著に『心理学』『プラグマティズム』。一八八五年にアメリカ心霊現象研究協会を設立。『ねじの回転』のヘンリー・ジェイムズは実弟。

きことだし、きみは道理がわかる。口が軽くはないしな。それに、彼女が兄貴にも会いにくるかもしれないだろう」

ジョー・エリオットはドアに向かった。

「帰るのか」ぼくは尋ねた。

「疲れたからな」彼は答えた。「ゆうべはあのあと、ほとんど眠れなかったよ」

「待てよ」ぼくは言った。「安定剤はいらないか。少しならある――」

「ありがとう、大丈夫だ」彼はドアを開いた。「明日か明後日《あさって》、電話するよ。昼めしでも食おう」

「本当に大丈夫なのか」

「ああ」彼は笑顔を作り、出ていった。

ぼくは眉をひそめ、部屋の中でじっとしていた。そろそろ眠ろうかというときも、まだ眉をひそめたままだった。エリオットの話にはどこかおかしなところがあるが、それは話した本人がどこかおかしい、ということだ。それがどこなのか、知りたかった。

「彼女が兄貴にも会いにくるかもしれないだろう」

ベッドに横になって、ゆうべと同じように月が天井を照らしているのを見た。が、月の光を長く見てはいられなかった。目を閉じて、妹が来たら、と考えてみる。そんなことはありえないのに。

ドナは死んでしまって、今は墓の下だ。死ぬところは見ていないが、警察は事故現場に到着してすぐ、ぼくを呼び出した。つぶれた車から妹が運び出されるのを見たし、そのとき彼女がすでに死んでいたのは確かだ。まともに見られなかったが。ジョー・エリオットは、ぼくがいることにも、自分の額の傷にも、ドナが死んでしまったことにさえ気づかず、ただ震えていた。ドナが救急車に運び込まれるあいだ、事故だ、道にオイルがこぼれていた、車がタイヤを取られたと、彼女に言い聞かせるかのように、ジョーは繰り返していた。だが、彼女にはその言葉は届かなかった。フロントガラスを頭で突き破ったときには死んでいたのだ。

検視審問の結果はエリオットの言葉どおりだった。ドナの死因には事故死の評決が下りた。死化粧をした葬儀屋も、柩の脇で説教をした牧師も、その柩をフォレスト・ヒルズ霊園に埋めた作業員たちも、ドナが死んだことを疑わなかったはずだ。

それから三週間後、ジョー・エリオットが来て、「ゆうべ、きみの妹と会ったよ」「ドナでなかったなら、彼女の影とね」とぼくに言った。いつも冷静な、新聞社の整理部に勤める真面目なジョーが、影にキスをしたというのだ。両手を差し伸べて目の前に立つ影を見て、ドナだとわかった、と言いはるのだ。

その影を見ていなくても、彼の説明から、その身振りがどんなものかはわかった。妹がジョー・エリオットに出会うよりずっと前にも、見たことがある。フランキー・ハンキンズと婚約していた頃にも、ドナは彼にそんな仕草をしてみせた。今は遠く日本にいるフランキーに、彼女の死の知らせは届いているのだろうか。彼が兵役で日本に行くと決まったとき、二人は別れたのだった。

記憶をたどるうちに、ドナがその仕草をしていたほかのときを思い出した。ギル・ターナーと付き合っていた頃にもだ。もっとも、付き合いはじめたときから、長続きしないのは目に見えていた。ターナーが優柔不断だったからだ。だから、彼がさっさと引っ越し先を決めて町を去っていったときには、誰もが驚いたものだった。

いちばん驚いたのはドナだろうが、そう思う暇《いとま》もなかったことだろう。と言うのは、ぼくが彼女にジョー・エリオットを引き会わせ、二人がすぐに恋におちたのは、その直後のことだったからだ。

二人のどちらにも、この出会いが大きな転機になったことは、まちがいなかった。ドナとジョーは出会ってひと月もたたないうちに婚約し、夏が終わる前には結婚するつもりでいた。ジョーはすっかりドナのものになってしまった。

妹がこうと決めたら引かないたちなのは知っていた。思いどおりにことを運ぼうとして、止めようものなら何をするかわからなかったのだ。だが、彼女がジョー・エリオットとどう付き合っていくのかは、はたで見ていても興味深いものだった。まるでギリシア神話のピュグマリオン*のようだ——もっとも、かの王様と、彼が作った彫像ガラテイアの役柄は、こちらでは男女が入れ替わっているが。周囲が気づかないうちに、ジョー・エリオットは型崩れしたスポーツジャケットを灰色のツイード・スーツに替え、匂いの強い葉巻をやめてブライア・パイプをくわえ、夕食はハンバーガーひとつとコーヒー一杯で済まさずに、ドナの小ぎれいなアパートに立ち寄って一緒にとるようになった。

彼女はこの男をどれだけ変えたことか！　彼は日に二度もひげを剃り、給料日にはスミッティの酒場の前を通りすぎて、足早に銀行に向かうようになったのだ。

ぼくは兄として、ドナを称えずにはいられなかった。妹は自分が何を手に入れたいか、どうすれば手に入れられるか、知っていたのだ。そのためには容赦なかったが、それもまた彼女ならではのことだったのだろう。ドナはジョー・エリオットを作りなおしたばかりか、本人が新たな自分を気に入るようにしたのだ。実際、ジョーもそれが気に入らないようなそぶりは見せなかった。新しい彼を見るうちに、前はどんなふうだったか、ぼくもほとんど忘れてしまっていた――「おれをだまして家庭なんてものを背負わせられる女なんていやしない」などと、スミッティの酒場で豪語していたものだったが。

結婚式が近づいてくると、ドナは二人の家を買う計画をはっきり口にするようになった。「アパートで子育てはできないでしょう」エリオットは耳を傾け、笑みを浮かべていた。

（「それにな」スミッティに指を振りながら、彼は真顔で断言した。「おれは哀れな会社の奴隷かもしれんが、家庭の奴隷にまでなることはないだろう。いかにもアメリカの父親みたいな、あの馬鹿げた型にはまったさまにもな。ラジオやＴＶでお馴染みの、あの父親像ってやつにさ！　昔から言うじゃないか、子供は見てるぶんにはいいが、持つもんじゃないってね」）

だが、そう言ったのはドナに出会う前のことだ。そばに女がいて、パイプに火をつけてくれたり、ネクタイを直してくれたり、ステーキの付け合わせのフライドポテトがしんなりしないよう、頃合いを見て揚げてくれたりするのがどれだけ素敵か、それまでの彼は気づいていなかったのだろう。自分を見つめたまま、だまって両手を差し伸べてくる相手がいると知る前の話だ。

一つだけ確かなことがある。ドナは策を弄してはいなかった。妹はこの男を愛していたのだ。あの夜、ぼくが二人を誘ったパーティから帰る途中、事故で死んでしまうまで、彼女はジョーを愛してい

ピュグマリオン　ギリシャ神話に登場するキプロスの王。自分が彫った女性像ガラテイアに恋をした。

た。これは本当のことだ。

そう、ここまではすべて現実の話だ。だが、ジョー・エリオットがしたのは、影の話だ。

ぼくはかすかに明かりが射す天井を見上げた。どこからか月の光が入ってくる暗い部屋にいるうちに、彼の話を信じられそうな気がしてきた。

ぼくたちは、自分で思っているほどには世間ずれしていないのかもしれない。幽霊なんてものは古めかしいし、愛は死さえも乗り越えるなどという思いも、海外旅行が困難なことだったのと同じように、薄れていった。たとえば、世慣れたやつを一人、幽霊屋敷の真っ暗な部屋に閉じ込めて出口をふさぎ、一晩過ごさせたとしよう。朝までにそいつの髪が真っ白になっていた、などということはないだろうが、何事かはあるはずだ。知性ではそれを否定する。でも、感情では断言できないだろう。明かりを消したそのとき、その場にいなければ、わからないことだ。

ぼくは明かりを消して、ドナが来るのを待っていた。待って、待ち続けて、とうとうその夜は眠ってしまった。

二日後、一緒に昼食をとっているときに、ぼくはジョー・エリオットにその話をした。「来なかったぞ」と、ぼくは言った。

彼は顔を上げた。「そうだろうとも」と、彼は言った。「行くはずもないさ。こっちに来ていたんだから」

すぐには声が出なかった。「また?」

「一昨日に続いて、ゆうべも、な」

「同じだったか？」

「同じさ」彼は言葉を続けるのをためらった。「ただ——前より長くいたな」

「どのくらい？」

彼はまたためらって、ついにそのまま黙り込んだ。膝からナプキンを落とし、身をかがめて拾い上げ、ようやく小声で言った。「一晩じゅうさ」

何もたずねられなかった。が、その必要もなかった。彼の顔を見るだけで十分だったのだ。

「本当に来たんだ」エリオットは続けた。「ドナが。彼女の影がね。前に話したことを覚えているか。水割りのウィスキーと言ったのを」彼は身を乗り出した。「今度はそうじゃなかった。影というものは、一歩踏み込んできただけで、はっきりしてくるものなんだ。わかるか？　現れかたを知ると、影ははっきり出てこられるようになるんだ」

顔を近づけて話すので、酒を飲んでいないことは匂いでわかった——事故の夜と同じだ。彼は酒を飲んではいなかった、とぼくは証言したし、だから評決が出るのも早かったのだ。

そう、エリオットは酔ってはいなかった。酔っていればよかったのに、と思いながら、ぼくは言いたくなかったことを口に出した。言わずにはいられなかった。

「フォスター医師《せんせい》に診てもらったらどうだ」

ジョー・エリオットは両手をテーブルの上で広げた。「そう言うだろうと思っていたよ」と笑った。

「今朝がた電話して、診察の予約を入れてある」

安堵の息はつかなかったが、正直な話、ぼくは心底ほっとした。小さなことでも、彼と議論するのは避けたかった。議論を恐れたのではなく、考えていたことを彼に気づかれたくなかったのだが、エリオットが正気を失ってはいないとわかって、何よりうれしかった。

「心配いらないさ」彼は念を押した。「先生が何と言うかも想像がつく。精神安定剤を処方して、無理をせず楽にしろ、それでよくならなかったら精神科医に診てもらえ、なんてね。もちろん、言われたとおりにするつもりだよ」

「約束するかい？」

「するさ」彼はぎこちない笑みを浮かべた。「面白い話をしてやろう。おれはきみの妹が怖くなってきたんだ——影でしかないのにね」

何も答える気はないと、ぼくが顔にはっきり出すと、彼は黙り込んだ。店を出て、ぼくたちは別れた——ぼくは仕事場に戻り、エリオットは診察を受けにいった。

だが、それからの三日間、彼と会って話したことを思い出す暇もなくなった。仕事場に戻ると、びっくりするようなことが待っていたからだ。ジョー・エリオットが整理部に勤めている新聞社が、ぼくを特派員として雇いたがっている、という声は耳にしていた。だが、この日は編集部長が仕事場で待っていて、インドシナ*方面への取材をもちかけてきたのだ。出発は、かっきり二日後だという。

忙しくなった。エリオットに電話もできないほどに。彼が電話してきたとしても、出られなかったことだろう。

旅程の初日、西海岸に向かう飛行機に搭乗する直前に、エリオットが空港に電話をくれたので、ぼくはようやく話すことができた。

「すまない、こっちも手が放せなくてね」と彼は言った。「よい旅を、な」

「具合はよさそうだな」

「そうかい？」

「精神安定剤が効いたのか」

彼は笑った。「そうでもないさ。診察を受けに行ったんだが、おれが話しだすと、先生ときたらろくに聞きもしないんだ。すぐに別の医者を紹介された。パートリッジという精神科医だ。知ってるか？」

ぼくの知っている医者だった。「それはよかったな」

「ありがたいかぎりさ」彼は言葉を切った。「長話になっちゃ悪いな」

「で、大丈夫なのか」ぼくは言葉を強めて促した。

「もちろん。大丈夫さ。治療をはじめたよ。あの医者の言うことには、説得力がある。自分で思う以上に、おれはこじれてたようだ。きみに話したことだけじゃなく、他のこともあったんだろう。ともあれ、どのくらい続くのかはわからないが、週に二回は通院することになった。ありがたいことに、想像していたほど怪しい医者じゃなかったよ。寝椅子に座らせないし、腕も確かなようだしね」また言葉を切った。「で、二度目の診察のあと、彼女には会わなくなったよ」

「影にか？」

インドシナ　インドと中国のあいだの地域。ベトナム、ラオス、カンボジアからタイ、ビルマ（現ミャンマー）を指す。

「罪悪感に起因する幻覚というやつさ」彼はまた笑った。「ほら、こんな専門用語も使えるようになったんだぜ。きみが帰ってくる頃には、精神科医の看板を出してるかもしれない。じゃあ、幸運を祈る。手紙をよこせよ」

「ああ、必ずな」ぼくは答えた。電話を切ると、予定していた飛行機の搭乗準備を告げるアナウンスが聞こえてきた。ぼくはサンフランシスコに飛び、そこからマニラへ、マニラからシンガポールを経由して、着いた先は地獄だった。

そこは地獄の中でもことさらに熱いところで、編集部長の要求に応えるために、ぼくは懸命に取材したが、原稿を書いても送る手立てがなかった。

インドシナで何が起きていたかはここに書くまでもないが、*業火が台湾に飛び火すると、編集部長は取材地の変更を命じ、地獄は特派員を追いやらんばかりに過熱し、ぼくはマニラへ、さらに日本へと移動せざるをえなかった。その経験を元に本を書くつもりはない。八週間の予定だった取材が八ヵ月にまで延びた事情を説明しておきたいだけだ。

帰国すると、新聞社はまず休暇をくれたが、そのときに知らせてくれたことがあった。詳しくはないが、すぐさまジョー・エリオットのアパートに急がせるだけの知らせだった。

挨拶どころではなかった。「新聞社をやめたって、どういうことだ？」ぼくは口を切った。

彼は肩をすくめた。「やめたんじゃない。解雇されたんだ」

「理由は？」

「酒さ」

尋ねるまでもなかった。彼が着ているのはドナと付き合いはじめる前まで着ていたスポーツジャケットで、あの頃と同じようにくたびれていた。一日二度も剃っていたひげは、一度でもおっくうなようだった。痩せこけて、手は震えていた。

「話せよ」ぼくは言った。「何があったんだ」

「何もないさ」

「ごまかすのはよせ。パートリッジはなんと言った?」

彼は笑ったつもりのようだったが、顔をねじ曲げたようにしか見えなかった。プレッツェルの形を顔でまねてみたら、こうなるのかもしれない。

「パートリッジ、か」彼はおうむ返しに言った。「まあ、座れよ。一杯付き合ってくれ」

「いいとも。だが、ちゃんと話してくれよ。パートリッジはなんと言ったんだ?」

彼はグラスにウィスキーを注いだ。客扱いしているつもりなのだろう、グラスをぼくに手渡した。自分はボトルから直《じか》に一口飲んだ。ボトルを置いてから答えた。「パートリッジはもう何も言わない」彼は言った。「死んだよ」

「まさか」

「本当さ」

インドシナで何が起きていたか…… 第一次インドシナ戦争(一九四六―五四)。ベトナムが独立を目指しフランスと交戦した。

「いつのことだ?」

「ひと月ばかり前だ」

「他の精神科医にはかかったのか」

「他の医者か。そいつもまた窓から飛び降りるかもしれない」

「窓から飛び降りるって、どういうことだ」

彼はまたボトルを手にした。「おれも知りたいよ」ひと口あおる。「本当は飛び降りたんじゃない。突き落とされたんだ」

「いったい、なんの話だ?」

「たいした話じゃない。フォスター医師《せんせい》や新聞社の連中にしたのと同じさ。本当のことは誰にも言えない。このボトルのほかには」またひと口あおった。

「でも、前に聞いた話じゃ、快方に向かっているって言ってたよな」

「まさにな。うまくいってた。ある時までだったが」

「いつまで?」

「なぜ彼女がおれのところに来なくなったのか、気づくまでさ」窓の外を見つめたまま、彼は百万マイルも遠くに行ってしまったようだった。ただ声だけが、やけにはっきりと聞こえていた。

「彼女がおれのところに来なくなったのは、パートリッジのところに行っていたからなんだ。毎晩な。おれのところに愛を伝えに現れたときとは違って、手を差し伸べもせず。彼女が伝えたのは憎悪だったんだ。パートリッジはおれに会わせないようにしていたんだからな。わかるか、あの医者がしていたのは、悪魔祓《ばら》いみたいなことだったんだ。わかるだろう。魔物を追い出すんだ。幽霊や、夢魔みたいなものをな」

「おいジョー、もうよせよ。気をたしかに持て」

彼は声をあげて笑った。「飲まずにたしかでいられるか」と言いざまに、またボトルをつかみ、言葉を続けた。「よせよ、か。おれがしたことじゃないんだがな。どうしようもなかった。パートリッジはしまいに堪えられなくなって、おれに彼女のことを言ってきたんだ。こんなこと想像できるかい？　医者が患者に助けを求めるなんて。でも、おれには打てる手がなかった。笑われるかもしれないが、おれは良くなってきて、幻覚も見なくなっていたんだ。だから、きみが言ったようなことを、はっきりあいつに言ってやった。

その日はそのまま帰ったんだが、翌朝の新聞を見たら、パートリッジが飛び降りた、なんて記事が載ってる。だが、飛び降りたんじゃない、ドナが突き落としたんだ。医者は恐れていたし、彼女はだんだん強くなっていたから、おれにはぴんときたね。歩道に叩きつけられた先生は、そりゃあひどい死にざまだったらしい——」

ぼくはボトルを取り上げた。「精神科医が正気を失って自殺したから、きみは仕事をやめて酒びたりになった、ってことか？　仕事に疲れた男が死んだから、きみも同じように人生を投げちまった。ジョー・エリオットはもう少し賢明な男だと思っていたんだがな」

「おれもそう思ってたよ」彼はボトルをひったくった。「なあ、言ったろう。すっかり良くなったと思ってたんだ。医者が死んでも、まだわかっていなかったんだ。その夜、彼女が帰ってくるまではね」

彼がボトルからウィスキーを飲むのを見ながら、ぼくは話の続きを待った。

「そう。彼女は帰ってきた。その夜から、毎晩やってくるようになった。追い払うなんてできない。すがりついてくるんだ、追い払えないだろう。説明できるか？　信じちゃくれないだろう。さっき、おれが夢魔と言ったとき、きみがどんな顔をしたかは見たぞ」

「続けてくれ」とぼくは言った。「最後まで聞きたい。そういう事例を本で読んだことがある。夢魔は女の姿をとって、夜に男のもとに現れるってね」

「そのとおりだ。ならばわかるだろう。彼女は話しかけてくるようになった。きみには言わなかったと思うが、話すようになってきたんだ。嬉しいって言うんだ。欲しいものがすべて手に入るまで、もう待つこともないってね――」

彼の声が途切れ、倒れかけたので、ぼくは急いで立ち上がり、なんとか支えた。ふらつく体は冷えきり、軽かった。あまりにも軽い。ずいぶん痩せたものだ。だが、彼が失ったものは、体重だけではなさそうだった。

起こそうかと思ったが、やめておいた。ベッドに運んで着ているものを脱がせ、寝かせてやるのが親切というものだろう。たんすの引き出しにパジャマを見つけ、彼に着せたが、人間ではなくて布の人形を相手にしているようだった。それから毛布をかけて、そばを離れた。今、彼は眠っている。影に邪魔されずに。

彼が眠っているあいだ考えた。答えはあるはずだ。ぼくは妹を愛していたし、ジョー・エリオットは親友だから、答えは見つかるにちがいない。

パートリッジが生きていれば。彼と話して、ジョーの妄想から何を知ったか聞けさえすれば！　あの八ヶ月のうちに、彼は何かつかんでいたはずだ。仮にエリオットが隠し通そうとしても、精神科医がそれだけのあいだ診察していたなら、何か気づいていたはずなのだが――

突き刺さるように、ある考えがひらめいた。ぼくはそれを打ち消そうとした。だが、その考えは力を増していき、逃れようがなくなってきた。

「ちがう」と自分に言い聞かせた。「そんなこと、ありえない」

自分には「ちがう」と言い続けていたのに、タクシーの運転手には、新聞社に行くように言っていた。「やめておけ」と思いながら、パートリッジの自殺に関する記事をすべて見せてくれるよう、編集部長に頼んでいた。

記事を読み終えると、検視官事務所に行き、検視審問の記録に目を通した。

ぼくは無用な質問も、探偵の真似事もしなかった。自分のすることではないからだ。ただ、安易な結論に飛びつくことだけは避けたかった。ここまでのすべての記録でわかったのは、パートリッジが安易な結論に飛びついたことだった。

だが、調べていくうちに、ジョー・エリオットの話を信じはじめていた。パートリッジは飛び降りたのではなく、何者かに突き落とされたのだ。

たしかな証拠といえるものは、なにひとつない。立証する手立てもない。だが、一度調べたものをさらに調べ、断片をつなぎあわせていくうちに見えてきたひとつの絵に、ぼくは打ち砕かれるような衝撃を覚えた。

検視官事務所をあとにすると、スミッティの酒場で遅い夕食のついでに酒を飲んだが、その間も誰とも口をきかなかった。今気づいたことを、誰に話せばいいのだろう——検視官ではもちろんないが、地方検事でも警察官でもない。証拠はなにひとつないのだから、彼らの助力は得られない。だが、ぼくは今、ジョー・エリオットの命を手にしているのだ。

それに、まだ疑いが影を落としている。帰ってきたドナの影だ。もしかしたら、今夜あたりぼくのところに来るかもしれないが、それを待つ気はなかった。

晩《おそ》くなっていたが、エリオットのアパートに向かった。彼がまだ眠っていてくれればチャンスはある、だから眠っていてくれと、道すがら願い続けていた。今、彼に会っておかなければならなかった。足音を忍ばせて階段を上るあいだ、心の中で「あいつを眠らせておけ」という声と、「ノックしろ」という声が、せめぎあっていた。眠らせておけ——ノックしろ——そっとしておけ——起こすんだ——どちらの声も勝つことはなかった。戸口についたとき、ジョー・エリオットがドアを開けて顔を出したからだ。

彼は起きていたが、あれからまた酒を飲んだかどうかはわからない。ただ、殺鼠剤でも飲んだかのような顔をしていた。

「入れよ」と彼は言った。彼の声は、喉を火傷《やけど》したかのように聞こえた。「ちょっと出かけようとしていたんだが」

「パジャマのままでか？」

「ちょっと用があってね——」

「あとでもいいだろう」ぼくは言った。

「ああ、あとでいい」彼はぼくを部屋に通し、ドアを閉めた。「まあ、掛けなよ」と彼はつぶやいた。「来てくれてありがとう」

ぼくは椅子に掛けたが、肘掛けをつかんで、何かあったらすぐに動けるようにした。そして、話しはじめる前に、彼がちゃんと座るのを待った。

「これから話すことは、きみには愉快なことじゃないと思う」ぼくは切り出した。「話してくれ。なにを言ってもかまわない」

「いや、それでも覚悟がいるんだ。よく聞いてほしい。大事なことだからな」

「大事なことなんかあるものか」

「聞けばわかるさ。午後にここを出てから、ちょっと調べものをしてきたんだ。検視官事務所からはじめてね。それで、きみの話に納得がいった。パートリッジは窓から突き落とされたんだ」

ようやく、彼の顔に興味の色が浮かんだ。「おれの言ったことは正しかったろう?」彼は話しはじめた。「彼女がやったことの証拠をつかんできたのか——」

ぼくはかぶりを振った。「いや、証拠はない。新しいものは何ひとつない。ほくの推理と一致するかどうか、事実を調べてみただけさ。どれもが一致した」ぼくはゆっくり、慎重に話しつづけた。「ジョー、ぼくは検視報告書の、ある一点が気にかかったんだ。パートリッジが飛び降りた日、診察室から出たあと何をしたかの、きみの証言さ。会社に早く帰りたかったが、エレベーターは込んでいたので乗らなかった。だが、帽子を忘れたのに気づいたので、会社にまっすぐ帰らずに、取りに戻った。診察室に入ると、パートリッジが飛び降りた直後で、何人もの人が窓から下を見下ろしていた。

あの報告書を通して読んだよ、ジョー。最後の診察のとき、彼がひどく落ち着かない様子だったという、きみの証言もね。ただ、読み方をちょっと変えてみたんだ」

彼は興味を示しただけではなかった。警戒している。

「きみが偽証していないか、警察もずいぶんがんばったようだな。でも、きみが言ったことに矛盾はなかったし、食い違う証言も出てこなかった。パートリッジがどんなに落ち着きがなく、窓ばかり見ていたか。ここ二、三週間のあいだ、彼は飛び跳ねそうなほどびくびくしていた。飛び跳ねそうなほど、とは上手く言ったものだね。検視審問では効果的だったことだろう。でも、そこがひっかかった。というのは、きみが検視審問では、影についてひとことも口に出してはいないからだ。きみの証言は、ほかのことばかりだった」

彼は椅子の肘掛けを強く叩いた。「あたりまえだろう！　きみに話したことまで証言したら、頭がおかしくなったと思われるだけじゃないか」

「そうさ、ジョー、きみの頭はおかしくなっていた。ぼくに影の話を信じ込ませようとしたくらいにはね。パートリッジは飛び降りたんじゃない、突き落とされたんだ――きみにね」

ジョー・エリオットの胸の奥で、何か音がした。口をついて出たとき、その音は「なぜだ？」というように聞こえた。

「答えられるものなら答えたいよ。真実をね。ぼくに言えるのは推測だけだ。パートリッジが影を恐れていたことは、きみの証言にはひとこともない。ぼくの推測では、恐れていたのは、きみのほうだ――繰り返し診察を受けるうちに、知られたくないことに、パートリッジがだんだん気づいてきたからだ。きみが隠しておきたかったことにね。彼ほどの精神分析医だったら、遅かれ早かれ気づいたことだろうが。いや、とうにお見通しだったのかもしれない。気づかれた、と思ったきみは動転し、彼を殺した」

「続けろよ」

「ああ、まだ途中だからな。ジョー、きみは正気だ。精神に異常をきたしたと見せかけただけだ。はっきりした動機もなく人を殺す者はいない。パートリッジが気づいたか、あるいは気づきかけたのは、きみが命に代えても隠しおおせたかったことだ」

「どんなことだ？」

「ぼくの妹を殺したことさ」

ぼくの言葉は部屋の中に反響した。彼の顔はガーゴイル*よろしく、引き攣《つ》れた笑いにゆがんだ。

「そうか。よくそこまで気づいたな」

「やはり、そうだったんだな」ぼくは言った。

「ああ、きみの読みどおりだ。だが、なぜ殺したかまではわからないだろう。あいつの兄貴なんだから、わかりようもない。そんな相手にわからせる手があると思うか？　ドナが本当はどんな女だったか、って話さ。あいつはおれを抑え込み、屈服させ、自分の意のままにあやつり、わずかな間も自由にさせようとはしなかった。おれはあいつを愛していたが、あいつは男がどうすれば自分を愛するよ

ガーゴイル　西洋建築の屋根にある怪物などの彫刻。雨樋の端に設置され、口から雨水を排出する。

うになるか知っていたし、相手を自分に夢中にさせる方法も何千となく心得ていて、両手を差し伸べるのはその中でも初歩の初歩だったのさ。だが、あいつはおれを自分のものにするだけじゃ満足しなかった。欲しいものはすべて手に入れなければ気がすまなかったんだ。おれの時間も、おれの行動も、考え方さえもね。おれを作り替えて、本当のおれが心底嫌っているような男にしようとしたのさ。これから先どうなるかが見えた。あいつの家と、あいつの子供たちと、あいつの未来のためだけに働かされる人生がね」

彼が言葉を切ったところで、ぼくは尋ねた。「別れようとはしなかったのか？　婚約の解消だってできたはずだろう」

「できたさ。おれがしようとしなかったと思うか？　でも、あいつはおれを離そうとしなかった。いや、あいつじゃない。ドナがおれを離さなかったんじゃない。あいつには夢魔が棲みついていたんだろう。そいつはおれに爪をかけ、中身をそっくり吸い尽くそうとしていた。おれには何もできなかった。あいつには何かが憑いていて、腕のなかに飛び込んでくると、もうまっぴらだと思っていても、別れようなんてかけらも思わなくなっちまうんだ。

でも、一人になると、別れたくてたまらなくなった。話さなかったが、あの晩のパーティの直前に、おれは一人で町を出ていこうとしたんだ。だが、あいつに勘づかれた。喧嘩になったと思うか？――すればよかったと思うんだが、あいつはそうはしなかった。おれをベッドに引きずりこんだのさ。わかるよな」

ぼくはうなずいた。

「そのあと、おれはひどく気分が悪くなった。病気じゃないが、それよりひどい気分だった。これから先、ずっとこうなるんだ、と知ってしまったからな。おれはあいつと別れようとし、あいつはおれをつなぎ止める。夢魔がいつもそばにいるんだ。殺してしまわないかぎりはね」

言葉を切り、息を整えて、彼は続けた。「難しくはなかった。おれはガードレールが壊れ、谷に向かって開いているところを知っていた。レンチはいつも車の中にあった。おれたちが遅くなってから帰ったのは覚えているだろう。あの道に通行がなくなる頃あいを見計らっていたんだ。谷に近づいたとき、おれはあいつに、車を止めて月を見ようと言った。ドナはそういうのが好きだったんだ。車を止めて、おれは——あいつをレンチで殴った。それから車を谷に落とし、歩いて谷底まで下りると、フロントガラスを割って自分の額にも傷をつけ、運転席に這い込んだ。ショックを受けたふりをしなくても済んだ。あいつがまちがいなく死んだことを確かめて、安堵したときには自分でも驚いたがね」

ぼくは両手を膝に置いた。「パートリッジはそれに気づいたってわけか」と尋ねた。「影のことはみな、きみの罪悪感に起因する幻覚にすぎない、と彼は言ったんだったね。それをまずぼくに話さずにはいられなかったのも罪悪感のせいだろうが、パートリッジには、幻覚の原因を知られるような話はしたくなかった。彼は安全なところで踏みとどまってさえいればよかったわけだ。きみにとっても、本人にとってもね。だから、きみはまた人を殺さざるをえなくなった」

「いや、そうじゃない」

「もう隠すこともないだろう。最初の殺人については自白したじゃないか……」

「ドナを殺したのは殺人じゃない」彼は言った。「あれは正当防衛だ。おれがしたのはその一度きりだ。

きみがどう推理しようと、おれはパートリッジを殺しちゃいない。やったのはあいつなんだ。あいつが毎夜、パートリッジのところにやってきて、彼を責め苛《さいな》み、苦しめ、窓から飛び降りるように仕向けたことは、話したよな。

診察室に行ったとき、彼がその話をしてきたから、おれはもう堪えられなくなった。いずれ話さなくちゃならなかったんだ、おれは影のことも、自分のしたことも、正直に話すことにした。

パートリッジは身をかがめて、事故のことを詳しく聞こうとしたが、驚いて急に立ち上がった。視線の先を見ると、あいつがいた。影だが、壁に映ってはいなかった。あいつの影は彼のすぐそばに立って、腕を引っぱっていた。叫びかけたパートリッジの口元が暗くなったのは、あいつが手で押さえたからで、そのまま窓に引きずられていくとき、靴がカーペットを擦る小さな音まで聞こえた。彼は窓枠をつかもうとしたが、影のほうが力でまさっていた。落ちていく悲鳴を打ち消すように、影は声をあげて笑った――」

彼の口調が急に変わった。「今夜はもっと早く来ればよかったんだ。そうすればあいつに会えたし、おれの話をそっくり信じられたはずだ。あいつはきみが来る少し前に来て、おれを起こした。びっくりするものがあるから外に行きましょう、と言うんだ。見せたいものがあるようだった。そのときは何を見せるつもりだったのかわからなかったが、今はわかる。でも、きみに話したら笑われるだけだろうな。連れていって見せてやっても、やっぱり――」

「笑わないよ、ジョー」ぼくは言った。

「そう、笑わないほうがいい。笑われたらドナも嬉しくないだろう。自分のすることに口を出されるのを嫌うからな。おまけに、今のあいつはとても強い。誰よりもな。おれは見ている。だからこれから、あいつに言われたことをする。今すぐにね。誰にもあいつを止められないんだ」

ぼくは立ち上がった。「いや、ドナは止められる。打つ手があるじゃないか」

「悪魔祓いでもしようって言うのか？」

「なあ、ジョー」ぼくは言った。「悪魔祓いならもうだいぶ済んでいるじゃないか。彼女の力に負けていたって、話せるくらいにはな。もし、きみがパートリッジに本当のことをすっかり話していたら、彼女を永久に退散させられたんだ。きみにとって彼は警察のかわりだったんだからな。ジョー、それが打つ手だ。警察に行って、すべてを話すんだ。そうすれば罪の意識も、そこに起因する幻覚もなくなるさ。パートリッジに起きたことも、もう一度ちゃんと思い出して、状況がわかるようにすれば裁判で主張できる。ぼくはできるかぎりの協力をするよ。ダウンタウンに腕のいい弁護士がいる——」

だが、エリオットは立ち上がった。「わかったよ」と彼はつぶやいた。「おれは頭がおかしくなっているから、とりあえずはなだめておいて、警察の連中にはおれが病気だと信じさせれば済むと、たかをくくってるんだな。妹が来るんじゃないかと、怖がってもいるんだろう。心配ないさ。邪魔立てさえしなければ、あいつは来ないよ。あいつが欲しがっているのは、このおれだけだし、だからこれからあいつのところに行くつもりだ。おれが会いたいのは——」

「おい聞けよ、ジョー」ぼくは言ったが、彼はもう聞いてはいなかった。

彼は手を伸ばしてウィスキーのボトルをつかみとると、テーブルに叩きつけて割った。鋭く割れたボトルを振りまわしながら前に踏み出す。

あまりの素早さにぼくはものも言えなかった。

割れたボトルを手にしたまま、彼は立っていた。

「話を切って悪いが、もうおれを放っておいてくれ。でないと、今度はきみを切ることになる」

ぼくは一歩踏み出した。が、彼の顔にあのガーゴイルじみた笑いを見て、二歩退いた。

「あいつに必要なのはおれだけなんだ」彼は言った。「だから、もう止めるな。警察を呼んでも無駄だ。やつらにも止められない。ドナが許しはしないからな」

彼が正気を失い、割れたボトルを持っていても、飛びついて取り押さえるべきだったのかもしれない。もしこのとき、ぼくが彼に飛びついていたら、どうなっていたのだろう。

結局、ぼくは何もしなかった。

部屋を飛び出し、アパートの階段を駆け下り、通りを走るあいだ、おじけづいて逃げたんじゃないと自分に言い聞かせていた。助けが必要だ、これはもう警察に頼るしかない、と思いながら。

二ブロック先の角に非常用電話を見つけ、警察署に連絡した。アパートを飛び出してから、そこに来たパトロール・カーで戻るまでに、五分もかからなかったような気がする。

だが、それでも遅かった。ジョー・エリオットはすでにいなくなっていた。パトロール・カーが何台も出動し、無線で連絡しあっていたが、人通りのない夜の街ならパジャマ姿の男を見つけるのは簡単だと思っているようでもあった。

だが、簡単に見つかることはなく、しびれを切らしたぼくは、彼が行くと思った場所を伝え、そこに警察官たちと向かうことにした――パトロール・カーはフォレスト・ヒルズ墓地へと急いだ。

徒歩で向かうには墓地は遠すぎる。車を盗んだのではないかと、無線で確認を取ったが、盗難車の届け出は一件もなかった。

だが、ぼくが思ったとおり、彼はドナの墓の上に横たわっていた。厚い芝生と堅い土を、素手で六インチも掘り下げていた。

掘っているあいだに、彼は急死したようだった。死因ははっきりしなかった。確かなのは、彼が死んだことだけだった。

そのあとは、ぼくは質問に答えるほか、何もできなかった。

ぼくは努力した。

答えられるかぎりのことは答えたが、幽霊や影や、力を増していく夢魔などという、時代遅れな馬鹿話はしなかった。警察官たちのあいだから、生死を超えた愛という言葉が出てきたが、エリオットがドナの墓を掘った理由を説明するために作ったようだった。

殺人についても、ぼくは話さずにおいた。今となっては、明らかにしたところで、どうにもならないのだから。

だが、警察のすることは徹底していて、可能なかぎり調べるようだ。彼らは手を抜かなかった。墓をあばいたのだ。

事件だけなら、ぼくは胸のうちにおさめておくつもりでいた。自分だけの物語として秘めておきたかった。

だが、警察官たちは墓をあばき、ぼくは堪えられなくなった。

彼らは、ジョーが掘った残りの、厚い芝生と堅い土を掘り返した。十ヵ月の長きにわたる静寂を破って、あるものを見つけた。

掘り返された柩の中には、もちろんドナがいたが、彼女が殺されたことを示すものは何ひとつ見つからなかった。なんの証拠もなかったのだ。

だが、新たに発見したものを説明するすべも、やはりなかった。誰も手のふれようのないドナの柩の中には、嬰児《えいじ》の小さななきがらがあった――彼女と同じように、死んで横たわっていたのだ。

いや、ドナと同じなら、死んではいなかったのだろうか。

もう何もかもわからなくなってしまった。当然、ぼくはさらに尋問を受けたが、答えられなかった。もし答えたとしても、警察官たちは信じてはくれないだろう。

ジョーを求めるドナの思いは死でさえも阻《はば》むことはできなかった――などとは、ぼくには言えない。彼女が最後に彼を訪れたとき、二人のあいだにできた子供に、フォレスト・ヒルズまで会いにくるよう誇らしげに言った、とも。

夢魔などというものはいないからだ。影は話せないし、歩きまわりも、手を差し伸べもできないからだ。

もし、できるのであれば？

ぼくにはわからない。今夜もボトルを空け、ベッドに横になって天井を見上げている。影に――いや、影たちに会えるかもしれない、と思いながら。

とむらいの唄

チャールズ・ボーモント
植草昌実 訳

Mourning Song
Charles Beaumont

その男は肩に鴉をとめ、二つの目があるはずのところは空っぽで、背にはギターをかついでいた。その姿をはじめて見たのは、丘を越えてきた雲が、雪であたり一面を真っ白に変えるころ。まだ幼かったぼくは元気そのもので、死んだように静まりかえった冬のさなかにも、春の風が血と一緒に体の中を流れているようだった。昔の話だ。

ぼくは裏庭で薪割りを手伝っていた。皮つきの丸木を煉瓦の上に立てると、父さんが斧で割る。ぼくが支えている丸木を割ろうと、父さんは斧を振りあげかけたが、急に手を止めてハンターズ・ヒルのほうをじっと見つめた。ぼくも丸木から手を離して、父さんが見ているほうに目を向けた。ソロモンをはじめて見たのは、そのときだった。遠くて、雪の中を歩いてくる人がいるのがなんとかわかるほどだったので、怖くはなかった。怖かったのは父さんのほうだった。大男の父さんより大きな人なんてぼくは知らなかったし、ましてその大きな父さんが、何かを怖がるさまなんて、見たことがなかった。でも、父さんは怯えていた。斧を下ろして立ったまま、声もたてず、蒼ざめた顔で白い息を吐くばかりだった。

しばらくして、その人がうちの脇に来かかったので、近くから見ることができた。父さんの様子を見ていなかったら、たいして怖くはなかったのかもしれないが、やっぱり怖かった。まだ小さかったし、目玉のない人を見るのははじめてだったからだ。

盲目の男が向かっているのがうちではないのを見届けると、父さんはぼくを地面からつかみあげるようにして、ぎゅっと抱きしめたが、強すぎて苦しかった。どうしたの、とたずねても、父さんは答えてくれなかった。そのかわり、盲目の男のあとについて歩きだした。ぼくもついていった。来るな、と言われるんじゃないかと思ったが、父さんは何も言わなかった。二マイルも歩くあいだ、誰かの家の脇を通るたびに、その家の人たちが庭に出たり、窓から見たりして、盲目の男の足どりを目で追ってから、父さんと同じように、あとについて歩きだした。

すぐに、ジャック・オバートンが奥さんと一緒に来て、ピーター・ブライリーとジャスパーズのじいさんがついてきて、ランドールさん一家がそろって出てきて、誰がいるのか覚えきれないほどの長い行列が、盲目の男のあとに続いた。

うちかと思ったよ、と誰かが言った。

俺もだ、と父さんが答えた。

誰んとこに行くと思う？　ブライリーさんがたずねた。

父さんはかぶりを振った。知ってるのは、あいつだけだ。

さらに一マイル半ほど歩き、プリチェットさんの地所を通り抜けるころには、ぼくの膝くらいまで積もった雪の中、もう誰もひとことも言わなくなった。この先にあるのは誰の家か知っていたけれど、このソロモンという盲目の男のことは誰も教えてくれなかったから、行ったら何が起きるのかなんて考えもしなかった。目が見えないのにどうして行きたい方に歩いていけるのか、それればかりが気になったが、この老人は自分の行き先にためらうことなく向かっているようだった。盲目の男の足どりを見て、足もとの切り株や丸太をよけているのに気づいた。プリチェットさんの地所には、錆《さ》びた古い鋤《すき》が放り出してあったから、それにつまずくんじゃないかと思ったが、予想ははずれた。どうしてわかるのか不思議なほどに、あっさりよけていったのだ。ぼくもためしに目を閉じて歩いてみたが、すぐに目を開いてしまった。目を開いたちょうどそのとき、父さんもほかのみんなも、いっせいに立ち止まった。歩いていくのは盲目の男ひとりだけだ。

シュライバーさんの家だ。どの窓からもランプの明かりがこぼれ、煙突からは灰色の煙がまっすぐ昇って、中は見るからに暖かそうだ。ちょうど今、朝ごはんの最中《さなか》なのだろう。

誰だろう、と、父さんがランドールさんに言った。

年寄りだな、とランドールさんは答えた。

もう八十だからな。

父さんはうなずくと、盲目の老人が庭の雪を踏んで松の木の下まで行き、ギターを下ろすのに目を向けた。

もう八十だからな、とランドールさんが繰り返した。

そうだな。

もう歳だもんな。

みんな黙り込んだ。雪の上に立ったまま、なにかが起きるのを静かに待っていた。ぼくはおしっこがしたくてたまらなくなり、目の前の雪を解かしてやろうと思った。でも、教会の中でできないのと同じで、おしっこなんか出せなかった。そう、このとき、ここはまるで教会のようだった。

目の前では盲目の老人がひとり、ギターの上に屈み込むようにして、弦を調律している。この寒空に、いったい何を弾くつもりなのか、ぼくにはまるでわからなかった。寒さで耳が痛い。それでも老人はごく普通の調律のしかたで、弦の音《ね》をいくぶん大きめに響かせ続けた。その顔をよく見ようとしたけれど、目があるはずのところに穴しかないのが怖くて、見られなかった。ただ怖かった。穴は頭の後ろまで突き抜けているのかもしれない。そうでないなら、どこで止まっているのだろう？

彼は『とむらいの唄』を弾きはじめた。ほんとうにそういう唄なのか、どういういわれがあるのか、ぼくは何も知らなかったが、好きになれない唄なのはまちがいない。聴いていると、悲しいことばかり思い出してしまう。たとえば、ひとりで狩りに行って、仕留めたとばかり思っていた牝鹿が急に立ち上がり、くるくる回るように走りだして、また倒れて本当に死ぬまぎわに、その目でぼくをじっと見つめたこと。あるいは、沼の鯰《なまず》を餌なしで何尾も釣ったときのこと。意気揚々と帰ってから、二尾ばかりまだ生きているのに気づいた。ぼくがしたことは、あとで父さんに、馬鹿なまねを、と言われたものだ。バケツに水を張ってその二尾を入れ、沼に戻って放したのだから。よろこんで泳いでいくものだと思っていたのに、そうはならなかった。鯰たちは石のように沈んで消えた。

そんなことばかり思い出してしまうような唄は、好きになりようがない。どんな唄か知らなくても。

盲目の老人は歌いだした。鴉みたいな声だろう、と思っていたが、目の前で歯のない口を開けて歌うその声が、この老人のものだと認めないわけにはいかなかった。女のように高い、心惑わすような声で、唄の文句が一語一句、はっきり聞き取れた。

《果てなく暗き谷間道《たにまみち》……風の嘆きを聞くがよい……我ら闇より生まれ落ち、死して闇へと帰りゆく……末期《まつご》のときを迎《むこ》うれば、黄泉路《よみじ》の旅はただ一人……黄泉路の旅はただ一人……》

シュライバーさんがシャツ一枚で家から出てきた。この老人を見たときの父さんよりも、ずっと怯えているように見えた。顔から血の気が失せ、体じゅうが震えているのが、遠くからでも見てとれた。奥さんは出てきてすぐに泣きだし、おじいさんと、ぼくと同い年のカールも出てきた。

盲目の老人は長い唄を歌い終えると、ギターを背負って歩み去った。シュライバーさんたちは家の中に戻った。ぼくは父さんとうちに向かったが、あの老人を追っていないせいか、帰り道は長いような気がした。

帰ってからは、父さんもぼくも、このことについては何も言わなかった。夜遅く、父さんはぼくの部屋に来て、ベッドの端に座ると、話してくれた。あの老人はソロモンという。いつ生まれたかも何歳なのかもわからず、いつのまにかその名で呼ばれるようになった。なぜ目を失ったのか、それでも不自由なく歩けるのはどうしてか、誰も知らない。ソロモンは人が知りえないことを知り、人にはできないことをする。

たとえば、どんなこと？　ぼくは尋ねた。

父さんはためらうように頬を掻き、黙り込んだが、しばらくして答えた。ソロモンは死を嗅ぎあてられる。百マイル離れたところでも。なぜできるのかは、わからない。だが、あいつにはできる。

信じられないよ、とぼくは言った。父さんは肩をすくめ、まだお前には早かったか、と言った。歳をとれば、ソロモンのすることには間違いがないと、お前にもわかるだろう。どんなときでも、ソロモンが来てギターを弾き、『とむらいの唄』を歌いだしたら、墓を掘る仕度をしなければならないのだ。

今朝、父さんが怖がっていた理由がわかった。ソロモンがうちに来たのかと思ったのだ。

でも、シュライバーさんちには何も起きなかったよ、と、ぼくは言った。

そのうちにな、と父さんは言った。誰かにお迎えが来るまでには、日数《ひかず》がかかるものさ。

それから一週間ほど待っていたが、何も起きなかったので、死の匂いを嗅ぎつける人なんて父さんの作り話だろうと、ぼくは思いはじめていた。八日目に、ランドールさんがうちに来た。

じいさんか？　父さんは尋ねた。

ランドールさんは首を振って、アレックスだ、と言った。カールのお父さんだ。急な病気で、ゆうべ死んだよ。

父さんはぼくに言った。わかったか？

ぼくは答えた。わからないよ。目のないじいさんが、シュライバーさんちの庭まで歩いてきて唄を歌ったのも、そのあと一週間くらいでアレックスさんが死んじゃったのも、わかる。でも、まだ起きてもいないことがわかる人なんて、信じられないよ。人がいつ死ぬかは、神様にしかわからないんじゃないの？

ソロモンは神様なのかもしれん、と父さんは言った。

目玉のない、こきたないじいさんなのに？

神様がどんなお姿か、誰も知らないからな。

そうだけど、神様にはちゃんと目があるし、肩に鳥をとまらせて歩きまわりはしないし、あんな唄は歌わないよ。

なぜわかる？

そう思っただけさ。

まあ、いいさ。でも、気をつけるんだぞ。あの朝のようにあいつがハンターズ・ヒルを下りてきて、お前のそばを通るときには、絶対にそんなことは言うな。

言ったらどうなるんだい？

わからん。だが、あいつは自分がすることを知っている。

あんなやつ、怖くないさ！　ぼくはソロモンなんか信じない。父さんは頭がおかしいよ！　父さんはぼくを張り倒したが、ぼくも譲らないままその日をすごした。

次にソロモンを見たのは、それから半年あとだったか、一年はたっていたのか、思い出せない。同じいでたち、同じ足取りで、同じように村人の半分がたが、彼のあとについていた。父さんはみんなと一緒についていったけれど、ぼくは行かなかった。着いた先はブライリーさんの家だった。そのあと四日して、ブライリーの奥さんが死んだ。それでもぼくは信じないと言い張った。

いつだったか、晩方にランドールさんが一人で、うちに飛び込んできたことがあった。ソロモンが来た、と言ってランドールさんは父さんを相手にワインをしこたま飲み、次の日に死んでしまったが、それでもぼくは信じなかった。

何人死んだら、お前はわかってくれるのかな。父さんはつぶやいた。

自分が何に悩んでいるのか、ぼくにはわからなかった。言葉にならないわだかまりばかりで、尋ねることもできない。こんなことが起きているのは世界でほかのどこにもない、ここだけだ。世界中で、毎日、毎分ごとに、何百万もの人々が死んでいく。あのじいさんが、その全員にいちいち、知らせてまわってるのかい？　あの恰好で中国まで行ってギターを弾いてくるのかい？　あの鳥はどうなんだ。そんなに長生きしやしないだろう。連れ歩くために何十羽も飼ってるのか。ぼくが本当に知りたいのは、なぜ死を告げに来るのかだ。知らされたところで、これから死ぬ人には何もできやしないのに。

ソロモンのことがわからないから、信じるわけにはいかない。ぼくが言うと、父さんは答えた。お前にわかったら、やつはもうソロモンじゃなくなるだろう。

それは、どういうこと？

ソロモンのことは誰にもわからない、ということさ。

火だって、昔はわからないものだったじゃないか。でも、火が何かわかっても、燃えたり温めたりできるのは変わらないよ。

お前はまだ子供だからな。

そう。ぼくはそのとき十一歳だった。

時がたち、ぼくは成長し、いくつもの疑問を抱き、いくつもの答えを得た。でも、父さんが言ったことは、わからないままだった。十八歳の誕生日には大勢が集まってくれて、飲めや歌えのお祝いに浮かれた。が、それも誰かが窓の外に目をやるまでだった。浮かれ騒ぎは静まった。父さんは目を上げようともしなかった。

誰を訪ねてきたんだ、という声がした。

誰でもない、とぼくは思った。ぼくの番が来たんだ。

お前じゃないだろう。

いや、このロニーが一人前になったのを潮時に、順番が来たんだ。

窓辺に立った。誕生祝いに招待しなかった人たちを従えて、ソロモンがからっぽな目でこっちを見ていた。彼はギターを抱え、弦をかき鳴らした。

お客たちはそそくさとグラスを空け、父さんに目だけで挨拶すると、静かに外に出ていった。帰るのではない――ソロモンの後ろにつくためだ。

ぼくは酒をあおった。酒飲みになったのはこのときからだろう。ぼくはやたらに笑ったのを覚えているが、父さんは黙ったままでいて、その後まもなく病床についた。一日十八時間、何ヶ月も畑仕事をしてきた父さんが、こんなに疲れ果て、弱りきっているさまは、これまでに見たことがなかった。

一週間たっても、何も変わったことはなかった。二週間たっても。だが、父さんは押し黙ったまま、ベッドから離れなかった。待っていたのだ。

三週間めに、その時が来た。父さんは咳をしはじめた。次の日には、十八年前に死んでしまった母さんの名前を呼んでいた。ガースン先生が往診に来てくれた。肺炎だね、と先生は言った。

翌朝、父さんは冷たくなっていた。

ぼくはソロモンを憎んだ。この谷あいの村に住む人々を憎んだ。でも、何もできなかった。もとより金はないし、家や土地を売ろうにも買ってくれる人がいない。だから一人でここにとどまり、働き、盲目の老人のことは忘れようとつとめた。夜になると、ソロモンはしばしば夢に現れ、そのたびに飛び起きて、時には取り乱しもしたが、夢は何もしないし、ぼくも何もできない。だから、夢を見たら忘れるようにした。

初めて言葉を交わしたとき、無理もないわ、とエティラは言った。日曜ごとに父さんと一緒に教会に行くと、母親に連れられた彼女を見かけたものだが、小さな女の子としか覚えていなかった。だから、彼女の店で小麦を買ったとき、顔を見ても誰だかわからなかったし、名前を聞いてもすぐには信じられなかった。こんなにきれいな娘は、世界中を探しても、何人もいるもんじゃない。髪は金色でなく茶色だし、絵に描いた女みたいに細くすらりとはしていない、むしろ太めだし、顔にはそばかすがあったが、この娘《こ》しかいない、と一目見ただけで思った。今までに感じたことのない気持ちだった。彼女のことを思うと、落ち着きは失せ、体じゅうが熱くなってきた。

それが恋ってもんさ、と親友のバンディ・マシューズが言った。おまえ、惚れたな。

おまえにわかるもんか。

わかるさ。

彼女、つきあってくれるかな。

おれに聞くなよ。

どうすればいいと思う?

店で小麦を買うだけで済ませなけりゃいいのさ。

一緒に散歩でもしないか、と誘うだけでも、これまでにしてきたことでいちばん難しいような気がしたが、声をかけてみると彼女は色よい返事をくれたので、バンディが正しいとわかった。そわそわしなくはなったが、体は熱いままだった。二十四年という年月は、こうしてエティラの手に触れるためにあったようにさえ思った。

エティラは口数の少ない娘だった。ソロモンのことも、姿を現さないかぎり誰も話すことはないし、わざわざ話したがるやつもいないが、彼女の口からその名を聞くことはなかった。

あいつ、どこに住んでるのかな、と話してみたことがあった。

どこかの洞窟かも、と彼女は答えた。

どうやって生きてるんだろう。

どうやって、って？

たとえば、何を食べてるか、とかさ。

考えたこともなかった。

野良犬を捕って食べてるのかな。

ぼくが言うと彼女は笑い、この話はそれっきりになった。半年たって、ぼくは結婚を申し込み、エティラは快く答えてくれた。

結婚式を六月一日と決めると、はやる気持ちを抑えようと、ぼくは毎日、明け方から夕暮れまで、働きどおしに働いた。この腕でエティラを抱きしめ、目を覚ませばベッドの隣に彼女がいる、そんな日が来るときを思うと、痛いくらいに胸がときめいた。痛みと違うのは、消えもやわらぎもしないところだった。

そんな思いをめぐらせながら、その日も畑仕事をしていると、あの唄が聞こえてきた。鋤を置いて振り返ると、ほんの百ヤードばかり向こうに、やつがいた。この六年間、見かけたこともなかったが、前に見たときとまったく変わらなかった。目玉のない顔も、肩にとまった鴉も。そして、その後ろに居並ぶ人々も。

《果てなく暗き谷間道……風の嘆きを聞くがよい……我ら闇より生まれ落ち、死して闇へと帰りゆく……末期のときを迎うれば、黄泉路の旅はただ一人……黄泉路の旅はただ一人……》

父さんのことを思い出し、忘れかけていた憎しみが戻ってきた。父さんの、斧を止めたときの顔が、息を引き取るときの顔が、目に浮かんだ。

だが、その思いもすぐに消えた。ぼくはソロモンを怖れてはいないし、そのぶん落ち着いていた。最後まで唄を聴いてやり、終わったときには大声で笑い、拍手もしてやって、それから畑仕事に戻った。村の連中が帰っていくのには目もくれず。

翌晩、木曜ごとの約束で、ぼくはエティラの家に行った。彼女の母親は扉を開けると、ぼくを見てこう言った。あんたを入れるわけにはいかないわ、ロニー。

なぜですか？

なぜって、わかってるでしょう。

わかりません。エティラになにかあったんですか？

まあね。悪いけど、帰って。

ぼくが何かしたとでも？

答えはなかった。

何もしちゃいませんよ。あなたが何を考えているか、知りませんが。ぼくとエティラは、約束したんです。

母親はぼくをじっと見ただけだった。

聞こえてますか？　お互い約束して、ずっと守っているんですよ。なにか、ぼくを入れたくないわけが、あるんですか？

エティラが中からぼくを見ていた。彼女は泣いていた。だが、母親は扉を開けようとはしなかった。

わけを話してください！

お迎えが来たでしょう。知らないなんて言わないで。

何の話ですか。

ソロモンよ。

それがどうかしたんですか。あんな馬鹿げたこと、ぼくもエティラも信じちゃいません。たわごとですよ。あいつは気のふれた、目の見えない老いぼれです。なあ、そうだろう、エティラ？

彼女が何も言わないので、ぼくはかっとなって、中に押し入った。エティラは逃げようとした。ぼくは彼女の腕をつかんだ。たわごとだよな。きみもそう言ってたじゃないか！

あなたを迎えに来るなんて思ってもみなかったのよ、ロニー。彼女は言った。

母親が割って入った。ソロモンが間違えたことはないわ。この四十年のあいだ、ずっとね。

知ってますよ。それがなぜかってこともね。ぼくは言った。みんながそう信じているからさ。考えようともしない、ただ信じているだけ、ソロモンに間違いはないと思いたいだけなんだ。ぼくもエティラも信じてはいません。だから、あいつが初めて間違えるのを、見せてあげますよ！

でも、薪を相手に話しているのも同じだった。

エティラ、お母さんに言っておくれよ。ぼくが正しいって。予定どおりに結婚式を挙げるって。老いぼれギター弾きなんかに邪魔させやしないって！

無理よ、と母親が言った。こうなってしまってはね。ねえ、ロニー・ヤンガー、わたしもあなたのことが大好きよ。真面目で、強くて、働き者で、わたしの娘にはもったいないような旦那様だって、喜んでいたの。でも今は、結婚してすぐ後家さんになるような目にエティラをあわせたくないだけ。お願い、わかってくれる？

わかりませんね。健康そのもので、死ぬ予定もありませんし。心配ならガースン先生に訊いてみればいい。

そうじゃないの。あなたのお父さんだって、健康そのものだったでしょう。エド・キンボールも、ジャクスンの奥さんも、ペティ・グリフィンみたいな小さな子だって。ソロモンにはわかるの。嗅ぎつけるのよ。

エティラの眼差しに気づいたとき、ぼくはもう死んでしまったのだ、と気づいた。

帰って酒を飲んだが、酔いもしなかった。飲んだ心地にさえなれなかった。ぼくが持っていた唯一のもの、これまでの人生で得た、もっとも良く、もっとも美しいものを奪い去った、あの老いぼれのことが頭から離れなかった。

それから毎日、ソロモンはやってきた。村の連中も、毎日やつについてきた。ぼくは毎日、エティラに会おうとした。でも、自分が幽霊かなにかになってしまったような気がするばかりだった。母親が扉を開けてくれるわけもなかった。

ほらどうだ、生きてるぞ！　ぼくは叫んだ。生きているんだぞ！

扉は閉ざされたままだった。

何日かめに、母親がようやく大声で答えた。ロニー、これ以上エティラを悲しませるなら、わたしが銃で終わりにしてあげるよ！

窓辺に腰かけて、ぼくはワインを一クォートばかり飲んだ。月のきれいな夜だ。あたりは昼間ほどに明るい。どれだけ時間がたったのか、まるで人影のなかった畑に、村の連中を従えたソロモンが現れた。

彼の声は聞き覚えていたのに、今晩はなぜか、声が違うように聞こえた。前よりも高く、やわらかみのある声だった。ぼくは座ったまま、やつと村の連中をながめ、唄を聴いていたが、やつがひと巡り歌ったところで、酒瓶を投げ出し、走った。

ぼくはまっすぐソロモンに駆け寄り、手を伸ばせばつかみかかれるほどのところに立った。これまで誰もしなかったことだ。

この野郎、とぼくは吐き捨てた。

やつは歌い続けている。

やめろ！

ぼくがいることにさえ気づいていないようだ。

歌うくらいだから耳は聞こえるんだろう。村の衆も聞け。ぼくの畑からすぐに出ていけ！　わかったな？

ソロモンはその場に立ったままだった。なぜだかわからないが、これまでに感じてきたすべての怒りと憎しみ、悲しみまでもが、いちどきに湧きあがってきたようだった。腕を伸ばし、やつの肩にとまった鳥をつかんだ。けたたましく啼《な》く鳥を、黙るまで力のかぎり絞めつけた。静まったので投げ捨てた。

村の連中は、ダムの決壊か地震でも起きたかのようにざわめいたが、立ち去ろうとはしなかった。出てうせろ。ぼくは叫んだ。歌いたかったら、お前を信じるやつのところに行け。ぼくは信じないぞ。わからないのか？　信じちゃいないんだ！

ぼくはソロモンの手を弦から引き離した。やつはすぐに手を戻して弾きつづけた。ぼくはまた、その手をもぎ離した。

よくもこれまで村のみんなをだましてきたもんだな。死のにおいを嗅ぎつけるだと？　臭いきさまに何のにおいがわかるってんだ。ぼくは村の連中に言った。おい、こいつのにおいがどんなものか、近くに来てみろよ。今日の今まで生きてきて、石鹼のひとつも使ったことがないみたいだぜ。あんたらが怖がっているのは、こんなくだらない老いぼれ野郎なんだ！

誰も動こうとはしなかった。

こいつは人間だ！　ぼくはわめいた。ただの人間なんだ！

これだけ言っても誰も聞かないようだから、ちゃんとわからせてやればエティラも戻ってきてくれるだろうと、ぼくは思った。もっと早く気づけばよかった！　ソロモンがただの人間だということを見せてやれば、みんな間違いに気づいて、こいつの姿を見ようと罰当たりな唄を聞こうと、犬みたいに死ぬこともなくなる。ソロモンはいなくなるんだ。誰もがやつのことを忘れてしまうんだ。

ぼくは両手でソロモンの首をつかんだ。湿った革みたいな手触りだった。力を込めて絞めあげ、喉に両の親指が食い込むまで、手をゆるめなかった。ようやく投げ出したときには、やつはもう動かなかった。

見ろよ、とぼくは両手を上げて叫んだ。死んだぞ。ソロモンは死んだ。あんたらの神とやらは死んだ。ぼくが殺してやったんだ！

村の連中は後じさりしはじめた。

見ろ！　触ってみろ！　死のにおいがどんなものか、知りたくはないのか？　近づけばわかるぞ！

ぼくは涙がこぼれるほど笑って、そのあとでエティラの家までまっすぐ走った。母親は前に言ったとおり、銃を持ち出してきたが、撃てないことはすぐにわかった。銃は古いし、母親も年寄りだ。ぼくは扉を蹴り開けた。母と娘の腕をひっつかんで、畑まで文字どおり引きずっていった。あの老いぼれが死んで、地面に倒れているのを、見てもらわないわけにはいかない。

ぼくが投げ出したまま、ソロモンは倒れていた。

ほら、ごらんよ、とぼくは言った。空も明るくなったから、よく見えたことだろう。死んだソロモンの青黒くなった顔も、太い黒蛇みたいに口から突き出している舌も。

ぼくはギターを畑地に叩きつけ、踏み割った。

二人はぼくをちらとみると、逃げていった。

後を追う気はなかった。もうどうでもよくなっていた。

翌日、クラウダー保安官が来たが、それもたいしたことではなかった。

きみは人を殺したんだぞ、ロニー。目撃者も三十人はいる。

言葉を返す気もなかった。

災難だったな、でも心配はいらんよ、事情はわかっているからな。拘置所までの道すがら、保安官はそう言った。ソロモンは頭のおかしな年寄りでしかないし、判事も重い罰は下さないだろう、とも言った。裁判が済むまでは安請け合いはできないが、たぶん悪いことにはならないだろう。

ぼくも、悪いことにはならないだろうと、たかをくくっていた。そう、昨夜までは。監房で横になり、うとうとしているうちに、夢を見た。夢だ、ソロモンが歌っていたのだから、夢にちがいない。高く澄んだ声は、これまでに聞いてきたよりも悲しげに聞こえた。窓から外を見ると、やつがいた。道の向こう、古い楡《にれ》の木の下に立っているのは、まぎれもなくソロモンだった。

《果てなく暗き谷間道……風の嘆きを聞くがよい……我ら闇より生まれ落ち、死して闇へと帰りゆく……末期のときを迎うれば、黄泉路の旅はただ一人……黄泉路の旅はただ一人……》

ぞっとはしたが、ただの夢なのだから、長続きはしなかった。ぼくはもう、怖れてはいない。

明日は裁判だ。終わったら、長い旅に出よう。ただ一人で。

恐怖を堪能するとは、どのようなことか

春日武彦

いったい恐怖とはどのように定義されるのだろうか。おしなべて基本的な感情をきちんと定義したり説明するのは、あまりにも当たり前なのでかえって難しい。大辞林では【恐怖】を「恐れること。恐れ」と記し、【恐れる】とは「危害を及ぼすような人や物と接することを避けたがる。また、危害が及ぶことを心配して避けたい気持ちである。こわがる」となっていて、おどおどしたり後ずさりしたりする様子は彷彿とするものの、なんだか恐怖のほんの一部しか語っていない気にさせられる。物足らないのだ。大概の国語辞典は似たような説明をしており、いっぽう心理学や精神医学の分野では、そもそも恐怖は自明の感情として解説をスルーされる場合が多い。

恐怖を説明するものとして今のところ一番納得がいくのは樋口ヒロユキの『恐怖の美学』（アトリエサード二〇二二）であろうか。「つまり恐怖とは単なる生理的、動物的な危険のセンサーであるだけではなく、死にまつわる記号に触れた時にも起こる、きわめて人間的な感情でもあるわけだ」と同書には書かれている。夜の墓場だとか暗がり、廃墟の類は「いずれも死や衰退、遠い過去といったものに

結びついた記号」であり、「夜の墓場の肝試しとは一種の記号消費であり、原初的な文化鑑賞なのだ」と。

なるほど、記号という概念からの説明には説得力がある。奥行きもある。だが別な視点からの説明もあり得るのではないか。

以前から、恐怖は三つの要素から成り立っていると理解してみてはどうか、と考えてきた。すなわち、「①危機感、②不条理感、③精神的視野狭窄——これらが組み合わされることによって立ち上がる圧倒的な感情が、恐怖という体験を形づくる」と。

それぞれの要素について述べておこう。

まず①である。危機感こそは、まさに国語辞典が定義するところの恐怖と言えるだろう。ただしこれだけでは、つまらない。潤いに欠けるというか、あまりにも紋切り型だ。恐怖のリアリティーを思い巡らせるためには、もっと別な要素も加える必要があるだろう。

②の不条理感はどうだろう。これこそ必須ではないのか。恐怖に囚われた者たちは、「ああ、どうしてこんな目に遭わねばならないのだ！」と天を仰がずにはいられないのであり、死や破滅や無残な結末ばかりが彼らを虎視眈々と狙っている——少なくとも主観的には、そのように感じる。しかしわたしたちが存在していることそのもの、この世界が存在し粛々と営まれていることそれ自体が不条理だといった発想もあるわけで、考え方によってはいくらでも深みを与えられる要素でもあろう。

では③はどうか。

人間は追い詰められた状況に立たされると、精神的な視野が狭まる。あらゆるものごとに対処するだけの余裕や柔軟性が失われてしまうと、緊急避難的に、とにかく目の前の事象のみにフォーカスを絞って向き合おうとする。焦れば焦るほど、そのほうが能率的だと考えてしまう。「あえて」精神的視野狭窄状態に自らを追い込んでしまうのだ。が、実際には、そのような精神作用は裏目に出てしまいがちなのである。目の前の事象はいよいよ圧倒的に、露わに迫ってくるだろう。そうなれば、もはや棒立ちになったりうろたえてしまうだけだろう。凍りついたり狼狽することと精神的視野狭窄とが悪循環をなし、そのループが恐怖心をより際立たせる。往々にしてヒトが恐怖の前に自滅しがちなのは、そのような心理機制が作用しているからである。

恐怖を論じるには、以上の三要素に留意する必要がありそうだ。

ところで話を恐怖小説に限って申すならば、作品を読み進めながら味わう「恐怖」は、右に記した三要素とは少しばかり違ったものから成り立っているように思われるのである。現実の恐怖（それは不快で苦痛だ）とフィクションにおける恐怖（それはある種の愉悦だ）とは決して同一ではない。だからこそわたしたちは恐怖小説をじっくりと堪能できるのだ——と、そのように主張したいのである。

では恐怖小説における恐怖の特性とは何か。既《すで》に恐怖を形作る要素の筆頭としてわたしは「危機感」を挙げた次第だが、恐怖小説で描き出される危機感に読み手はどこまで感応するのだろうか。よほど純朴な読者でない限り、その危機感に読み手は「お約束」として付き合っているだけのような気がする（それもまた楽しいのだけれど）。だから恐怖小説が茶番劇だということではない。「お約束」の向こうにある不穏なものを期待しているわけだ。

ならば、不穏なものとは何なのか？

多くの作品において、「極限を超えた事象がもたらす特異な感情体験」こそが肝となっている。恐怖を導き出すストーリーを思い浮かべてみよう。そこにはしばしば怒りや失意や悲しみといった激情が嵩じた挙げ句、それが物質レベルの法則性を超越して怪異現象や呪詛などに結実するといった図式が見られる。ときには途方もなく邪悪な存在とか宇宙からの怪物、異次元や別世界、不可解な暗合やシンクロニシティ、盲目的な悪意や信じがたい偏執、それどころか正体不明としか呼びようのないものなどが強調されるが、それらもまた認識や理解の極限を凌駕しているといった点では大差あるまい。

そしてわたしたちは極限だとか臨界、行き着く果てやタブーの向こう、究極や無限といったものが気に掛かる。恐れるとともに、気に掛かる。結局それはどうなっているのか、もっともっとエスカレートさせたらどうなるのか。そうした消息を見届けずにはいられない。命を賭した探検や冒険、危険な実験やトライアル、そしてきわめて多くの愚行が、最終的にはそこに動機を立脚させているのではないか。そう、極限にはわたしたちを「狂わせる」要素がまぎれもなくあり、おそらく恐怖小説においてはそのような逸脱した気配が物語のトーンを司っている。

相対的到達至難極という言葉がある。どの方角の陸地からも最も遠い北極海の一点を指す。北極点にピアリーとヘンソンが到達してしまったあと（一九〇九）、次なる探検目標として考え出された航海地図上の一点なのだ。まさに狂っているじゃないか。わざわざそんな物騒なものを考案せずにはいられない心の働きに呆れると同時に、「相対的到達至難極」が孕む自然の残忍さや遭難の兆候にわたしはうっすらと恐怖を覚えずにはいられない。南極にも相対的到達至難極は存在し、これはどの方角の海から最も遠い南極大陸上の一点を指す。これもまたその過酷さにおいて恐怖に通底している。

本当の危機など我が身に訪れていないにもかかわらず、わたしたち読者は活字の羅列から恐怖を実感し堪能する。それはまず、「極限を超えた事象がもたらす特異な感情体験」を作者から鮮やかに提示されたからだ。すると現実感覚は麻痺し、だがそれと同時に日常の安寧さが思い出される。心のざわめきはひとつの旋律として捉え直される。そうした経緯が奇妙な充実感をもたらすからなのだろう。

わたしは恐怖小説を読みながら、疑似体験として「何か一線を超えてしまった」気分を味わう。そしてそのようなものは日常生活でも出会う機会がある。

たとえば黒い塗料の案件だ。

英国にはペンタブラックと呼ばれる光学機器用の塗料がある。これは世界一黒い塗料としてギネス認定されており、可視光線吸収率が九九・九五六パーセントとされる。ブラックホールの吸収率が百パーセントであることに鑑《かんが》みれば、まさに驚異的であろう。「ほぼ」ブラックホールということになるではないか。我が国では、可視光線吸収率が九九・四パーセントの水性アクリル塗料が市販されており（製造は光陽オリエントジャパン）、デモンストレーション用の動画を見ると、たんに黒いペイントが塗られているだけとは到底思えないのである。影そのもの、さもなければ存在の欠落そのものといったまさに恐怖小説に描かれそうなありようが実在していることが分かる。日常感覚それ自体が揺さぶられてくる。率直なところ「ぞっとする」。しかもアマゾンで簡単に購入できてしまうのだ。この塗料がもたらす恐怖に近い感触は、ブラックホールに近い物質が自宅から一歩も出ないまま入手可能であるといったギャップに由来するところが大きいだろう。

盆栽の案件はどうだろう。

樹齢四百年の松の盆栽を目にしたことがある。ふうん、すごいなあ。うっかり枯らすわけにはいかないだろう、手入れは大変だろうなあ。値段もさぞや高いのだろう、などと下世話な感想しか浮かんでこなかった。欲しいとも思わなかった。

しばらくして、たまたま、巌流島で一六一二年に宮本武蔵が佐々木小次郎と闘ったのが実話であったことを知った。四百年前に、本当に巌流島の決闘があったのだ。途端にあの松の盆栽を思い出した。樹齢四百年。わたしにとって宮本武蔵も佐々木小次郎も、絵双紙や東映の時代劇映画の登場人物であるといった感覚しかなかったのである。ところが盆栽を介して彼らの死闘が現実のものとして立ち上がってきた。それどころか、武蔵や小次郎の息遣いや、力を込めた彼らの腕に浮き出た静脈の膨らみ、うなり声までがありありと想像されてきた。作り話とばかり思っていた殺し合いが、洗面器ほどの大きさの鉢に植えられたミニチュアの松の向こうにくっきりと見えてくるようであった。

その生臭いばかりのリアリティーにわたしは困惑せずにはいられなかった。いや、唐突な生々しさにおいてそれはもはや恐怖に近かった。底知れない時間のパースペクティヴを覗き込んだ気分にさせられたのだった。そしてその経験は、思い返してみれば堪能するに足るものだったのである。

恐怖はわたしたちを打ちのめすこともあれば、密やかな酩酊をもたらすこともある。

解題

『戦慄の創造』『恐怖の探究』と『恐怖』

牧原勝志

紀田順一郎・荒俣宏編による名アンソロジー《怪奇幻想の文学》全七巻（新人物往来社　一九七八年完結）を二十一世紀に再構築する企画《新編　怪奇幻想の文学》の第三巻『恐怖』を、ここにお届けする。

このアンソロジー・シリーズは、オリジナル版の編者による監修のもと、怪奇小説の古典・準古典から、同時代の読者に届けたい作品を新たに集めるものである。第一巻『怪物』、第二巻『吸血鬼』が、怪奇小説愛好者のみならず多くの読書人に歓迎されたことに、ここであらためて感謝を表したい。

本巻のテーマは、第三巻『戦慄の創造』と第四巻『恐怖の探究』（共に一九七〇年初刊）に基づくものである。

『戦慄の創造』はテーマを「ゴシック」とし、以下の作品を収録している。
「オトラント城綺譚」"The Castle of Otranto" ホーレス・ウォルポール　平井呈一訳
「判事の家」"Judge's House" ブラム・ストーカー　桂千穂訳
「十三号室」"Number 13" M・R・ジェイムズ　紀田順一郎訳
「チャールズ・ウォードの奇怪な事件」"The Case of Charles Dexter Ward"
H・P・ラヴクラフト　宇野利泰訳
巻頭の紀田順一郎による解説「ゴシックの炎」は、「オトラント城綺譚」にはじまるゴシック文学の歴史を完結にまとめ、そのひとつの終着点にラヴクラフトを位置づける。巻末の荒俣宏による「解題」は解説の補論となり、「この一巻は新しい恐怖の創造を行なった最初と最後の巨峰をおし並べたもの」と結んでいる。
長編が二編も収録されているアンソロジーは類を見ないが、紀田順一郎『幻想と怪奇の時代』(松籟社　二〇〇七)によると、当初は全三巻であった《怪奇幻想の文学》の企画の肝要は「オトラント城綺譚」の邦訳実現にあり、「チャールズ・ウォードの奇怪な事件」は他巻との枚数を合わせるための併収であったことが記されている。さらに、続く『恐怖の探究』は、第一巻『真紅の法悦』が好評で発売一週間後に増刷が決まり、そのときに担当編集者から提案された増刊であったという。
『恐怖の探究』の収録作は以下のとおりである。
「"若者よ、笛吹かばわれ行かん"」"Oh, Whistle and I'll Come to You, My Lad"
M・R・ジェイムズ　平井呈一訳

「のど斬り農場」"Cut-throat Farm" J・D・ベリスフォード　平井呈一訳
「無言の裁き」"His Brother's Keeper" W・W・ジェイコブズ　仁賀克雄訳
「不幸な魂」"Homeless One" A・E・コッパード　荒俣宏訳
「なぞ」"The Riddle" ウォルター・デ・ラ・メア　紀田順一郎訳
「死闘」"Tough Tussle" アンブローズ・ビアス　米波平記訳
「死骨の咲顔」"The Dead Smile" F・M・クロフォード　平井呈一訳
「わな」"The Trap" H・S・ホワイトヘッド　荒俣宏訳
「音のする家」"The House of Sound" M・P・シール　阿部主計訳
「鎮魂曲」"God Grante That She Lye Stille" シンシア・アスキス　平井呈一訳
「木に愛された男」"The Man Whom the Trees Loved" アルジャナン・ブラックウッド
青田勝訳

巻頭の解説は種村季弘「恐怖美考」。恐怖という感情の原初的な根源から、ゴシック文学を経て美的要素として受容されるまでを、博引旁証の下に論じている。

さらに、荒俣宏「解題」の冒頭も、短いながら恐怖小説論になっており、以下に引用するその結びには、編者としての意気込みを感じる。

「とにかく、『恐怖する愉しみ』という、このたとえようもない愉悦を、ただ一部の愛好家にばかり独占させておく手はあるまい。この一巻は、ひとり居の夜半にふと本棚から取り出して、時間を忘れるほど読みふけるための、いささか贅沢な物語集である」

本書は、ゴシック・ホラーの『戦慄の創造』とも、恐怖の「バラエティの粋」たる『恐怖の探究』とも異なる基準で作品を選定しているが、「恐怖する愉しみ」を読みふけるための一冊たらんとしたことには変わりはない。御堪能いただければ望外である。なお、収録作品は特記ないかぎり、本書のために新訳したものである。

　オリジナルの《怪奇幻想の文学》について、興味深い補足をしておこう。初刊予告時の内容見本によると、『戦慄の創造』の収録作品として「オトラント城奇譚」「チャールズ・デクスターの病状」（ともに見本掲載の仮題）と共に予定されていたのは、本書にも収録した「木に愛された男」と「音のする家」だった。お手元の二長編と合わせて〝幻の第三巻〟を再現するのも一興だろう。

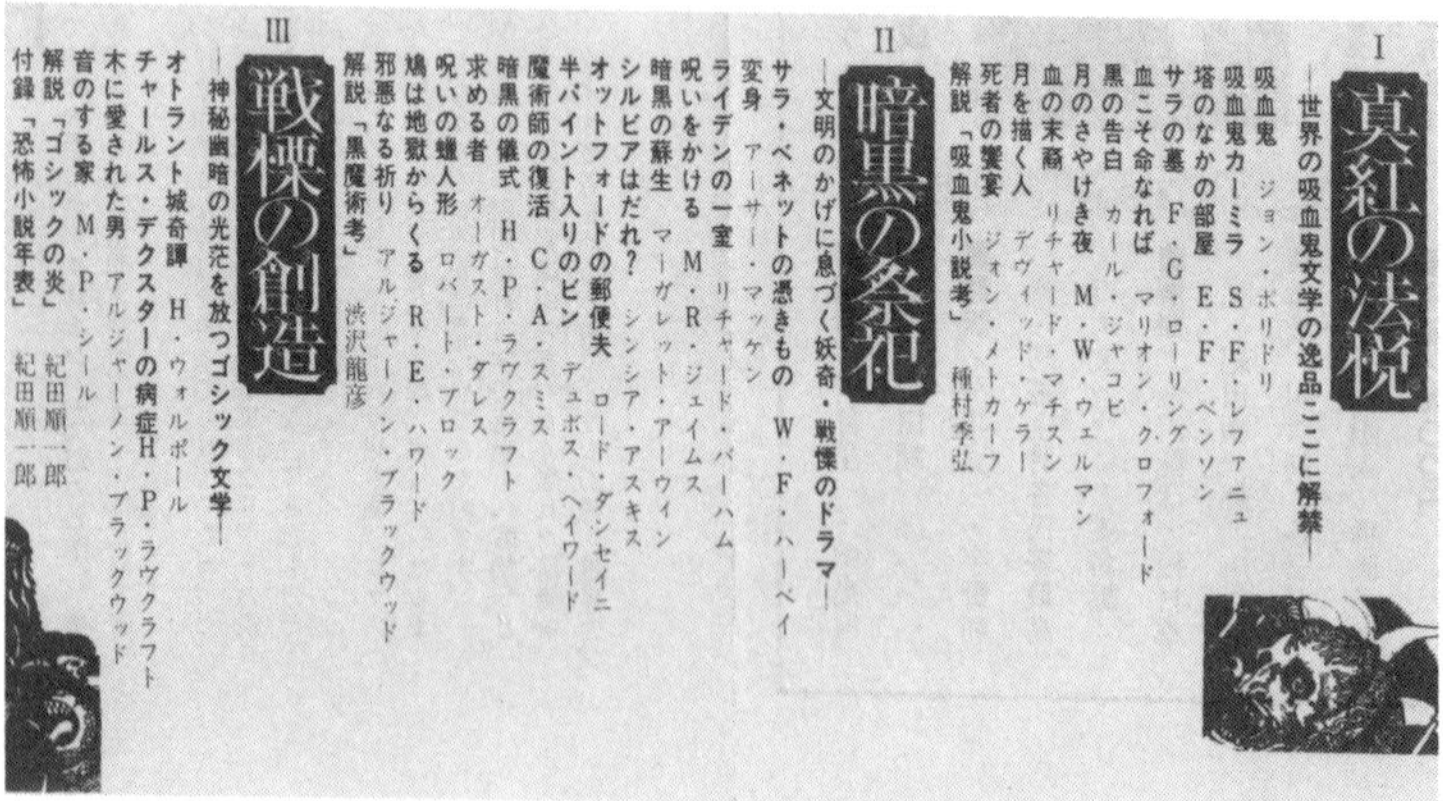

I
真紅の法悦
—世界の吸血鬼文学の逸品ここに解禁—
吸血鬼　ジョン・ポリドリ
吸血鬼カーミラ　S・F・レファニュ
塔のなかの部屋　E・F・ベンソン
サラの墓　F・G・ローリング
血こそ命なれば　マリオン・クロフォード
黒の告白　カール・ジャコビ
月のさやけき夜　M・W・ウェルマン
血の末裔　リチャード・マチスン
月を描く人　デヴィッド・ケラー
死者の饗宴　ジォン・メトカーフ
解説「吸血鬼小説考」　種村季弘

II
暗黒の祭祀
—文明のかげに息づく妖奇・戦慄のドラマ—
サラ・ベネットの憑きもの　W・F・ハーベイ
変身　アーサー・マッケン
ライデンの一室　リチャード・バーハム
呪いをかける　M・R・ジェイムス
暗黒の蘇生　マーガレット・アーウィン
シルビアはだれ？　シンシア・アスキス
オットフォードの郵便夫　ロード・ダンセイニ
半パイント入りのビン　デュボス・ヘイワード
魔術師の復活　C・A・スミス
暗黒の儀式　H・P・ラヴクラフト
求める者　オーガスト・ダレス
呪いの蠟人形　ロバート・ブロック
鳩は地獄からくる　R・E・ハワード
邪悪なる祈り　アルジャーノン・ブラックウッド
解説「黒魔術考」　渋沢龍彦

III
戦慄の創造
—神秘幽暗の光芒を放つゴシック文学—
オトラント城奇譚　H・ウォルポール
チャールス・デクスターの病症　H・P・ラヴクラフト
木に愛された男　アルジャーノン・ブラックウッド
音のする家　M・P・シール
解説「ゴシックの炎」　紀田順一郎
付録「恐怖小説年表」　紀田順一郎

《怪奇幻想の文学》初刊時内容見本（1969）より　資料提供：高井信

収録作品解題

「謎」"Qui Sait?"

ギ・ド・モーパッサン（一八五〇―一九三）は、フランス自然主義を代表する小説家の一人である。公務員の仕事のかたわら若くして創作に励んだが、神経を病み三十一歳で職を辞し創作に専念。八三年の『女の一生』で名を広め、活発な創作活動を続けるも、九一年に精神に異常を来し、翌々年に入院中の精神病院で歿した。

モーパッサンには六作の長編小説のほか、「脂肪の塊」や「首飾り」をはじめ二百六十編を超える中短編があるが、その中には目に見えぬ怪異との遭遇を描いた「オルラ」（一八八七）をはじめ、怪奇的な題材の作や、恐怖を主眼にした作も少なくない。自身をさいなむ狂気をそのまま描いたかのような本作は、生前に刊行された最後の短編集 *L'inutile beauté*（『あだ花』一八九〇）に収録された。

「死んだユダヤ人」"Der Tote Jude"

ハンス・ハインツ・エーヴェルス（一八七一―一九四三）は、ドイツの小説家、文筆家、映画制作者・脚本家。ヴァイマル共和政のもと、オスカー・ワイルドに憧れ、アナキズムとオカルティズムに傾倒する一方、諜報活動に身を置いた時期もあったと言われる。怪奇小説においては「蜘蛛」（一九〇八）などの短編で知られるほか、長編『魔法使いの弟子』（一九一〇）、『アルラウネ』（一九一一）、『吸血鬼』（一九二二）も邦訳されている。ユダヤ人差別反対運動に参加した時期がありながら、三一年に国民社会主義ドイツ労働者党（通称ナチ）の活動に参加。三三年には党のプロパガンダ小説『ホルスト・ヴェッセル——あるドイツ的運命』を上梓した。

本作は短編集 *Das Grauen: Seltsame Geschichten*（『恐怖：奇妙な物語』一九〇七）所収の一作。エーヴェルスの怪奇小説は、生々しい恐怖描写ゆえスプラッタ・ホラーの先駆とも言われるが、ここでは暴力と死の恐怖のあとに、それを上まわる不条理な恐怖がブラック・ユーモアと共に描かれている。

「音のする家」"The House of Sounds"（『恐怖の探究』所収　同題　新訳）

マシュー・フィップス・シール（一八六五—一九四七）は十九世紀末のイギリスで活躍した大衆作家で、主に冒険小説と怪奇小説を手がけた。代表作で人類滅亡テーマの『紫の雲』（一九〇一）や探偵小説『プリンス・ザレスキーの事件簿』（一九七七）のほか、本シリーズ第一巻『怪物』所収の「青白い猿」をはじめ、短編がいくつか邦訳されている。

特異な文体で知られるシールだが、本作はさらに舞台も着想も特異で、孤島の断崖に張りつくように建つ館のイメージと、妄執を込めて鳴りつづける怪音の残響は、読後しばらく脳裏から離れないことだろう。本作は一八九六年発表の短編"Vaila"を改稿したもので、短編集 *The Pale Ape and Other Pulses*（『青白い猿　その他の脈動』一九一一）に収録された。なお、新訳のテキストは、同書に準拠したS・T・ヨシ編 *The House of Sounds and Others*（Hippocampus Press, 2005）所収のもので、章立てがない点や終盤の段落分けなど、『恐怖の探究』所収の旧訳とは相違がある。

「木に愛された男」"The Man Whom the Trees Loved"(『恐怖の探究』所収　同題　新訳)

H・P・ラヴクラフトが評論「文学と超自然的恐怖」で、同時代の巨匠としてアーサー・マッケン、M・R・ジェイムズと共に挙げているのが、アルジャーノン・ブラックウッド(一八六九―一九五一)である。ブラックウッドはイギリスに生まれ、若くして渡米しさまざまな職業を経験したのち、帰国して創作活動を始めた。多作だが邦訳も多く、長編『人間和声』や、『秘書奇譚』『ウェンディゴ』『いにしえの魔術』などの中短編集を手軽に読むことができる。が、まだ未訳作は多いので、引き続き翻訳紹介を進めていきたい。

この中編は作品集 *Pan's Garden*(『牧神の庭』一九一二)の巻頭に置かれた。同書にはブラックウッド独自の自然崇拝的な要素を持つ作品が集められているが、本作は森を主題とし、人間を挟んで自然と信仰の相克を描いた、代表作の一つである。

「顔」"The Face"

エドワード・フレデリック・ベンスン(一八六七―一九四〇)はイギリスの小説家・文筆家で、多岐にわたる分野の作品を手がけている。日本では怪奇短編で知られているが、本国では貴族階級の生活をコミカルに描いた長編に人気が高い。なお、彼はM・R・ジェイムズ学長時代にキングズ・カレッジに在学したが、師弟ではあっても作風はジェイムズ風にはならなかった。

本作は *Hutchinson's Magazine* の一九二四年二月号に掲載されたのち、本シリーズ第一巻『怪物』所収の「〝かくてさえずる鳥はなく〟」と共に、二八年刊の第三短編集 *Spook Stories*（抄訳『ベンスン怪奇小説集』一九七九）に収録された。ベンスン屈指の恐怖編と呼びうる傑作である。なお、ラッセル、パーカー、ヴァレンタイン編の *Literary Hauntings*（2023）は、怪奇小説の舞台となったイギリスとアイルランドの各地を作品とともに紹介する好著だが、本作に登場する廃教会がサフォーク州ダンウィッチに実在した（現存はしていない）ことを突き止めている。

「丘からの眺め」"A View from a Hill"（東京創元社『M・R・ジェイムズ怪談全集2』より再録）

モンタギュー・ローズ・ジェイムズ（一八六二―一九三六）は、イギリスの古文書学者。若くしてフィッツウィリアム博物館長、ケンブリッジ大学博物館長となり、同大学キングズ・カレッジと、パブリック・スクールの名門イートン・カレッジの学長を歴任し、そののちケンブリッジ大学副総長を務めた。聖書の研究やアンデルセン童話の翻訳、J・S・レ・ファニュの再評価などの業績でも知られている。

三十七編を数えるジェイムズの怪奇短編は『M・R・ジェイムズ怪談全集』（二巻　二〇〇一）に収録されている。アンソロジーに収録されることも多く、近年には第一短編集『消えた心臓／マグヌス伯爵』が南條竹則の新訳で光文社から上梓された。古めかしい怪奇小説の典型という誤解も仄聞するが、いずれもユーモアを含んだ語り口、探偵小説を思わせる筋立て、堂々と立ち現れる幽霊や怪物と、読者を引き寄せる要素を具え、繰り返し読んで飽きない。

本作は第四短編集『猟奇への戒め』（一九二五）に収められた。そこにないものを見せる双眼鏡、「縛り首の丘《ギャロウズ・ヒル》」という禍々しい地名、墓地の悪夢と、名手が畳みかける恐怖の技をお楽しみいただきたい。

「怪船マインツ詩篇号」"Le psautier de Mayence"

ジャン・レー（一八八七―一九六四）はベルギーの小説家、雑誌編集者、ジャーナリスト。幻想文学においてはポーやラヴクラフトに比せられ、〈ベルギー幻想派〉を代表する作家として知られる。ジョン・フランダースはじめ数多くの別名を持ち、フランス語とオランダ語を用いて怪奇、SF、探偵小説など多岐にわたるジャンルで、膨大な数の小説を発表した。国書刊行会刊の『マルペルチュイ　ジャン・レー／ジョン・フランダース怪奇幻想作品集』は、幻想長編の代表作を表題に、二冊の短編集を併録した大冊だ。他に、一九七〇年代から八〇年代にかけて数点の邦訳書がある。

本作は*Le bien public* 紙の一九三〇年五月六日号に掲載後、短編集*La croisière des ombres: Histoires hantées de terre et de mer*（『影の巡航：陸と海の怪異譚』一九三二）に収録された。船乗りとしての経歴を創作していたと言われるレーだが、海と船への愛着は本物だったことが窺える。W・H・ホジスンの海洋奇譚や、ラヴクラフトの諸作とも共通項を持つ傑作である。

「クロード・アーシュアの思念」"The Will of Claude Ashur"

C・ホール・トンプスン（一九二三―一九九一）は、一九四〇年代から六〇年代にかけてパルプマガジンとペーパーバックで活躍したアメリカの小説家である。主にウエスタンを手がけたが、一九四七年から翌年にかけては『ウィアード・テールズ』に、ラヴクラフトの影響が顕著な怪奇小説を寄稿している。「深淵の王者」から本作を挟み、「蒼白き殺人者」「粘土」と四編があり、本書をもって彼の怪奇小説がすべて邦訳されたことになる。

兄弟の確執を魔術をからめて描いた本作は、『ウィアード・テールズ』*Weird Tales* 一九四七年七月号に掲載された。ミスカトニック大学が一場面の舞台となり、魔道書『ネクロノミコン』も登場するうえ、ラヴクラフト晩年のある作に類似したアイデアを使っている。それゆえオーガスト・ダーレスが抗議したと伝えられているが、もちろん模作ではなく、独特のゴシック的な暗鬱さを湛えている。なお、作中深く根を下ろすある病気への恐怖は、書かれた時代の意識を反映したものだろうが、認識と描写は同時代のパルプ小説に比すると、現代のものに近いと言える。

（本項はテレンス・E・ヘンリーのブログ *Tellers of Weird Tales* https://tellersofweirdtales.blogspot.com/ を参考にした。）

「影にあたえし唇は」"I Kiss Your Shadow"（扶桑社『予期せぬ結末3　ハリウッドの恐怖』所収　改訳）

ロバート・ブロック（一九一七―九四）はアメリカの小説家で、アルフレッド・ヒッチコック監督の映画『サイコ』（一九六〇）の原作者として知られている。幼少期から映画と読書を好み、十代から『ウィアード・テールズ』に寄稿。ラヴクラフトやダーレスはもとより、フリッツ・ライバー、レイ・

ブラッドベリら数多くの小説家と親交を持った。恐怖短編の名手として知られ、『切り裂きジャックはあなたの友』『血は冷たく流れる』などの短編集が邦訳されている。

本作は『F&SF』(*The Magazine of Fantasy and Science Fiction*)の一九五六年四月号に掲載後、短編集*Pleasant Dreams—Nightmares*(抄訳『愉しい悪夢』一九六〇)に収録された。ゴースト・ストーリーか異常心理小説か、読者にはわからせないまま、恐怖を高めていく技巧をお楽しみいただきたい。

「とむらいの唄」"Mourning Song"(扶桑社『予期せぬ結末2 トロイメライ』所収 改訳)

チャールズ・ボーモント(一九二九―六七)は、アメリカの小説家、脚本家、コラムニスト。十六歳でレイ・ブラッドベリの知遇を得て小説家を志し、五一年に二十二歳で小説家としてデビュー。以降、『プレイボーイ』『エスクワイア』『コリアーズ』などの雑誌に続々と短編を発表した。さらに、TVシリーズ『ミステリー・ゾーン』とロジャー・コーマン監督のホラー映画を中心に、脚本家としてもめざましい活躍を見せたが、若年性アルツハイマー病のため六七年に世を去った。

本作はSF誌*Gamma*の創刊号(一九六三年七月)に発表され、ジュディス・メリル編『年間SF傑作選4』(一九六四)に選ばれたが、ボーモント自身の著書に収録されたのは死後二十年余りを過ぎた後だった。死に対する根源的な恐怖を、死を告げる盲目の老人と、彼に抗う青年を通して、鮮やかに描いた傑作である。

本書の解説は、精神科医の春日武彦氏にお願いした。怪奇幻想文学にも造詣が深く、恐怖という感情に著書でもしばしば目を向ける氏の解説を通し、読者がさらなる「恐怖する愉しみ」を堪能し、渉猟されますよう。

今日の人権意識に照らして不適切と思われる表現や語句につきましては、発表時の時代的背景を考慮し、作品を尊重する立場から、原文を逸脱することなく翻訳・収録しておりますことを、ご了承下さい。(編集部)

新編 怪奇幻想の文学 3　恐怖
2023年5月10日　初版発行

【監修】紀田順一郎・荒俣 宏
【 編 】牧原勝志（『幻想と怪奇』編集室）

【発行人】福本皇祐
【発行所】株式会社新紀元社
〒101-0054
東京都千代田区神田錦町 1-7 錦町一丁目ビル 2F
Tel.03-3219-0921　Fax.03-3219-0922
http://www.shinkigensha.co.jp/
郵便振替　00110-4-27618

【装幀・装画】YOUCHAN（トゴルアートワークス）
【印刷・製本】中央精版印刷株式会社

ISBN978-4-7753-2041-9
Printed in Japan　定価はカバーに表示してあります